黒い陰に輝く光

ラウニ・リーナ・ルーカネン・キルデ 著

石橋輝勝 訳

文芸社

訳者緒言

高度情報化時代といわれ、情報が容易に入手できるようになっているにもかかわらず、我々が生きている時代を理解することは相変わらず難しいのが実状である。しかも自分の身に起こっていることすら理解し難い時代になっているのである。それは不勉強によることもあるが、情報が公開されていないことによる無理解も大いに考えられるところである。

本書を執筆したラウニ・ルーカネン・キルデ博士は、フィンランド人の内科医で、6カ国語に精通し、超心理学、マインドコントロール、非殺傷兵器、臨死体験、UFO現象等、一般の学者が一歩置く問題を長期リサーチされてきた方である。その氏が遺した本書が現代を理解し、個々人の身に起こっていることを理解するに大いに役立つと考えられることから、翻訳出版を決意した次第である。一般人が遠ざけることにそのような情報があるということは、常識では考えられない力が社会にまた個々人に及んでいるということである。そのためそれを忌避していては、直面している問題の本質を理解できず、それは正しい問題の解決にもつながらないことになるのである。

本書で詳述されている、軍情報部と諜報機関の仕事、各国情報機関の連携、テロ行為と偽旗《いつわりはた》作戦・ステイビハインド作戦、人工衛星とスーパーコンピューターによる大衆監視と追跡、人間を遠隔操作するサイバネティクス技術、それに使われるブレインチップとインフォームド・コンセント（本人に知らせての同意）のない人体実験の半世紀を越える歴史、著者が軍事医学と酷評する精神医学とそのバイブルとしてある『精神疾患の診断・統計マニュアル』、組織的嫌がらせを実行するコインテルプロ・グラディオ作戦などは、世界に甚大な影響を及ぼしているのである。そのためどれほど遠ざけておきたいものでも、直視しなければならないのであり、その理解が得られて、はじめて時代の問題に正しく対処できるようになるのである。博士はそのように秘された社会理解の鍵となる情報を遺してくれたのであり、その意味で、一般大衆にとって福音そのものなのである。博士は本書を愛が最終的な問題解決の要と結んでおり、今まさにその時を迎えているように思われる。

キルデ博士は2015年にお亡くなりになったが、第七章「世界保健機関とワクチン」で、2009年に発生した豚インフルエンザ及びそのワクチンについて言及しており、今我々が直面している新型コロナウイルス問題にも参考になるものと考える。生物兵器の使用も考えられる時代であることから、過去を学んで、万全な対策を世界規模で構築していくことが必要なのである。

博士は本書でCIAが超能力を研究していたことを紹介しているが、30年以上前に「CIAは超能力を越えた」という日経新聞の小さな記事を読んだことを記憶している。これは超能力が技術的に再現できるようになったと理解できる記事である。今日起こっていることはそれが事実であるかのような次元を超えた問題が発生しているのである。これまでの一般常識では理解できないことがあることを肝に銘じて今日の問題に対処していかなければならないのである。

第四章にある「宇宙空間と宇宙との接触」では、UFO現象について言及しており、この一章を見ただけで一蹴されてしまいかねないことから、少しばかり解説を加えておくことは意味のあることと考える。この中で注目して頂きたいのは1991年モスクワで開催されたUFO会議の内容である。会議の最後で、「UFO研究とは他の全ての科学を網羅した科学である」と結論付けられたということである。つまりUFO研究が社会科学をも取り込んで最高の学問と位置付けることがこの会議では認められたということである。昨今米国防総省がUFO関連の機密情報を流し始め、防衛省もその対応を迫られているが、これから一般大衆レベルで展開される議論は、最高の学問を嘲笑するように仕向けて、独占利用できる環境作りの騒ぎになると思われる。一般大衆には断じて踏み込ませない領域作りである。そのため第四章を読み間違えないで頂きたいのである。

博士はまた地球環境に影響を及ぼすHAARP（High Frequency Active Aurora Research Program・高周波活性オーロラ研究プロジェクトの略：アラスカ、ノルウェー、ノボシビルスク、クラスノヤルスク、キプロス、グリーンランドに施設があるといわれる）を使用した地球規模のテロ災害の可能性を指摘しており、それによって洪水、干ばつ、地震、津波、台風、竜巻、森林火災、熱波、集中豪雨などを引き起こすことができるとの指摘から、東日本大震災とそれによる大津波を経験している我が国としては見逃せない情報で、万全な対策がなされるべきなのである。

キルデ博士は本書によって一般の盲を開く努力をされていることを感じて頂いて本書を読み進めて頂きたく思います。今日社会や個々人にどれほど常識から乖離した問題が発生していても、何事にも理由があるのであり、理解できないからといって、陰謀論や精神的問題として片付けて済ませていてはならないのである。博士はロバート・ネスランド氏の見解を「陰謀論に関する用語は、実際には50年にわたって実施されているテクノ・ポリティカルプロジェクトのことを指す」と紹介しており、この指摘が当を得ていると訳者自身は考えている。UFO研究を最高の学問としたテクノ・ポリティカルな社会作りが、ほんの一握りの人間の指導で強力に進められているのである。それは一般から見ると仰天させるほど非常識なことであっても、それをばく進させられるのであるから、それにも理由（正当性？）があることと考える。

社会科学をも取り込んで最高の学問たらしめるには、目指すところが政治学で論じられるユートピア（正当性の根拠となるもの）たるものでなければならない。果たして一般大衆に秘したユートピアが有り得るのであろうか。ここで一度社会科学と交わって進める接点を持つべきなのであり、ユートピア論議はその機会をもたらす最高の材料になると考える。21世紀は、本来、人類の知と安全保障、人類が抱えるこの二つの大課題と真正面から取り組まなければならない時代なのである。軍事テクノロジーの開発で行き着いたテクノ・ポリティカル社会という理想郷が、本当に社会科学者を含めた専門家に、また一般大衆を納得させられるものか、議論の俎上に載せられるべきなのである。特に、民主的に選ばれた国会議員によって議場で、また各国代表が集まる国連総会の場で議論されることが待たれているのである。

本書はそのようにいくらでも深読みできるものであり、決して暴露本でもなければ、陰謀論を説くものでもないのである。知ることが耐えがたい真実を語って失望だけを与える書でもないのである。タイトルにあるように黒い陰から光をもたらすことが著者の願いなのである。訳者としては日本からひときわ輝く光を放てることを願っているのである。その様な思いに至らせてくれたキルデ博士に、最大限の感謝を申し上げ、本書を日本の読者にささげるものである。

最後に、本書の翻訳は、ＮＰＯテクノロジー犯罪被害ネットワークの会員の協力があってできたものである。ここに改めて御礼申し上げる次第である。

石橋輝勝

格言

〝調査のない非難は無知の高さである〟
アルバート・アインシュタイン

〝人間の運動、感情、および行動は電（磁）力によって影響され、人間はボタンで、ロボットのように制御することが可能である〟
ホセ・デルガード

〝アメリカは拷問はしない〟
ジョージ・ブッシュ（元米国大統領）

〝個人は次から次へと、怪物のような陰謀論を聴き続けるという不利な条件下で、その存在すら信じることができない〟
J・エドガー・フーバー（FBI）

〝真実を伝えることは革命的な行為である〟
ジョージ・オーウェル

〝本質的なものは目に見えない〟
アントワーヌ・ド・サンテグジュペリ

目次

序　文

私は過去30年の間に、モスクワからワシントンDC、その他様々な国で、多数の国際会議に出席した（公開されているもの、機密にされたもの、紹介制によるもの）。内容は、超心理学、外交学、UFO（未確認飛行物体）学、マインド・コントロール、精神医学、軍事医学における神経電磁気通信学、一般社会では一切認知されていない〝非殺傷兵器〟などによる電子戦争実験などである。

そのような数々の会議を通し、私は、一般の人々が〝気づかなければならない〟かなりの情報を入手したと感じている。にもかかわらず、各国の政府や秘密（諜報）機関は、〝タイムトラベル〟のような科学技術の極端な技術進歩、例えば、月面／火星／土星など、他の惑星への〝継続的な旅行ができる技術〟などを、一般国民には教えないようにしている。電気的、化学的、心理的手段による、人間の思考（信号）を読んだり、影響を与えたり、行動を操作することは、一般大衆や、一般の医師さえも知らされていない。これらは、食品添加物、ビタミン抑制、ナノテクノロジー、遺伝子操作、マイクロ波による疫病、〝省エネ〟の有毒な電球（灯）、様々な病気を引き起こすケム・トレイル、電磁波によるマインド・コントロールを使用して行われている。大衆が気づかないままでの地球人へのマイクロチップ化は、例えば、ワクチン接種による、行動、思考、態度の全面的なコントロールの目的のために実行され続けている。

一般市民に警告する作家やジャーナリスト、内部告発者に対する嫌がらせと犯罪は、軍と民間の両方の秘密サービス（諜報機関）により日常的に行われている。人道（道徳）に相反する組織的な不正行為である。政府の正面に隠れている少数の（金融）エリートたちによるナチスタイルの極端な「人口削減計画」は、彼らが完全に支配して操っている企業、マスメディア、そして彼らが所有する無制限の富（金）の源泉により有効に機能している。それらがこの本で取り上げたい話題の一部である。何十年もの間、私は巨大なテクノロジーの進歩、フリーエネルギー技術、人類繁栄のための地球外生命体との宇宙的接触などが、マスメディアによって公式に否定されていることに驚いている。多くの科学者、軍隊、政治家、法執行機関などが、一般社会に今日の世界の（本当の）現実を知らせないように、マスメディアに意図的に偽の（誤った）情報を与えていることを理解するのに、私には長い時間がかかった。理由は、もちろん、お金とパワー、そして大衆の極端なコントロールである。〝真実〟はすべてを変えるであろう。今日、少数派の（金融）エリートたちは、何十億という人々の運命を決める権利を持っていると考えている。傲慢にもエリートたちは、誰が奴隷として彼らに奉仕するのか（人口管理）、誰がそれらを管理することができるのかを決定することが可能だと思っている。中産階級は廃止されるであろう。なぜ大衆は指導者とその道徳に疑問を投げかけていないのか？　〝無知〟な大衆はエリートたちにとっての脅威ではなく、中産階級者が彼らの脅威なのである。彼らは、エリートたちによって〝羊〟や〝牛〟と呼ばれている。これらの非倫理的指導者たちは、すべての人間が〝エネルギー〟であり、〝意識〟であり、脳細胞だけではなくすべての細胞が振動している身体に、我々が生息していることを完全に忘れてしまっているのだ。

そして、私たちが〝個体のように感じる体〟は、実は約70％が水分から成り、さらに私たちの脳は87％の水分から成っている。私たちを抱き合わせるものは、私たちのエネルギーだ。私たちのライト・ボディ、それらは〝障害のない〟我々の（実際の）身体のコピーであり、それらに性的な概念はあり得ない。私たちのコア（ソウル）は男性でも女性でもなく、中性的である。私たちは男性や女性ではなく、男性や女性として〝作られて〟いるのだ。興味深くはないだろうか？私たちのエネルギーは決して死ぬことはない。私たちは常に〝意識体〟として、宇宙で永続的に存在し、さまざまな次元や異なるタイムラインで、私たちがとったすべての行為や思考や行動に責任を負う。私たちは同時に異なる周波数で存在している。ソ連、米国、中国、（ナチス）ドイツの行為として知られている非倫理的人権侵害は、弱い者、高齢者、病人、などの「望ましくない」「いらない人間」などを排除しようとしている。

私はこの姿勢に大きな懸念を抱いている。金融エリートたちは自らの目的を様々な形で、彼らの〝人口削減計画〟の中で実行している。数年前に行われた、ＴＩＭＥ誌のギャラップ（世論）調査によると、米国は世界一テロの脅威に晒されている国と見なされていた。アメリカの中産階級者たちは、ＣＩＡ／米国が世界中で行っている行動を全く知らされていない。彼らは、米国が世界中の貧しい国を軍事面、経済面などで支援していると信じている。

私たちは一度立ち止まり、地球に生きている人類として、私たちの使命が何であるかを考える必要がある。石油、鉱物、土地のために絶えず戦争に行くつもりなのか。仲間を絶えず殺してまで。１９６０年代に出版された本「アイアンマウンテン報告」には、米国にとっては常に戦争が存在することが必要だと書いてある。

蒔いたものを刈り取る——今や〝ローマ帝国〟が崩壊する時が来た——まずは財政的に、次に地理的に。「人工の」スーパー・テクノロジーの巨大な大惨事。地震、津波、竜巻、雷、洪水、干ばつ、森林火災。そして、—気象兵器—危険な原子力施設が破壊される要因となり、放射性物質で致命的な被曝汚染になる可能性がある。これは、アメリカ、日本などで〝今〟現実に起こっている。

明らかに人類は、なぜ我々がここに存在しているのかを自覚し、また人間であることを理解して目を覚ますには、世界的な大惨事を必要としているかのようだ。この肉体の形で、この宇宙の小さな惑星で、このタイムライン（時代）の、人生（存在）の意味とは何なのか。彗星や小惑星が地球に衝突する可能性はある。現在の〝裏の非倫理的指導者〟たちと、スピリチュアル（精神的）な良識を持つ指導者たちとが入れ替わり、私たち全員のスピリチュアル（精神的）で、合理的な発達と成長に対しての責任を理解してくれるリーダーたちが必要である。私たちは〝銀河宇宙的な存在の生命体になりつつあり、私たちにとって、ネガティブなテクノロジーは、私たちの幸福のために変えなければ（止めなければ）ならない。変化は既に始まっている。人工的な〝宗教的（人物の）〟空間に投影可能な映像送信技術（ホログラム）や、人工的な、〝地球外生命体によるものと装った〟空からの攻撃技術などの変化が近い将来、人間を大きく変えることになるであろう。私たちの意識（魂）は不死身である。そしてわれわれは宇宙で唯一の存在ではない。

２０１１年10月　ノルウェーのソンにて

（＊２０１４年に、この本を出版していただける勇敢な方がやっと見つかった）

ラウニ・リーナ・キルデ博士

第1章　すべての起源

私はフィンランド東部のカレリアで生まれた。ロシアの国境に隣接していた町で、ソ連がフィンランドを攻撃した１９３９年の冬の戦争の２週間前である。２億のロシア人対４００万のフィンランド人。しかしロシア兵は冬の戦いに敗北した。その事実は、圧倒的な敵に直面していても、人々の意志が「山を動かせる」という恒久的な確信を、この世に生まれた意識的な存在としての私に、与えてくれたのだと思う。それ以後ずっと、私は同じ気持ち（意志）を維持してきた。それは、私たちが今住んでいる世界の（本当の）姿を認識し始めたからでもある。

すべてに〝表裏〟があるという事実。政府と当局は表面的な存在でしかなく、世界の裏側の本当の支配者に従っているだけなのだ。一般国民は、これらの、特に〝国民の関心〟にならない〝力〟について、ほとんど知らされていない。私たちは数十年にわたり、マスメディアによって真実を隠蔽され、真実を隠すことによって洗脳されてきた。その命令は、大企業を所有する少数派のエリートから来ている。マスコミは、政治指導者、軍隊、法執行機関、賄賂を受けた科学者、そして政府系諜報機関のための報道を行っている。特に政府系諜報機関は、少数派エリートたちの目論む「汚い仕事」を自国民に対しても平然と行っている。例はいくつもあるが、２００１年

9月11日のニューヨーク世界貿易センターの「内部者」によるテロ攻撃もその一つである。あれは、元CIA職員であったオサマ・ビン・ラディンのような人たちを痛めつける偽旗作戦であった。そして、アルカイダはCIAによって生み出された。アフガニスタンを侵略する計画は、9月11日よりずっと以前に計画されていたが、戦争のための口実が必要だった。アフガニスタンは貴重な鉱物、ガス、アヘンの畑を所有している。すべてアメリカにとって必要な資源である。CIAは世界最大のドラッグ・ディーラー（麻薬売買組織）である。一方でCIAは自国に麻薬を持ち込む。ベトナム戦争などで命を落とした兵士の死体の中に〝ブツ〟を隠すという手法を用いてまでもアメリカ国内に運び込むのだ。そしてもう一方で、麻薬の密入を取り締まっている。大金が関係してくると、愛国心や信仰心など全く関係ないという行動である。さらに、政府系諜報機関の、悪の破壊活動を行う部署は、マフィアの協力さえある世界で最大の「テロリスト」たちである。何十年も前に公になっているように、それは第二次世界大戦の場合も同様であった。CIAとは別に、イスラエルの諜報機関モサドの役割も忘れてはならない。イラク空軍のジェット機とイラク海軍がアメリカの軍艦〝USSリバティー号〟を攻撃した際、多くのアメリカ海兵隊員が命を落とし負傷した事実を考慮すると、米国とイスラエルとの関係は複雑である。この事実の詳細は何年間も隠蔽されてきた。シャロン首相は、クネセットでのイスラエルの議会で、〝私たち（イスラエル）が米国を支配する〟と言いきった。この背景を調べれば、米国がいつも、〝国連安全保障理事会〟でイスラエルを非難することを決してしないことを理解できる。著名なドイツ系ユダヤ人の方が前に、イスラエルへの軍事資金（最大70％ぐらい？）が米国から来ている、と私に語ったことがある。したがって、中東における平和は願わしくない、資金が止まってしまうからであろうとの推論が成り立つ。残念ながら、今日の世界ではお金がすべてである。

しかし、近い将来、世界の金融危機や天変地異は、人類の姿勢を完全に変えるかもしれない。すべての大事件は、金融エリートたちによって事前に計画されている。偶然はありえない。さまざまな国の政府系諜報機関の協力関係は、時には自国民を裏切ってさえも互いに忠実であろうとする。

フィンランドの諜報機関〝ＳＵＰＯ〟は、旧東ドイツ秘密警察と協力した、フィンランドのトップ政治家の名前を挙げることを拒否している。彼らは、情報源を漏らした場合、他の国の諜報機関から情報を得ることができなくなると主張している。しかし、重要な選挙の直前に、Wikileaksでその人たちの名前が漏洩し公開されたとしても、私は驚かない。〝タイミング〟は彼らの活動のすべてである。〝誰が得をするのか？〟何か劇的なことが起きた時は、いつも疑念を持つべきである。すると、〝誰が〟その大きなニュースの背後にいるのか知ることができるだろう。常に政治的な理由が存在する。政治的、および財政利益のための〝偽旗作戦／自作自演のテロリズム〟というものは、冷酷で、かつ動かせぬ事実である。

私は、30年にわたり、政府系諜報機関の犯罪行為に関して、軍と民間両方から情報を知り得る個人的な経験を多くしてきた。彼らは私に一般の人々に実情を伝えるのを止めさせようとした。私は1970年代半ば以降、ラップランドの最高医療責任者だった。ラップランドというのは、フィンランドの北極圏の3分の1を占める約10万平方キロメートルの面積のエリアで、ベネルクスのすべての州を一つにした以上の面積である。当時私はロバニエミ（フィンランド北部のラップ県にある都市）に住んでいたが、自宅で奇妙なことが起き始めた。私が外出している時に必ず、ある現象が生ずるのである。家宅侵入の痕跡を残すことなく、何者かが私の家に侵入し、私が米国議会や研究機関から取得したパラ心理学（超心理学）研究を扱う文書を盗み出した。アメリカのショアウッド高校留学時の学校の記念指輪も盗まれ、私が10代の時に父からもらった特別な宝石がついている金のネックレスが2本とも盗まれた。自分が政府系諜報機関の標的になっていたことに気づくまでには、長い時間がかかった。彼らは常に、大切で思い入れのあるモノや、重要な文書を盗み出す。私は超心理学の会議に出席するために、度々アメリカへ行った。すべて自費で、超心理学の報告を目的に渡米したのである。それらの超心理学会議でのトピックスは、幽体離脱、臨死体験、夢の研究、テレパシー技術、Ufo-logy、地球外生命との宇宙的コンタクト、最新のマインド・コントロール研究などである。そこでは、遠隔透視のことを、リモートビューイングと呼んでいた。講師の教授は、MIT、ハーバード大学、イェール大学、バージニア大学、スタンフォード大学、カリフォルニア大学バークレー校など、一流の有名大学の学者たちが多かった。その人たちの中には軍事的にポジションの高い将校もいた。さらに、「人間テクノロジータスクフォース」に属する者もいれば、外国での駐留経験者もいた。軍のトップレベルの講義。１９７０年代と１９８０年代には、これらの話はフィンランドとスカンジナビアでは、めったに聞くことはできなかった。10代の時に、私はアメリカに留学していたのである。アメリカ・フィールドサービスの交換留学生としてミルウォーキー州に滞在していた。そのため、50年来のアメリカの友人が数多くいる。そこで、私は超心理学協会と、アメリカ心理学会に加入した。他の次元の実態、量子物理学も学んだ。そしていくつかの〝懐疑的な人たち〟によって広がった、意図的な偽情報の現実を知った。その内、一部の人間は政府系諜報機関で働いており、超常現象の本当の現実に関して、一般大衆には〝誤解〟させるように働きかけていた。

私は、政府系諜報機関の人たちが、いつも超心理学会議と、ＵＦＯ（未確認飛行物体）の会議に出席していることを知った。彼らの目的は、一般大衆だけではなく、科学者たちにさえも、混乱と虚偽の情報を広めることである。一般大衆とマスメディアに完全に嘘をつき、恐怖と事実の否定を広める〝政府系諜報機関の者たちの名前〟を私は知り得てしまった。まずなにより、私は彼らが〝隠す〟動機を理解できなかった。ギャラップの世論調査によると、世界人口の大部分（64％）が、〝超常現象〟を経験したことがあると答えている。その事実について、一般大衆に伝えればいいではないか？　なぜ真実を隠すのか。徐々にだが、パワー（権力）、コントロール

（支配）、お金が、隠す動機のすべてであることが私にもわかってきた。それは、国家権力、軍事力、宗教の力、信仰、人類の奴隷化など、少数の金融エリートたちが目論んでいるアジェンダ（議題）、「新世界秩序」である。そこで人々は「牛」や「羊」と呼ばれ、またそのように扱われている。莫大な富が、少数のエリートたちによって蓄積され、多くの者が奴隷として働き、現代のマインド・コントロール技術によって鎮圧され、奴隷化を自覚することなく、操作された生活を送っている。電磁気マインド・コントロール分野の専門家である著名なロシアの科学者は、次のように述べている。

「超常現象を経験したことがないと主張している人間は、故意に誤った情報が伝えられているのか、それとも、この惑星で人間であるということが何を意味しているのか、全く無関心でいるのでしょう」と。私は彼の仮定は正しいと思う。なぜならば、彼はアメリカに住んでいるようで、アメリカでは、ＣＩＡが超常現象のセミナーや研究会議に積極的に出席／活動しているからである。

１９８５年10月、「超心霊現象の国家代表調査」というタイトルで国際調査が行われた。世論調査では、〝テレパシー〟、〝遠隔透視〟、または、〝死者とのコンタクト〟において、以下の経験を報告した人の割合を示している。西ヨーロッパ人は、32％がテレパシー経験をし、20％が遠隔透視経験をし、23％が〝死者からのエネルギーと接触した〟と報告している。超常現象の調査結果は、数字的には米国がトップだった。米国民の58％がテレパシー体験を経験し、24％が透視を経験し、27％が死者と接触していたという。アイスランドでは41％の人々が死者と接触したと言う。当時の「精神疾患の診断・統計マニュアル」によると、それは精神分裂症／統合失調症の兆候／症状と考えられていた。テレパシー経験とＵＦＯとの接触もそうだった。「精神疾患の診断・統計マニュアル」は、あくまでも〝政治的〟で、〝医学的〟な診断マニュアルではないことを示している。それは正常の経験を、医師が誤って診断するように意図して作られたものである。金融エリートたちと、政府系諜報機関はこの事実を知られたくないのだ。他の次元、周波数、バイブレーションを経験する人々（大多数）に精神病のレッテルを貼ることは、人道に対する罪である。しかし残念ながら、今日の世界は〝犯罪者の意志〟によってコントロールされているようである。

第2章　超心理学研究

世界で最も古い、超心理学会である〝英国心理学会〟は、1982年に記念すべき100周年を迎え、8月16日から20日にかけ、ケンブリッジ・トリニティ・カレッジで公開行事や会議を開催した。私も出席し、フィンランドの週刊誌「スメメン・クヴァレティ」（米国のニューズウィークまたはタイムズ・マガジンに相当）に記事を掲載した。私の記事のタイトルは〝科学者の手でさえも、金属を曲げることが可能〟だった。

サイコキネシス（念力）とは、思考のエネルギーが物質に与える影響のことである。そんなことは嘘だと思う方も多いと思う。会議で300人の研究者と科学者が、そのスプーンやフォークが使用できなくなるまで、数多くのスプーンやフォークを見事に曲げることができた。中国人を含む20か国からの参加者たちは、1日8時間、科学的なプログラム、夜には精神力学的な試験の両方を行った。精神的なエネルギーによって、金属を曲げられるように教えられたのである。この実験では、ユリ・ゲラー氏の手だけでなく、他の人にも金属（スプーンやフォーク）を曲げられることが証明された。50人の参加者の内、75～80％が思考エネルギーを使って金属（スプーンやフォーク）を曲げることができた。精神的能力（〝気〟などの超能力）は数人に制限されるべきではないと思う。私たちはすべて、このような能力を持っているが、ほとんどは隠れてしまっているのだ。精神的なエネルギーで金属を曲げるには、〝集中力〟〝技術的な知識〟〝グループ単位でのこの現象に対する肯定的なエネルギーの共有〟、そして、〝繊細なタッチ〟が必要不可欠である。金属は、別々の分子からなり、それらの分子の間に〝思考の流れ〟を送ることに集中し、金属を撫でる。例えば、あなたの指で軽くフォークを撫でたとする。〝念力〟が成功すれば、金属はワックスのように柔らかく変形するので、それをあなたは感じることができる。あとは簡単に曲がるようになる。ユリ・ゲラー氏は、研究者にとっての厄介者である。しかし、〝念力現象〟は、科学的プログラムの講義の対象でもあった。ロンドン大学の物理学教授であるジョン・ハステッド氏は、ユリ・ゲラー氏の心理学的能力（念力）を彼の研究室で個人的に研究し、本物であることを証明したと語っている。ユリ・ゲラー氏を何年も研究していた世界的に有名なスタンフォード大学研究所の物理学者、ラッセル・タルグ氏は、「ゲラー氏というのは、研究よりも名声と宣伝の方を重要視する」との理由で、さらなる研究を最終的に諦めている。ユリ・ゲラー氏は最善の研究対象人物ではなかったが、タルグ博士は、一瞬たりとも彼の念力を疑ったりはしなかったという。

ユリ・ゲラー氏は、現在ニューヨーク在住。イタリアン・アパレル会社の代表である（２０１１年以降はイギリス在住）。ある会議に出席していたＢＢＣのプロデューサーが、ユリ・ゲラー氏が1週間前にアメリカに戻り、テレビ番組に招待されたと語っていた。プロデューサーは、ゲラー氏が、ガラス箱に封印された金属を、それに触れることなく曲げることができたと証言した。個人的には、ユリ・ゲラーの能力が本当か嘘かに関して議論する必要はないと思う。研究者たちは、彼の存在無しに、念力で金属を曲げる証拠を十分に持っている。

おそらく、ショーマンとしての彼の宣伝力（イメージ）と彼の欲求と評判／人気のために、世間からはすべてが〝ニセ〟の能力（現象）のように思われるように至ったのだと思う。さらに、ゲラー氏がイスラエルの情報機関に連絡をとった当時の情報も無視することはできない。それは、人々が超心理現象を嘲笑し、〝思考のエネルギー〟が重大な障害を引き起こす可能性があることを知らない〝時〟には、その能力を悪用しようとする人物にとってみれば、有利に働くと考えられる。例えば、セキュリティーデータシステムに重大なダメージを与えることなどにも繋がる。

ブラジル人の〝新しい天才〟は薬剤師のトーマス氏である。彼は現在最も研究されている〝金属曲げ〟超能力者のスペシャリストである。ケンブリッジ・カンファレンスでは、トーマス氏の（金属曲げ超能力）実証実験を証明するために、3人の研究者、エヌ・モンタニョ博士、心理学者のリー・プロス博士、ブラジルの将軍（引退済）アルフレード・ウチョーア博士が立ち会った。彼の能力は実際に素晴らしいと思われた。プロス博士は、トーマス氏の精神力学的（念力）能力は実験（試験）期間の後も続いたと語った。昼食時に、椅子が彼の下で壊れた時、金属製でできた〝脚〟は５分もかからずに曲がってしまった。ウェイターが新しい椅子を彼に持ってきたが、同じ現象は続いた。そのあとは、彼はレストランの中で最も頑丈な椅子を持ってきてもらい、デザートまでは普通に食事ができていた。しかし、デザートの時に、彼の意志で曲げていないのに曲がってしまったスプーン数個を交換に、ウェイターがスプーンを数個ほど持ってきた。セミナーは１週間にわたり開催され、ロンドン、デューク、プリンストン、バージニア、レイキャビク、オーストラリア、ユトレヒト、フランクフルト、ケンブリッジ、カリフォルニア、エジンバラなどの異なる大学の代表者たちが集まり、科学的プログラムを１日８時間にわたり発表していた。議会の代表者、有名な物理学者、精神科医、社会学者、心理学者、生物学者、それぞれの分野のすべての教授は、実験所での実験／試験の研究と結果を発表した。トピックは非常に興味深いもので、子供に対する精神力（超能力）テスト、催眠、超常現象、脳研究、ヒーリング、死後のことや生まれ変わりの研究などだった。２日間にわたり、午後の時間帯は、懐疑論者たちによる、失敗に終わった研究とプレゼンテーションのために捧げられた。米国のダグラス・ディーン博士の〝ヒーリング〟の影響に関する研究結果は非常に奨励されていた。ユトレヒト大学は、担当医師が〝ヒーリング〟に関する論文を発表した。フィンランドでは、これらの現象が、大学レベルの医学や他の分野で研究されていないことは悲しいことである。超心理学において、我々は国際的な研究レベルには程遠い。初めて、中国人もヨーロッパでの代表を務めた。核物理学者チェン・クアン・チー教授とメイ・レイ教授の報告では、この分野での中国の研究がこれまでにヨーロッパで発表されたことはなかったので、大変期待されていた。教授たちは、北京大学で〝感覚の次元を変えられる（超能力）〟子供たちを対象にした研究を発表した。これらの子供たちは、閉じた金属製の容器の中に入れた絵や文字を耳で〝見る〟ことができたという。それは暗闇においても可能であった。

イタリアの国会議員によると、トリノ大学の精神科教授が1960年に発表した〝後頭部〟や〝お腹〟で「読む」ことができる超能力者についての報告書があるという。ソビエト連邦でも、「超能力（感覚の変化）」に関する研究が実際に行われていた。その研究では、〝指先で字を読むことができる〟少数の超能力者を見つけることに成功した。そして、その指先で読み上げたテキストは〝点字〟ではない。フィンランド国立学校教育委員会（Kouluhallitus）が、1982年5月10日に、超心理学を学問として扱うには、かなり危険な要素を含み、大いなる議論の対象となる、と声明を発した事実を述べて、この章を終わらせようと思う。

1981年秋、学校教育省から州の部門への伝達書簡によると、「超心理学が受け入れられるとは思われない」と述べられており、そのために超心理学の教育は廃止された。全世界の教育機関の中で、成人教育のカリキュラムの中に〝超心理学〟を公式に認めたのは、それが初めてのことだったと思う。それにはとても興味深いバックグラウンドがある。私はセミナーの昼食で、国立学校教育機関で働いている男の隣に座っていた。その時、成人教育機関での超心理学の教育を禁じるという最近の決定について、彼に不平を言った。彼は、厳密に宗教的な「宗教派」の部署長によって作られたこの決定については何も知らなかった。そこで、彼は国立学校教育委員会の長官に電話をした。そこでは長官も、成人教育機関の超心理学におけるすべての国家援助授業を廃止したという〝否定的な決定〟は聞いていなかったと言った。長官はそのことを調査すると述べてくれた。私はフィンランドにあるすべての超心理学協会に警鐘を鳴らしたつもりである。フィンランドでの最も古い協会は1907年にヘルシンキにおいて設立された。それは世界では5番目に古い。私は1975年からあるラプラムズ超心理学協会の議長であり創設者である。我々は、国立学校教育委員会に手紙を書き、心理学の歴史や研究を説明し、いくつかの大学で教授をしたこと、超心理学の授業などについて説明した。すると1982年5月10日、フィンランドの成人コミュニティーにおける、超心理学の教育に州の支持を得られる決定が下されたのである。

第3章　精神医学と政治

この50年間心療内科に行く人の数が大幅に増加しました。大手製薬会社は巨大な世界産業となっており、病院での診断の後には必ず、身体的病気、精神的病気などの病状や状態を〝ほぼ治癒〟可能とされる薬物という代物が存在します。50年以上前から、アメリカ精神医学協会は、心療内科に診察にくる人々の精神病状を、〝薬物を必要とする精神障害〟と区別しています。心療内科内での「聖書」は、「精神疾患の診断・統計マニュアル」と呼ばれ、最新版は第4版（Ⅳ）です。ＤＳＭⅢ会議に参加した心理学者のポーラ・カプラン氏は、投票によって精神障害の診断が行われていたことを告白しています。これは科学ではありません！

カナダの心理学者タナ・ディネン博士は、ＤＳＭⅣ［and Who's ICD-10］に列挙されている障害のリストは、可能性のある原因、適切な治療法、有望な予後を伝える医学的診断とは異なり、同意で決定した用語です。多くの精神科医自身が精神障害のＤＳＭ規格の基準に懐疑的である。アメリカの文化の見た目に見られる人々の行動は、受け入れられる「規範」が米国とは異なる世界のすべての国や文化においては有効ではありません。

精神科医のコリン・ロス氏は、ＤＳＭは、血液検査や脳スキャンや身体の所見に基づいているわけではないと述べています。それは、患者の態度の記述に基づいています。それが心療内科のシステムです。精神医学の臨床教授であるローレン・モシェール博士によれば、ＤＳＭⅣは、一般的に医薬品と患者との適合を目指す診断基準です。インサイダーたちは、それが〝科学的〟な文書よりも、〝政治的〟な文書であることを知っています。ＤＳＭⅣは心療内科の〝聖書〟となり、大きな失敗であるにも関わらず、お金になるベストセラーとなった。

精神科医のデビッド・ケイザー氏は、現代の精神医学は、ひとつの精神疾患ですら、遺伝的／生物学的要因を、説得力をもって証明できていないと述べています。このような主張を証明するテストは存在せず、〝正しい化学的バランス〟がどのように見えるかについての本当の概念がないにも関わらず、患者は「バランスが悪い」と診断され処方されています。

精神医学界では、うつ病、双極性疾患、不安、アルコール依存症、および多数の精神疾患が、主に生体的に、そしておそらく〝遺伝的起源〟であるというまだ立証されていない主張を繰り返している。この種の科学と進歩に対する信仰は驚異的で、うぶで、妄想的であります。心理学者であるブルース・リヴァイン博士は、注意欠陥障害、反抗挑戦性障害、うつ病、統合失調症、不安、アルコール中毒や薬物乱用、過食、賭博などの精神疾患、病気または障害を引き起こす生化学的な神経学的または遺伝的マーカーは見つかっていない事実に賛成している。

精神科医のシドニー・ウォーカーⅢ氏は、ＤＳＭラベルが医学的な〝診断〟として役に立たないだけでなく、公衆と精神医学がそれを認識するまでに、大きな害を及ぼす可能性があることを示唆している。

それは特に、個人の自由を拒否する手段として利用されること。または、法的制度のために、精神科医による〝武器〟として使用されている場合に、それは顕著になるでしょう。しかし事態は悪くなる一方です。

２０１３年春に登場する新しいＤＳＭ Ｖ（第5版）には、〝精神障害〟として、すべての人間の行動や態度に適合することが掲載されています。そのドラフトは、インターネット上にありましたが、２０１０年2月20日から4月にかけてコメントと提案ができる期間が2か月間しかありませんでした。私はいくつかの重要な点を電子メールで送りました。まず何が正常な人間であるかを定義することです。人間の体の約70％が水で、脳は87％が水であること、そして電子顕微鏡で見ると、すべての細胞（脳細胞のみならず）が震動していることが分かります。人間はそのような構成であることを定義するよう求めましたが、私のメールはブロックされました。

人間は身体ではなく心であります。諜報活動や宇宙旅行の探査のために、軍によって利用される体外離脱体験（ＯＯＢＥ）は精神障害では決してありません。しかし軍と諜報機関は、人々が宇宙旅行とその経験を知り、〝他の次元や周波数〟を自分たちの秘密にしておきたいのかもしれません。精神医学による〝レッテル貼り〟は、3次元（現地球）に住んでいる人々を肉体的／行動的に制御下に置くための強力なツールになります。明らかに、ＤＳＭによる精神疾患基準は政治的な文書／マニュアルであり、医師に誤った精神障害の診断をさせることを意図します。〝政治的な考え〟を黙らせるために。興味深いことに、ＤＳＭ Ⅳは、以前の誤ったラベル付けの、テレパシー、死者との接触（死者のエネルギー、当たり前だが）、そしてＵＦＯとの接触を、統合失調症の兆候として取り消しました。一般大衆にとって、これらの経験は、この地球上の人間として、普通の現象です。ＤＳＭ基準で人々を精神疾患と〝ラベル付け〟すること、それを意味するのは、〝本当のことを隠したい〟と思っているエリート／諜報機関員などが、意図的に〝無視〟しているのか、もしくは、意図的に誤った情報を流しているか、どちらかです。その秘密には、別の次元に行ったり、周波数に同調することも含み、それらは我々が夜な夜な〝夢〟で体験していることでもあります。彼らがリクルートした精神科医と、裏にいる諜報機関が関連しているのは確かでしょう。新しいＤＳＭＶでは、より多くの人たちが、誤って〝精神疾患〟であると診断されることになるでしょう。

ＤＳＭⅣ委員会の委員長を務めるフランシス・アレン精神医学教授は、抗精神薬の不必要な処方は、最も心配な診断であり、「精神病リスク症候群」を伴う健康障害に繋がる可能性があると述べています。一般的な抗精神薬が、精神病の症状を予防／治療できるという証拠はありません！　新しいＤＳＭＶドラフトによれば、あなたが〝おとなしい〟だけで精神障害と診断されます！　あなたが子供だった時に〝異性のおもちゃ〟で遊んでいた場合、〝性的な精神障害〟があると診断されます。臨死経験があるならば、〝解離性精神障害〟と呼ばれます。クリストファー・レネ教授は、英国デイリー・メールで、〝ＤＳＭＶ〟について、次のように述べています。〝これを基礎とする科学は、実際には存在しない。非常に不安定であるということです〟。

1952年以来、米国精神医学協会（APA）は、〝薬物で治療すべき何らかの精神障害として、事実上すべての精神障害の兆候／症状を疾患として確立しようとしています。過剰な買い物癖、インターネットの過剰使用を精神疾患として含めるべきかを決める、特別委員会が存在します。怒ることが精神障害になるのです！

他の新しい「精神病」の中には、〝反抗性障害〟＝権威者に対する、不服従と反抗的な態度をとる否定的な障害、政府のポリシーに反抗することが精神障害として公認されています！　明らかに、DSMVの文書は科学に沿ったものではありませんが、（政府に対する）反対意見や、〝代替的な見解や意見を抑えるため〟に政治的に使用されることができます。今日の精神医学に対する低い評価は、今日のDSMVのせいで、恥ずかしくも〝底〟に達しています。それは人間の精神に関する「新しい」軍事医学研究を隠すために使われているようです。RHIC－EDOMシステム（Radio Hypnotic Infra-Cerebral Control とMemory of Electronic Dissolution of Memory）を用いた実験と、それとは異なるマインド・コントロール方法が、〝何も知らない市民〟に対して悪用されています。2002年、ジュネーブのUNIDIR（国連軍縮研究所）は、マインド・コントロール兵器を（原子爆弾とともに）大量破壊兵器として認めました。医師や特に精神科医は、〝マインド・コントロール実験の犠牲者〟を精神病として分類しないことは、今日一般的になった習慣となっています〝誤った診断〟に他の可能性について学ぶべきでしょう。現在373項目もの精神疾患の診断があり、私たちの誰もが、何らかの「疾患」に該当する！

その上、私たちは現在、精神障害の病因を知らない！　子供の癇癪は今〝精神障害〟です！　また、教育問題（数学におけるような）は、薬を必要とする精神障害です！　離婚、引っ越し、家族の死、などの適応障害には薬が必要です！　もしあなたがシャワーを浴びず、体が臭うとすれば、それも精神障害です！　これらの間違った診断を下している精神科医はみな〝新世界秩序〟のルールの属下にいなければなりません！　そうじゃないとするのならば、なぜ彼らは正常な人間を〝精神障害者〟として偽ったのでしょうか？　彼らもまたマインド・コントロールされているのでしょうか？

〝誰が利益を得ているのか？〟を常に問うことで、誰が計画の背後にいるのかを知ることができます。大手製薬会社はもちろん、利益を得ますね。そして最終的には「イルミナティ」ニューワールドオーダー（ＮＷＯ）が得をします。ＤＳＭ Ｖドラフトの最悪の項目は、「その他の考慮項目」にあります。「新しい研究を刺激する」という名目で、特定個人を傷つけることを公的に認めてしまうことにあります。

これはヒポクラテスの宣誓書が〝患者を傷つけない〟と主張する医療従事者にとって、全く非倫理的です。〝ナチスの強制収容所〟的な態度は、決して精神医学に持ち込むべきではありません。政治的理由から、今日でも多くの国で〝精神医学〟が誤用されていることを知ったとしても。精神医学会では、脳葉切除（ロボトミー）はもうすでに行われていません。今では、ミリメートル以内での精度の脳部位への定位手術が行われています。電極、微小放射性ロッド、超音波、ホットニードルチップ、およびその他のツール（マイクロチップ）を使用して脳の組織損傷を引き起こす「病変」を作り出します。１９９７年10月27日のノルウェーの新聞Dagbladet紙と、２００２年11月12日のKlassekampen紙は、精神科の〝偽装〟について書いています。精神科医トーマス・ジャクソンは、ノルウェーのテレマーク中央病院で１９９７年に自分の部署を警察に訴えました。なぜならば、〝患者の服薬拒否〟のために、そこにいる患者の生命を脅かしたためです。デンマークの精神医学者のJytte Willadsen氏は、〝服薬は患者を〝ゾンビ化〟する〟と発言していました。スウェーデンの神経科医のLars Martenson氏は、神経弛緩薬を〝自殺〟と表現しています。彼は、何百万人もの人々が神経弛緩薬によって恒久的に〝ロボトミー〟にされていると書いています。

スウェーデンで最もよく知られている精神科医のヨハン・カルバーグ教授は、Revanch.15-6/2000誌に、次のように書いています。「数十年後、神経弛緩薬を用いた１９００年代後半の治療法について、我々が今〝ロボトミー〟を見るのと同じように危険な見方をすることでしょう」。Natural News誌は、２０１０年９月に、アメリカ人のほぼ半数が定期的に処方薬を使用していると書いています。ＣＤＣの報告によれば、アメリカ人の１／３近くが2種以上の薬剤を服用し、10人中１人以上が5種以上の薬剤を定期的に服用している。５人の子供のうちの１人は現在、定期的に処方薬を与えられており、10人のうちの９人の高齢者は薬物を使用しています。２００８年には２３４０億ドルの費用がかかりました。最も一般的に使用されるのは、高齢者のためのスタチン薬、子供のための喘息薬、中年のための抗うつ薬、および子供のためのアンフェタミン薬です。「スクリーニング」は、細かく偽装された薬物治療です。

この被害による被害者の（賄賂を受け取る）研究者や特に第三世界における否定的な結果の隠蔽は医療の問題です。精神医学界では、最初に「正常な」人間であることを説明および理解できるために根本的な変化が必要です。私たちは皆、私たちの感情や気分に応じて異なる周波数で振動するすべてのエネルギー、意識体です。私たちの体は、運転手に例えると車のボディーと同じです。そして、ドライバーが〝心〟になります。車（体）はいつかクラッシュしますが、運転手が車から出て、新しい車（体）、多分違った色、別のモデルを手に入れ、また永遠の旅を続けます。オックスフォード辞書は、魂を、〝人生の原則〟〝思考の原則〟〝感情の所在地〟〝フィーリング〟、そして〝情念〟と、人間の精神的な部分として定義しています。医学、特に精神医学では、これは無視されます。１９７０年代にスウェーデンの高等医療機関に連絡をとりました。私たちは保健教育に関する同じ北欧会議に参加していました。私たちは、医学における通常の機械化学的アプローチよりも、人間であることが何であるかという全く異なる視点を示す〝体外体験（体外離脱）〟を真剣に検討し、研究を伝えるべきだと同僚に提案しました。彼の答えは短いものでした。それは薬学ではなく、神学に属していました！　米国でのＩＡＮＤＳ（International Near Death Studies Association）は、30年前から医学出版、会議、情報収集などの活動や研究を行ってきました。死亡した人間に何が起こるのか、そして蘇生した後に何が起こるのかの情報収集をしてきました。その経験は驚異的です。彼らは〝巨大な光〟のトンネルを通っていくことを伝えています。彼ら自身は〝ライト・ボディ〟であり、彼らの宗教的背景によれば、彼らはイエス・キリスト、仏陀、モハメド、または単に巨大な光に出会う。そして、こう聞かれます。「あなたは人生で何をしてきましたか?」そして生まれてから死の瞬間までの一生のシナリオが蘇ります。彼らは、自らの行為、行動、思考、および他人に対するその結果を見ることになります。彼らは他人に与えた痛みを感じ、他人に与えた愛を見ます。彼らは、幸せで美しい環境の中で、若々しく健康的な姿で、亡くなった親戚や友人すべてを見ます。時に、彼らはそこに留まるか戻ってくるかの選択肢が与えられることもありますが、地球上で彼らの任務がまだ終了していない場合は、彼らは地球の生活と彼らの身体に戻らなければならないと言われることもあります。そして彼らはかごの中に足を踏み込むように体に戻り、目を覚まし、心臓が再び鼓動し始めます。しかし、彼らの態度に深刻な変化が起こりました。死への恐怖が完全に無くなります。彼らは、彼らの前に〝あの世〟に行った愛する人と再び結束することを知っています。そして彼らは、〝死〟は存在しないこと、(寝ている時に見る)夢のように、周波数と次元が変化するだけであることを知っています。コネチカット大学のケネス・リング教授が1983年に学長に就任した時、私自身はIANDSの諮問委員長に就任しました。最近まで、バージニア大学の精神科のブルース・グレイソン教授が代表に就任していましたが、最近登録看護師、看護隊の博士で大佐のDiane Corcoran博士がIANDSの代表に就任しました。20年前のジョージタウンでのIAN

DSの第1回国際会議で、私はNDEとUFOの接触後の同様の生活（人生）の変化について講義しました。それは人気がありませんでした。その頃NDEはちょうど、〝私たちの宇宙の接触の話〟を大いに認識していない学界の信憑性が高まっていました。しかしその4年後、私はIANDSの代表から、結局のところ、その主題の「先駆者」であったという手紙が届きました！

残念ながら、DSM Vはいまだに NDEを〝精神障害〟としてのラベル付けを変えていません。その理由として、それは〝人間の存在とその体質〟に対して、全く異なるイメージを示しているからです。また、死者のエネルギーとの接触に関しては、〝制定〟によって正式に受け入れられていません。それは、〝彼ら〟の力を弱め、物質的な世界観を脅かします。しかし、諜報機関は他の次元との接触のために積極的にエージェントの一部を訓練しています。彼らは情報を得ることを試みます。例えば、〝自動筆記〟や〝体外離脱〟等の実験が含まれます。そして彼らは精神医学（DSMに記述されているように）が教えることに反して、〝妄想的〟ではありません。死亡した科学者のエネルギーとの接触は、新しい技術的および科学的知見の情報を得るために行われます。テレパシーでも同じことが言えます。成功した場合、他の次元からの新しい情報は、適切な業界に供給され、そこから〝創案〟されるでしょう。精神医学はまた、人間精神に関する「新しい」軍事的医学研究を隠しています。マインド・コントロール、MKは、軍隊では「非殺傷的な武器」としてリストされています。実験で人間を人工的に妄想形統合失調症を作り出し、それにラベル付けをすることは、私の意見では人類に対する犯罪です。軍事的な産業や政治の拠点ではなく、医療における精神医学の新しい考え方が必要です。一般の精神科医と医療施設は、人々のコントロールと人口削減プログラムに決して参加してはならないのです。現在、〝ビッグ・ブラザー〟による設立社では、社会の裏にある自分たちの議題のために診断を支配しているようです。

第４章　宇宙空間と宇宙との接触

元来ＮＡＳＡ（米航空宇宙局）は軍事組織であり、文民組織ではない。噂によれば今日、ペンタゴン（米国防総省）はＮＡＳＡを吸収して、指揮下に置くことを望んでいるということだ。ＮＡＳＡには、お互いの活動について知る権限を持たない様々な部門が存在する。アメリカ人は、それらの組織で尊重されていると思われる根本方針を「知る必要がある」。数十年にわたり一般大衆は、宇宙旅行に関して、そして当に私たちの太陽系に存在する別の文明を持った宇宙人とのコンタクトに関して、適切な情報を得ていないままである。それらの情報は、私たちの社会の全てを変えるものである。ＮＡＳＡを「Never A Straight Answer（決して正直に答えない）」呼ばわりをする者もいる。そのネーミングはうってつけである。２００８年4月にパラダイム・リサーチ・グループがワシントンDC近郊で第二回「Ｘ（未知のもの）に関する内部会議」を開催した（訳者注：パラダイム・リサーチ・グループ〔Paradigm Research Group〕とは、ＵＦＯ研究の民間組織）。そこではアメリカやカナダの一流人が、宇宙政策について、そして宇宙人文明とのコンタクトについての講義を行った。会議の主催者であるステファン・バセットは会議の冒頭で、現代のＵＦＯ現象の変遷は、二つの異なる系譜に進展していると述べた。第一の系譜は、一般市民独自の活動である書籍、記事、ＵＦＯ協会、そしてアメリカにおいては州政府や中央政府の多数の退職議員たちの独自の活動である。第二の系譜は、諜報機関、NASA、軍の「内部関係者」や、国に奉仕するそれら組織の業務である。第一の系譜は知られているが、第二の系譜は知られていない。60年の変遷や宇宙政策に関する公式方針を熟知すれば、この両方の変遷系譜が理解できるだろう。

私たちは、UFO現象に関して公式に否定している現在の政策に、変化を起こそうと試みている。世界の全ての国家は、UFO現象を認め、自国における宇宙人とのコンタクトに関する調査結果を進んで公表するべきである。このことは全世界の人々に影響を及ぼすだろう。国連総会は1978年には既に33/426議案を決議した。その議案は、全ての加盟国は、宇宙生命体とUFOに関する研究に対して、国家的科学レベルで連携して対処しなければならない。そしてまた、これらの事柄に関する観測、研究、決定を国連事務総長に報告しなければならないというものである。またこの議案は、四つのNGO（非政府組織）のテーマでもあり、現在では国連事務総長に対して、この議案内容を思い出すように督促状を出している。

四つの政府（フランス、イギリス、メキシコ、ブラジル）は告知を行い、既にそのうちのフランスとイギリスは公式なUFO研究結果を公表している。アメリカ議会は、軍民双方をUFO問題の守秘義務から解放する法律を制定すべきである。どのようにET問題を公表するのか、公聴会を設けるべきである。宇宙飛行士エドガー・ミッチェル、ジミー・カーター元大統領、クリントン政権人事部主席ジョン・ポデスタ、ニュー・メキシコ州知事ビル・リチャードソンは、同様に公聴会を設けることを要請した。１９９３年には既にローレンス・Ｂ・ロックフェラーが、全てのＵＦＯ資料を公表しようと試みた。その資料とは、私たちの惑星である地球には、地球外文明が存在しているということに関するものである。２０１１年４月４日にアムステルダムで開催された秘密宇宙計画の専門家会議で、私は魅力的なＴＶタレントとして有名な歴史家リチャード・ドーランに会った。彼は以前、ＵＦＯ問題に関する難点を以下のように述べた。

人々は、真実の情報が書かれているＵＦＯ本を読んでいない。

人々は、真実を隠蔽するＵＦＯ本を読んでいる。

そのことにより、ＵＦＯ問題やＥＴ問題の背後にいる人間が覆い隠されている。

遡ること１９９０年には既にソ連の国防大臣トレチャクは、ソ連軍の飛行機がＵＦＯを追跡してパイロットが行方不明になった40の事例を報告していた。ソ連軍の新たな規則では、ＵＦＯとの接触を回避しなければならない。

「公式の真実」と非公式の真実、二種類の真実が存在する。通常、公式文書は正しい。企業支配されたマスメディアを通じて、虚偽情報が一般大衆に流されるのはいつものことである。私たちは、政府は産業界と金融界を率いる銀行に支配されているということを覚えておかなければならない。ジェーン・インターナショナル・ディフェンス・レビューは、誰も制御することができない１５０の様々なプロジェクトが存在することを認めている（訳者注：ジェーン・インターナショナル・ディフェンス・レビューとは、軍事と軍事産業に関する週刊誌であるジェーン・ディフェンス・ウィークリーの姉妹誌である)。

宇宙人とのコンタクトの公表、そして政治、経済、宗教を含む宇宙人文明の公表には問題が生じるだろう。もし地球外生命体が人類を創造したのであったらどうなるだろうか。歴史上、人々が信じてきた多くの事柄が後に偽りであったことが判明している。60年にわたり一般大衆を欺いてきたことを、どのように釈明できるだろうか。ET人間は既に私たち人間の中に存在する。私たち人間と同じように見える者もいる。ET人間は、私たち人間に影響を及ぼしたいのだろうか、もしくは支配したいのだろうか、もしくは救済したいのだろうか。

科学者たちは、コンドン・レポートなどの虚偽情報を受け取っている(訳者注:コンドン委員会とは、空軍のUFO研究が疑われはじめたことにより、1966年に空軍はUFO研究をコロラド大学のエドワード・U・コンドンに委託し、設立された委員会である。コンドン報告書によりUFO現象ブームは下火となった。空軍はコンドン報告書を支持し、UFO現象との関わりを絶った)。特に懐疑派団体は虚偽情報を拡散している。初めてとなる懐疑派団体であるCSICOPサイコップ協会(Committee of Scientific Investigation of Claims of the Paranormal 超常現象の科学的調査のための委員会)はCIAによって作られた。CIAは間違いなく、科学者、研究者、一般大衆に真実を明かしたくないのである。諜報機関は「新世界秩序」の従僕である(訳者注:新世界秩序〔New World Order 略NWO〕とは、世界政府のパワー・エリートをトップとする、地球レベルでの政治、経済、金融、社会政策の統一、究極的には末端の個人レベルでの思想や行動の統制・制御を目的とする管理社会の実現を目指す国際秩序）。ローマ法王は真実を知っているが、黙っている。

　例えばトランス状態は、宗教儀式で必要とされているだけではない。アメリカでは諜報機関が、テレパシー、体外離脱体験、自動筆記を利用して、意図的に異次元とコンタクトできるように諜報員たちを訓練している。テレパシー、体外離脱体験、自動筆記はその全てが、精神医学では不当に診断されるものである。アメリカのメディアは遡ること１９９５年には、超心理学研究のために、アメリカ軍で２０００万ドルが使われたことを報道した。１年で２０００万ドルが使われたとラスベガスで開催されたＵＦＯ・超心理学会議で私の隣に座った諜報員が注釈を入れた。一般大衆は虚偽情報を与えられている。この宇宙において他の生物種とコンタクトすること、例えば地球外生命体、イルカ、クジラなどと交信することに対する嘲笑や不当な決めつけは、組織的なものである。イルカはアメリカ軍では、船首にスクリューを届けたり、水面下の敵船へ爆弾を運んだりするように訓練されている。何故、私たち人間は他の生物種と交信することを望むのであろうか。そして何故、諜報機関はそれに対する否定を生じさせるのであろうか。イルカは、溺れている人を救助したり、フロリダとフィンランドのタンペレの両方における実験では、明らかに自閉症の子供たちと意思疎通をしたという事実を私たちはよくわかっている。イルカとの交流は自閉症の子供たちにプラスになっている。地球外生命体とのコンタクトは、少なくとも60年にわたり公式には一般大衆に秘密にされてきた。私たちが生きる太陽系に存在する生命体は、「軍事及び国家機密」にあたるのである。

月、火星、土星への連続した宇宙旅行は事実であるが、ほとんどの科学者たちに対して秘密にされている。本物の宇宙人の宇宙船に乗って土星へ行ったことを暴露した、宇宙船パイロットのマーク・リチャーズは、現在では大々的に罪に問われて刑務所に入っている。宇宙飛行士は、許可なく真実を漏らせば、10年間投獄され1万ドルの罰金を科されるのだ。ロシアの宇宙飛行士は、許可なく一般大衆に情報を提供すれば、死刑宣告を受ける。しかしながら現在では、許可を受けて、ますます多くの情報が表沙汰にされている。それは、今日の一般大衆の考え方を試すためである。

１９８２年10月5日ブライアン・T・クリフォード博士（米国防総省）は、アメリカ市民が地球外生命体の宇宙船に乗り、地球外生命体と接触することは違法であると発表した。米連邦規則基準１２１１項14章（アポロ月面着陸の前の１９６９年7月16日に適用された）は、地球外生命体と接触する罪を犯した者は指名手配犯となり、1年間投獄され、5万ドルの罰金が科されるということを定めている。NASAの運営陣は、審理の有無に関わらず、「ETを暴露した」人間を強制的に武装衛兵の下に、無期限で隔離することを決定する権限を与えられた。そして、この決定は裁判所命令によってでも覆すことはできないものとした。幸運なことに、アメリカ以外ではこのような規則はない。

スウェーデンではシルジャンズ・リンゲンスというUFO団体が、様々な政府機関に手紙を出して、ＥＴ・ＵＦＯとの接触にはどのように対応したらいいのかを尋ねた。スウェーデン外務省は、他の文明と交わることを外務省側から妨げることはないと回答した。スウェーデン軍は次のように回答した。スウェーデンの法律に準じ、人々は自らが望む如何なる相手との交流も妨げられない。

スウェーデン社会保健省は、考えられる宇宙人の宇宙船との接触は当省の権限の範囲内ではないと述べた。しかし、スウェーデン農業省はとても興味深い回答をした。その回答によれば、私たち人間から見れば多くの宇宙人の種族は、人間よりも動物により近い姿をしているということを、恐らく農業省はわかっている。農業省の回答は、衛生問題や宇宙バクテリアの問題でもあるのだ。そのため同省は（ＥＴと接触した後は）、同省もしくはその地域の州指定獣医に連絡するように人々に呼びかけたのである。もしこの制度がフィンランドで採用されれば、宇宙人との接触に対しては州知事が責任を負うということを意味する。なぜならば、州指定獣医は州知事の下で働いているからである。しかし、この種の責任を深く理解している州知事はほとんどいない。だから私は数年前に、フィンランドの全知事に対してこの問題に関する情報を書いた手紙を送ったのだ。スウェーデン移民局は以下のように回答した。他の生命体と交流することは、それらが宇宙空間からやってきたかどうかに関わらず、移民局の権限の範疇ではない。スウェーデン税関局もまた、この問題は税関局の責任の範疇にないと回答した。このことは、宇宙人は関税を払う必要がないということを指しているのであろうか。スウェーデンの秘密警察ＳＡＰＯは、ＵＦＯ

が着陸した日には、当局には宇宙船と乗員をもてなす用意があると回答した。9000番に電話して下さい、スウェーデンの緊急電話番号です。宇宙人と接触したスウェーデン人であり科学アカデミーの会員でもある、最新科学技術の技術者バーティル・クルマンは、スウェーデンの法律は人間に対してだけ適用されると当局が表明したことを私に教えてくれた。このことは、宇宙人にはパスポートもしくはビザが必要ではないと解釈することができる。最近になってアメリカの政策もまた、1969年から1982年にかけて多少変化したようである。2001年に医学博士ステファン・グリアがはじめた公開プロジェクトは、現在でも会議、記事、本、インタビュー、映画を通じて継続的に行われている。私は一度、ハーバード大学の精神科教授ジョン・マックに尋ねたことがある。私たちが、世界最大の民間UFO団体であるMUFONの顧問をしていた時のことである。例えばニューイングランド・ジャーナル・オブ・メディシンはUFO・ETの研究論文をなぜ発表しないのかと（訳者注：ニューイングランド・ジャーナル・オブ・メディシンとは、マサチューセッツ内科外科学会によって発行される医学雑誌で、世界で最も古い歴史を誇り、世界で最も広く読まれ、最もよく引用され、最も影響を与えている医学系定期刊行物である）。それは世界の一般大衆の世界観を破壊することになる、という回答を受け取ったと彼は私に述べた。しかし本当の理由は、アメリカの政策であり、アメリカ人のエゴである。専門誌は正しい情報を与えることを許可されていないのである。そして精神医学はこの問題において、宇宙政策や宇宙人とのコンタクトを伏せておくために悪用されている。そして、宇宙人とのコンタクトは既に、数百万の人々が物理的にもしくは精神的に体験しているものである。

１９６７年に国連事務総長ウー・タンは、ベトナム戦争後の国連にとってＵＦＯは最も重要な問題であると述べた。ベトナム戦争は終結したが、ＵＦＯ問題は残ったままである。１９８５年12月4日にロナルド・レーガン大統領はホワイトハウスの記者会見で、宇宙からやってきて我々を脅かす宇宙人の種族が存在するということはあり得ないと表明した。しかし、この種の事件が現実化する可能性がある。１９８７年5月にソビエトのライフ誌が掲載したＭ・ゴルバチョフ大統領の声明によると、アメリカ大統領がジュネーブ会議で以下のように述べたということである。地球が宇宙からの侵略に脅かされる時には、アメリカ軍とソ連軍は連合してそのような脅威に対抗するだろう。現在、そのような大事件を演出する時が来たのであろうか。それはつまり、世界人口削減と世界統一のための、人為的な偽宇宙人攻撃であろうか。軍事報告書の全ては、宇宙人文明は地球上の人間にとって脅威ではないということを示している。しかし攻撃的な地球上の人間が、宇宙人文明にとって脅威になる可能性があるのだ。人間が宇宙人の宇宙船を攻撃した時には、当然、宇宙人は自らを防御することになる。そしていつものことながら、人間が行方不明になるのだ。なぜならば、宇宙人の科学技術は、人間の科学技術より数千年は進歩しているからである。しかし、特に強力なレーダーが張り巡らされている地域のコロラド州、ニュー・メキシコ州、ワイオミング州、ユタ州では、地球上に墜落してしまった宇宙人の宇宙船もある。宇宙人の遺体の検視では、異なる種類の生体構造が明らかになった。そして、生き残った宇宙人である

EBE's（地球外生命体）から、宇宙科学者たちは膨大な情報を得ることができた。ワシントンDCで「宇宙人文明に触れて」と称された国際会議を主催した海軍司令官スコット・ジョーンズ（退役）もまた多くの講義の中で、宇宙人文明には芸術や音楽があり、食料を栽培しているということを述べている。ジョーンズは、インドとネパールでは大使館付き武官であり、DIA（米国防情報局）のロケット戦闘団を率い、海軍情報部の長官であり、ベトナム戦争などでは海軍パイロットであった。ジョーンズは、様々な宇宙人種族に関して、そして臨死体験や他の超心理学体験に関して、中国やロシアの科学アカデミーと交流を持っている。そして、概して平凡な科学者や一般大衆の知識では及びもつかない、軍事的及び学術的最高水準に到達している。彼は、時間や意識とは何かを探求している。彼はまた、1995年にヒューマン・ポテンシャル（人間の潜在能力）財団の出版物において、二つの異なる方法を用いて、墜落したUFOの破片を調査した検査所見を公表した。そしてまたロシアも、中国の研究所と共同でUFOの破片の分析を公表した。例えば、1988年にロシアのダリネコリスクで墜落したUFOは、研究者たちに多くの資料を提供した。研究者たちは火事の残骸の中に、直径が17ミクロンしかない細い糸を発見した。その糸は、更に細い糸を束ねたものであった。最も細い糸の内部から、極細の金の糸が発見された。ロシアの研究者たちによれば、それは私たちの知る当時の科学技術からは及びもつかないものであるということであった。UFOの破片は、銀、金、ニッケル、αチタン、モリブデン、ベリリウムが結合したものであると判明した。興味深いことに、ヒューマン・ポテンシャル財団の

ＵＦＯ検査所見報告書がノルウェーの私の自宅から盗まれた。そして、そのコピーがフィンランドの私の両親のアパートから盗まれた。両国の諜報機関は、この種の資料を数ドル払って国際会議で買う代わりに、何らかの理由があって盗んだのである。フィンランドのアマチュアＵＦＯ団体のリーダーは、数十年前には既にマニア雑誌の中で、アメリカにはＵＦＯや地球外生命体の証拠はないと述べていた。彼はそのことを、一般大衆に対して事実とは異なる情報を伝えようとする際に用いる、「wild pray（野生の祈り）」と称するＣＩＡの誹謗中傷方法を使って、荒々しく暴露した。驚いたことに、スカンジナビア諸国やその他の国々における多くのＵＦＯ団体にもまた、団体のリーダーとしての「暴露屋」が存在する。最悪なのは、ノルウェーのＵＦＯ団体のリーダーが、長年ＣＩＡの誹謗中傷テクニックを使い、虚偽を国際的に広めていることである。有力なＵＦＯ団体全てに諜報機関が潜入し、混乱を引き起こし、虚偽情報を広めている。万事が真逆なのである。そしてまたノルウェーには、頻繁にＴＶで虚偽情報を広めている科学者が少なくとも１人は存在する。論証は他の「懐疑論者」と同様である。その科学者は、この種の機密を保持することは不可能で、ＵＦＯの破片を調査したことがある研究所など世界に存在しないと主張している。彼には、光の速度が思考の限界なのである。そしてフィンランド人の懐疑論者であるニルス・ムステリン教授は最近、宇宙人とコンタクトした人たちの25％は統合失調症であると述べた。これらのこと全ては、ＵＦＯや宇宙人とのコンタクトに対する一般大衆や科学者の興味を削ぐための、言語道断の偽りである。

様々な国における利害関係者から介入されていない全ての医学論文では、ＵＦＯと接触した人たちは精神医学的に正常であり、しかも彼らの知的水準は平均を上回っていることが明らかにされている。ロシアの宇宙飛行士のように、許可なしに守秘義務を破れば死刑宣告が下るような場合には、重大な機密は常に保持されてきたし、現在でもなお保持されたままである。どれほどの人々が、かつてのマンハッタン計画（原子爆弾）や広島原爆投下を知っていただろうか。機密は保持されるのである。１９９０年代初頭、私はフィンランド空軍長官とともにラジオ番組のインタビューを受けた。ラウノ・メリオ司令官はフィンランドのユヴァスキュラに、私はスイスのジュネーブにいた。１時間の国営ラジオのインタビューの中で彼は、日本人が既に光の速度を超えたことを伝えた。ＥＴにとって、光の速度が限界ということは絶対にない。そのことは、私の知る限り数十年にわたり人類にその姿を見せている、宇宙人の宇宙船が証明している。どれくらいの暴露屋や科学者が、一般大衆に虚偽情報を広めるためにお金で雇われているのだろうかと、たびたび私は不思議に思っていた。私は、知人の話でその答えを知った。いわゆるミステリーサークルである「ＵＦＯサークル」（それらは全て、コンピューター・グラフィックでデザインされ、高空飛行の航空機や人工衛星から放たれるマイクロ波で作り出された人為的なものである）の専門家である私の知人は、ミステリーサークルに関する虚偽情報を広めるために、一つのＴＶ番組出演に、１００万ドルを提示されたことを私に教えてくれた。私が教えてもらった科学者の最も高額な「給料」は、虚偽情報を広めることに対する３００万ドルである。もしその人が、彎曲足もしくは車椅子の障害者であるとすれば、その種のお金は苦痛の膏薬くらいにはなるのかもしれない。このことは、その他の分野にも当てはまる。ベルゲンの著名な精神科医が、ある製薬会社の精神薬を自分の両親に対して使用して300万ドルを得たことを、ノルウェーのTVが明らかにした。現在のこの世界では、万事が売り物であるようだ。倫理や道徳は、過ぎ去りし世界のものである。

ヨーロッパのNATO長官であるジョージ・ジョウラン司令官が初めてフィンランドに来訪した際に、ヘルシンキ大学で開催された民軍課程の会合で講義を行った。私は会合での彼の講義を聴くために、ノルウェーからヘルシンキへ飛んでいった。その会合には、社会の様々な分野の重要人物である約10人の女性と約200人の男性が参加した。彼らは、1961年から1年に4回開催されている民間防衛のための民軍課程を経ている。

話し合いの時間に、私は司令官に質問した。その質問は、3か国語で書かれ、15部のコピーしか存在しない、1964年から続くNATO独自の報告書に言及したものであった。その報告書のテーマは、UFOについて、そして、軍事的及び科学的な決定的証拠があるにも関わらず、現実の宇宙旅行とETとのコンタクトに関して一般大衆に知らせない理由についてである。第一の理由は神学理論である。つまり、全ての宗教教義が崩壊するであろうということ。第二の理由は、人類の自尊心が大打撃を受けることである。つまり、人類は宇宙で最も低い知能と最も少ない知識の種族で、絶え間ない戦争で同種が殺し合い、弟分である動物を食べ、脳が持つ能力の10%未満しか使っていないということ。そして、私たち人類はハイブリッド（交配種）種族である。聖書では、空からやってきた男が地上の娘と結婚するということが書かれている。第三の理由は、私たち人類の物理学の法則は宇宙では通用しないということである。第四の理由は、経済にかなり悪い影響が出るであろうということである。だから私は司令官に質問した。NATOもしくは彼が近い将来、一般大衆に対して真実を明らかにする、もしくは少なくとも科学界に対して真実を明らかにするのかどうか。彼の表情は一見の価値があるものであった。UFOに関して、そしてUFOが存在するのかどうかを、今まで誰も彼に質問したことがなかったのだ。いいやその前に、彼はそのような質問が出るなど考えもしなかったのだ。ついには私の前に座っていたカナダ人の大佐が、「司令官があなたの質問に手紙で回答するために」私の名前と住所を尋ねた。もちろん私は、これが名前と住所を尋ねた理由ではないとわかっていた。彼は私が何者であるのかを、彼らの「内部情報」で知りたがっていたのだ。だから私は、笑顔で彼に私の名刺を差し出した。その名刺には、例えばスター・シスター・インターナショナルなどの名前と、私のノルウェーとフィンランドの住所を記していた。どのみち必要であれば、フィンランドの司令官から私の名前と住所を手に入れたであろう。だから私は危険はないと考えた。しかしこの後、私の両親の家でハラスメントと継続的な家宅侵入がはじまった。組織にリクルートされたノルウェー人が外国語で書かれたものなら何でも盗んだのとは異なり、彼らは最新のUFO報告書だけを盗んだ。だから軍諜報部の仕業であった。私には隠さなければならないことなど何もなく、ある特定の団体にとって興味深い情報をほんの少し持っている一般人女性にすぎないのだ。何故、彼らは知りたいことを尋ねる代わりに盗むのであろうか。恐らく彼らは、これまでに私が恐怖作戦に影響を受けなかったということを知らずに、ただ単に私を黙らせたり怖がらせたりしようとしていただけなのだ。２億人のロシアが、４００万人のフィンランドを負かすことができなかった冬戦争を記憶しているフィンランド人には、私たちフィンランド人が「sisu」（気概）と呼んでいる、決して降伏しないという気質があるのだ。だから、一般大衆は何度も、宇宙において私たち人間が唯一の知的生命体ではないという「公式」声明が出されるのを期待してきた。しかしいつも、既に告知された計画は延期されてきたのだ。世界の影の政府であるイルミナティは、全世界の人々に対する支配と権力を失うであろう（訳者注：イルミナティとは、現実の歴史およびフィクションに登場する秘密結社の名称。世界を裏で操っていると言われている）。彼らイルミナティは、真実をありのままに公表することを許さない。そして、世界中に恐怖を引き起こすために、「空からやってくる悪魔」という悪いことを「準備する」可能性がある。しかし、彼らの計画は裏目に出る可能性がある。「人為的な宇宙人襲来」は、彼らが計画していたものとは全く違った結果になる可能性がある。政治家たちは、イルミナティの操り人形である。近い将来わかるだろう。

壊滅的な大惨事を予測するのに既に「慣れて」しまった一般大衆が、全く知らない、現代の軍事技術を使って、２０１１年秋や２０１２年には彗星衝突や小惑星衝突が「準備されて」いる可能性もあった。しかし、起きなかった。

ロシア科学アカデミーとロシア軍は、数十年にわたり宇宙研究を行ってきた。以前は閉鎖都市であったモスクワ郊外の彼らのスターシティには現在、宇宙博物館がある（訳者注：スターシティまたは星の街は、モスクワの北東32kmに位置する、非常に制限された軍の研究・訓練施設である。１９６０年代から宇宙飛行士はガガーリン宇宙飛行士訓練センターで訓練を受けていた。ソビエト時代には、厳重に警備された閉鎖都市で、外界から隔離されていた）。もちろん「公式には」、ロシア人のユーリ・ガガーリンが１９５７年に初めて宇宙に行ったことになっている。非公式には、ドイツ人が１９４０年代と１９５０年代に既に宇宙へ行っていた。興味深いことに、月面には鉤十字のしるしがある。ロシア科学アカデミー極東支部の生物科学者ヴァレリ・ドラグジーニが、彼がアレキサンダーと呼ぶ驚異的知能を持つ宇宙人と定期的にコンタクトをとっていると主張している記事を、１９９０年代初頭に私は既に読んでいた。彼は、植生に関する自らの研究を放置して、ＵＦＯ問題に没頭した。アレキサンダーがロシア語で彼に語りかけた時、突破口が開いた。

その地球外生命体は、私たち人間が想像できないくらい、彼らが人間について知っているということをドラグジーニに告げた。地球外生命体は、人間の過去や未来を知っている。そして、人間は地球外生命体から新たな科学技術や医療を獲得することができたが、彼らは軍事利用のためには情報を与えたくないのだ。ドラグジーニは、地球外生命体との会話を何百時間もテープ録音している。高濃度の放射性プラズマの個体もいて、人間の健康に害を及ぼすこともあるので、地球外生命体と会うことは常に問題がないわけではない。またドラグジーニは、多くの物的証拠を所持しているとも述べた。それは、宇宙人が宇宙船を修理するのに地球の物質を使わなければならなかった際に、置いていった壊れた金属片である。

中国もまたＵＦＯの金属片を分析した。破片の一つは大部分がアルミニウムでできていた。ＵＦＯの金属はとても薄いが、硬く、従来の物理的方法で粉々に砕くことはできない。時にはレーザーを使っても砕けないほど硬いこともある。ＵＦＯの金属は、地球上では考えられないような特殊な金属の組み合わせである。金、銀、亜鉛、ニッケル、プラチナなどのように地球上に存在する金属もあるが、極めて硬く耐久性を持たせるような金属の組み合わせ方は、未だに私たち人間にとって謎である。実際に宇宙人の宇宙船を土星へ飛行させたアメリカ人宇宙飛行士マーク・リチャーズは、宇宙船には意識があると述べた。脳の能力の10％未満しか使っていない地球人にとっては、このことは理解不能である。宇宙飛行士ゴードン・クーパーも宇宙人の宇宙船で飛行したことがあり、宇宙船は停止させるのが難しいと述べた。

イギリス人化学者のモーリス・モスは研究所で試行錯誤の末ついに、鉄の７倍の強度があり、鉄の４分の１の重量しかない金属結合体を作り出すことに成功した。この金属の組み合わせ方の情報を、モスはテレパシーで受け取った。モスはこの研究論文をリビエラのカンヌ近郊の自分の別荘の金庫に保管した。１９７８年６月４日モーリス・モスとその妻は撃たれて見つかった。金庫は開けられて、調合方法だけが盗まれた。宝石や美術品など、その他に盗まれたものは何もなかった。そのことは、ごく少数の友人しか知らなかった。友人の1人が次のように述べた。その調合方法は、軍事的及び科学的に途方もなく重要なものである。数十億の価値があった。

ソビエト連邦では数十年にわたり、多くの新聞がUFOに関する研究を公表してきた。科学技術や自然科学の分野における百人の科学者が参加したペトロザボーツクでの学会を、1981年と1989年のソトシアリスティトスカヤ・インダスティトリア紙、1989年にコムソリスカヤ・プラウダ紙、1989年10月28日のソビエッカヤ・クルトュラ紙が報道した。答えの出ない多くの疑問が残された。私は、1993年に出した、表紙に宇宙人の姿を載せた「彼(彼女)は何者か」という自分の著書の中に、その新聞記事に関する詳細をたくさん書いた。フィンランドで初めてその本を出版したのは、北欧最大の出版社であるWSOY社である。

私自身は、1991年10月18日～20日にスターリン・スコール研究所がモスクワで開催した、とても重要で科学的なUFO会議に参加した。その会議は、宇宙飛行士のパヴェル・ポポヴィッチ将軍が主催し、当時のソビエト海軍情報部長官のアザザ博士が議長を務めた。私がそのことを知ったのはずいぶん後のことで、両者がフィンランドのオウルで開催されたUFOの専門家会議に主要な講演者として招かれた時のことであった。そのフィンランドの専門家会議で現地の通訳が宇宙テクノロジー用語に苦戦していた時に、私が偶然にもポポヴィッチ将軍の講義の通訳を務めることになったのだ。モスクワでは私もまた、観客に即興で短時間の講演を行うように依頼された。というのも、アメリカでUFOを論じている人間は信用できないと、あるアメリカ人が述べたからである。モスクワでは４００人がＵＦＯ会議に参加した。参加者は、ソビエト連邦全土の様々な分野の科学者たちである。宇宙飛行士の教官、パイロット、精神科医、医者、物理学者、技術者、心理学者、ソビエト科学アカデミーの会員、将軍、大佐などである。一般大衆にも門戸は開かれ、料金は無料であった。アメリカからは３人が参加した。アメリカ陸軍諜報部長官のアルバート・スタブルバイン将軍。精神科医のリマ・ライボウ。現在では、ＭＫ計画、ＵＦＯ、臨死体験、ＥＴなどの世界最高峰の研究者の１人であるジョン・アレキサンダー大佐と結婚している、ジャーナリストのヴィクトリア（訳者注：ＭＫウルトラ計画とは、米中央情報局ＣＩＡ科学技術本部がダビストック人間関係研究所と秘密裏に実施していた洗脳実験のコードネーム）。私たちは、西側諸国からのたった４人の参加者であった。

全ての講義は、とても専門的で科学的にハイレベルであった。物理学者のアナトーリ・オハトリンは、ＵＦＯ現象は科学技術の分野に属すると述べた。つまり、彼の研究所で調査するところによると、ＵＦＯはある一定の原理を有する機械分野ということである。彼の研究分野には、空気中の電子エネルギーを利用した新たな移動原理や、宇宙空間の移動エネルギーの新たな原理も含まれている。彼はＵＦＯの自作を試みている。そして、エネルギー場が人間に通信手段を提供する可能性も付け加えている。なぜならば、この世界に存在する私たち人間がエネルギー場であるからである。この希薄なエネルギー場はマイクロガスのように光り、肉眼や写真で見ることができる。物理学者のポルジャコフは、どのようにして非量子波が物体にエネルギーを付与するのかについて述べた。

生態学者のK・J・シリンは、東洋哲学、西洋哲学、ロシア哲学について語った。人々は科学技術ではなく霊感や芸術文化を通じてお互いを知らなければならない、なぜならば天才は霊感から起こるものであるからだと彼は述べた。科学技術文化は、芸術文化よりも低いレベルにとどまっている。多くの科学技術者たちは、引力、UFO、宇宙の知的存在、地球外生命体の生活様式を論じている。それらは、宇宙科学という新たな科学を私たちにもたらした。

とても活動的で印象的な人柄の科学技術博士ゼンブリツキーは、以下のように述べた。かつて多くの科学者はUFOの存在を信じていなかったが、現在でも現代科学は如何なる疑問にも答えを出せないでいる。例を挙げるならば、エネルギーである。エネルギーとは何か。なぜ質量はエネルギーに変化し、エネルギーは質量に変化するのか。

エネルギーを定義するためには、科学の全ての分野に精通し、宇宙に到達しなければならない。最終的に科学は、宇宙は生きているということを認めなければならない。宇宙は完全な統一性を備えた分別ある存在の生き物であり、私たち人間はそれを神と呼んで憚らないものである。そこには、大部分が3次元であるこの世界の全てを満たす、具体的な物質が存在する。一方でゼンブリツキーによれば、既にロシアの科学者は、宇宙には21次元まであることを突き止めている。宇宙が無限なのに、なぜ番号を打つのだろうかと彼は問うた。世界は動的なもので、常に未来へ動いている。物質が固体であれば、物質内の動きも内部へと向かわなければならない。例えば7次元の世界にある物を、３次元の世界に移すことはできない。エネルギーは情報を与えてくれる特徴があるということも覚えておかなければならない。またエネルギーは果てしなく均一というわけではない。エネルギーは波打っていて、運動を通じて、一つの物質が有する情報を他の物質に伝えることができる。ゼンブリツキーによれば、宇宙全体は生きているので、最もハイレベルな人工頭脳機械（サイバネティック・マシン）ということである。一つの生きた物質である神について語る際には、古い書物は現代の科学と対立しない。人間は本当に、新たな物事や新たな概念に向かって前進しなければならない。

ＵＦＯ問題における数学的見地や物理的見地は、私にとって余りにも最先端であるので、容易に理解することはできなかった。私は、人間の意識の変化を引き起こしたＵＦＯ現象に関する、心理学者Ｖ・Ｉ・ポゴロフの講義のほうがよく理解できた。彼が的確に描写することができた月の裏側に対して、どのように霊能力を使ったのか、彼自身の体験を述べた。モルドバのＵＦＯ団体のＭ・Ａ・マスロフはＵＦＯ問題を、科学的思考におけるスピリチュアル問題として講義した。科学技術者Ａ・Ｍ・カーポフは「宇宙と人間」という講義の中で、実のところ宇宙においては全ての地点が宇宙の中心であり、情報は人間自身の中に存在するのではなく、情報は人間が記憶している宇宙のある地点における瞬間に存在するのだと述べた。彼はまた宇宙には、静的エネルギーと非常に強力なエネルギー、二種類のエネルギーが存在するとも述べた。後者はエネルギーの海のようなものである。宇宙では全てのものが３回巡っている。地球は１年に14㎝成長している。

彼はまた、宇宙人とのコンタクトは誤解される可能性があることにも気づいている。しかし、人間は永遠に生きるということを覚えておかなければならない。人々は遠い昔に別の惑星で生きていて、その認識は私たちの意識の中に存在している。どの人も違ったふうに物事を見るのだということも理解しなければならない。この講義室の中でさえも、他の人が見ることができないものを見ている人もいるのだ。

そして、UFO研究とは他の全ての科学を網羅した科学であると、会議では結論づけられた。それは、自然科学以外では心理学をも網羅し、そして政治にさえも影響を与えている。ロシアの研究によれば、5万人単位で大衆が霊能力を使ってコントロールされている可能性がある、という情報を特に政治家たちは好まないのだ。

生まれ進化し死んでいく、無限の世界、無数の銀河系、無数の宇宙生命体文明を有する果てしない宇宙に、私たち人間は存在している。人間と宇宙人は異なる意識レベルにある、と宇宙人とのコンタクトについて語ったジェルスティン副大統領に、ソユーズUFOセンターは賛同している。宇宙人とコンタクトをとるためには、当に電子発生装置における法則と同じように、ある一定の法則に従わなければならないとジェルスティンは述べた。まず第一に、その人が受信タイプか送信タイプかを識別しなければならない。アルマアタの科学技術研究所の所長プリッツカーは、宇宙人とコンタクトできる人物として知られている。「宇宙からの予期せぬ訪問者」というタイトルのTV番組のインタビューを受けた時に、突然現れた宇宙人を自ら撮影した写真を、プリッツカーは私に見せてくれた。その宇宙人には、目の代わりに先の尖った釘のようなものが二つ付いていた。彼は、目に見えない生体エネルギー物体のセンソグラフィック証明や理論的側面を講義した。彼は、自分が10の異世界と繋がっていて、例えば地球上の石でさえも、全てのものは生きているると述べた。私たち人間は原子から成っていて、原子は生きている。私たちを生かしているものは、他の生き物と繋がっている。彼はまた、宇宙人とコンタクトできるよう渇望すべきではないと警告した。なぜならば、ここでもまた一定の法則が適用されるからである。宇宙は、その価値がある人とコンタクトをとるのだ。宇宙における私たち人間の役割の一つは、自らのエネルギーを惜しみなく与えることである。そしてそのお返しに、私たち人間は宇宙からエネルギーを送られるのだ。医師のＲ・Ｖ・ロジョネッツは、ソユーズＵＦＯセンターの医療部門の部長であった。そこでは当時、ＵＦＯと接触して心的外傷を負った人々を救済する医学専門家である、４人の医師が働いていた。宇宙人と接触した人は絶対に、その心的外傷で一般の精神科医や心理学者にかかるべきではないとロジョネッツ博士は述べた。彼らは、この種の心的外傷のための教育を受けていない。スカンジナビア諸国は、この分野における医学宇宙基地も専門家も有していない。だから、間違った精神病のレッテルが貼られることがよく見られる。特に、アメリカ精神医学の「聖書」であるＤＳＭが、政治的・軍事的理由のために、宇宙人とのコンタクトは現実のものであると認めていないので、精神病のレッテルが貼られるのである。モスクワ会議では、ＵＦＯとの接触の現実性に関する興味深い講義が行われた。何故、他の惑星に飛行したと信じる人がいるのか。思考の旅を用いて、理論的な実験が行われた。そして他の惑星に飛行したと信じる事例は、現実の思考の旅と言われるものに類似していると結論づけられた。しかしながら、現実の思考の旅で、他の惑星に飛行したとされるこれらの人たちの性格・思考は変貌してしまった。他の惑星に飛行したと信じる人たちの基準として、そのような変化がみられる。一方で、他の惑星への旅を想像上でのみ行った人たちには、このような変化は起こらない。現実とは、私たち自身の思考から起こる、客観的、物質的、主観的なものであるのかもしれない。エストニア人の弁護士ロートジクは、民家の近隣にUFOが着陸した跡がある、サーレマー島の映像を公開した。その後、エストニアがソビエト連邦から独立してから、彼は、エストニアの教育省に公式文書のコピーを送るように私に依頼した。その公式文書は、国連事務総長ブトロス・ブトロス・ガリと国連宇宙空間委員会に対する嘆願書で、ニューヨークの国連超心理学学会UFO会議で名の通っている2、3人の研究者とともに私も署名したのである。ロートジクの映像では、どのようにしてヒューマノイドのような人間が農家にやってきて、その家の住人を訪ねたのかをストーリーとして示している（訳者注：ヒューマノイドとは、人間に似た生き物、人型ロボット、人間に似た宇宙人を指す）。ヒューマノイドのような人間が、その家の幼い息子の頭に手を置くと、息子はすぐに眠りに落ちた。そのヒューマノイドはエストニア語を話し、一緒にいた他の3人は何となく金属的な声で話した。その農家の女性が逃げようとすると、寝室のドアの前に突然目に見えない領域が出現し、彼女はドアを通過することができなかった。その後、ヒューマノイドは壁を通り抜けて消えた。彼らは2か月後にもう一度戻ってきた。そのモスクワのＵＦＯ会議ではパイロットが、オデッサで撮影された興味深いＵＦＯ目撃の映像を公開した。ＵＦＯ会議の終盤には、ソビエトＵＦＯ協会であるＳＵＦＯＡが出席した。ソビエト連邦全土には、ＵＦＯを研究している組織が１００以上存在していた。40の組織は依然としてＳＵＦＯＡに加わっていなかった。ソビエト崩壊後、恐らく状況が変わってしまった。ソユーズＵＦＯセンターは、職員と活動を縮小した。ＳＵＦＯＡにはかつてＵＦＯ研究の通信教育があり、英語の資料も存在しているという興味深いことを耳にした。その通信教育には16か国語のパンフレットとアンケートがあり、外国との交流も求めていた。異常技術応用、生物学的試験、生物学的配置、心理学諸相などの教育をＳＵＦＯＡは行った。宇宙飛行する前の宇宙飛行士の生体エネルギーは４００~５００単位であったが、宇宙では90単位に下がり、時には30単位にまで下がることもあるという、最年長のＵＦＯ研究物理学者ソトセバノフの発表も興味深い。これは、宇宙飛行士が他の作業をほとんど行わずに、飛行しただけなのが理由である。

モスクワのＵＦＯ会議の最後に私は、同研究所の地下ホールにあるＵＦＯの常設展示に招待された。それは、銀行の金庫室にあるような分厚い鉄製の扉の後ろにあった。巨大なホールには、壁にＵＦＯの写真が溢れていて、ＵＦＯ着陸の現場であろうか、様々な地域にたくさんのピンが打たれた大きなソビエトの地図があった。驚いたことに、１９７５年に実際に宇宙人の宇宙船が着陸した時にその森で働いていた、森林労働者のアナトリー・マルツェフの絵画もあった。ヒューマノイドは乗船するようにマルツェフを誘い、勇敢にも彼は彼らとともに宇宙へ旅立ったのである。彼らはマルツェフを別の惑星へ連れていった。飛行中に彼は、月面の反対側に光を目撃した。そこには地球外生命体の基地があることを、彼は教えてもらった。別の惑星に着陸して外に出た時に、最大の驚きが彼を待っていた。以前に「死んだ」親類や友人の全員がそこにいて、彼に挨拶をしているのだ。彼らは完全に健康で幸福であった。人間とは、身体ではなく精神なのです。ライト・ボディへの媒体である私たち人間の身体が肉体的な死を迎えた後は、私たち人間は完全な意識を伴って異なる次元で生き続けるのだ（訳者注：ライト・ボディとは、周波数の異なる見えない身体のこと。高次エネルギー体）。

アナトリー・マルツェフは地球に帰還して、彼の宇宙旅行の全てを絵に描いた。これらの絵はモスクワにあるアルカリ・スコール研究所の地下室ホールの壁に掛けられている。ソビエト時代のＵＦＯ研究と宇宙人とのコンタクトは既に、軍事的及び科学的に最高レベルにあったということを私は認めざるを得ない。驚くべきことに、このモスクワ会議には高い精神性を持った人が多く出席していたが、これは西側諸国のＵＦＯ専門家会議では決してなかったことである。例えば、物理学の助教授であるガバナー博士である。彼はアメリカのＮＡＳＡの会議にも出席し、ＵＦＯとの接触を経験した人々と、臨死体験であるNDE'sを経験した人々、双方に起こる類似点を伝えた。それは、死への恐怖心が消滅し、人生に対する考え方が劇的に前向きに変化することである。会議の出席者にも、臨死体験をした後で、人間の精神的な進歩における次の段階として、二度UFOと接触した人がいた。そして、私も同様の経験をしたのである。

そのモスクワ会議のエネルギーは途方もないものであった。超心理学者エドワード・ナハムは、以前はその知性と宇宙人とのコンタクトのせいでハラスメントに苦しんでいたが、現在では、変化を予言する高尚なロシア音楽を伝える講演をこの会議で行った。それは、ソビエト連邦崩壊の直後に大きな変化が到来するというものであった。タイミングが全てである。何年も後に、ワシントンDC近郊で開催された宇宙政策会議で、あの3人の外国人を発見した。アメリカ人の参加者であった。彼らは、地球外生命体や不滅の命の証拠がある地下室のUFO展示ホールには招待されなかった。そのことは、無神論のソビエト連邦では「国家機密」であった。それは、現在の西側諸国においても国家機密であるようだ。私は何年も前から、記事で読んだことのある、アナトリー・マルツェフがヒューマノイドとともに行った別の惑星への、途方もない旅についての講義を行っていたので、証拠を見せるために招待してくれたのではないかと思っている。ロシア人は、それは本当のことだと私に示したかったのだ。信じられないことに。

私が出会った、NASAの宇宙管制センターで働いていたある人物は、かつて一度アメリカの司令官に質問したことがあった。アメリカ政府が有しているUFO研究を、いつの日か諜報機関や軍部以外でも行えるようになる可能性はあるのか。10年前はその答えは否定的なものであったであろうが、現在ではそのようにできる可能性があると司令官は述べた。司令官は遠回しに、政府がUFOの研究を掌握していることを、このように認めたのである。NASAは完全に国防総省の命令下にあるということを、どのくらいの人が知っているだろうか。

１９９０年代にベルギーは、２０００人が訴えた複数のＵＦＯ船団の問題に直面した時、ベルギー当局はもはやこの現象を鳥、気象風船、他国のロケット、人工衛星などと説明することはできなかった。空軍司令官であるウィルフレッド・ド・ブラワー少将は、１９９０年３月30日、31日に中央ヨーロッパの報道機関に対して報道会議を開催した。空軍はＵＦＯの背後にＦ16戦闘機を送り、それを同時に３基のレーダーで観測したとブラワー少将は説明した。国防大臣ギー・コエムが調整会合のために交通省、内務省、国防省を招集した後、４月末にベルギー議会はこの問題を議論した。１９９０年３月12日に日本のＵＦＯ政党は、ペルシャ湾岸危機の平和的解決に関する共同声明を発表した。その声明は、中曽根が地球外生命体文明の承認について触れた、中曽根前首相とサダム・フセインの交渉を伝えていた。

１９８９年11月に新任の海部首相は、東京の早稲田大学で講演した。彼は、日本が公式のＵＦＯ組織を有するつもりがあるのかどうか質問を受けた。政府レベルではないが、若者がこれらの現象に重大な関心を示すのであれば、日本は情報を収集するために、文部省内に団体を設立することを考えるべきであると海部は回答した。

１９９０年代には既にこのようにして、羽咋市において大規模な宇宙・ＵＦＯシンポジウムが計画され、文部省、外務省、通商産業省、科学技術省、アメリカ大使館、ソビエト大使館、ＮＡＳＡ、日本国立宇宙省が支援した。

海部首相は、ＵＦＯを真剣に考える時が来たと述べる手紙を、大会の羽咋市長に送った。また彼は次のようにも述べた。私たち人間はアメリカ人、ロシア人、日本人などと区別しているが、地球外生命体からすれば、地球上の人間は全て同じである。シンポジウムは大きな成功を収めた。５万人が参加し、表立ったＵＦＯ研究における国際協力への第一歩となった。

ＵＦＯの形をしたＵＦＯ博物館も羽咋市に建設される予定であった。１９９３年の博物館の開館には、新たな専門家会議が準備され、ガラスの棺に入れた二体のヒューマノイドの遺体を展示する計画であった。しかしながら、その計画は「権力者」によって阻まれた。その計画に関しては対立があり、時機が適当ではなく、そのうちに、というテレックスが送られてきたのだ。そしてその直後、日本は無制限の商業利益をアメリカに付与されたのである。地球の人々は、私たち人間が宇宙で唯一の知的（？）種族ではなく、私たち人間のいる太陽系においてさえもそうではないという、真実の証拠を目の当たりにする大きな可能性を逃したのだ。１９９６年11月９日〜10日に臨床的接近遭遇専門家協会（Academy of Clinical Close Encounter Therapist）であるＡＣＣＥＴの副会長として私は、スカンジナビアで初めてとなる地球外知的生命体と人類の未来に関する会議を、ヘルシンキ近郊のハナザーリ会議場において単独で出資計画した。初日は、政界、経済界、科学界の招待客のみの非公開であった。２日目は、一般大衆にも公開した。講義は、ハーバード大学のジョン・マック教授やワイオミング大学のレオ・スプリンクル教授のような、ＵＦＯ研究や宇宙人とのコンタクトに関しての、世界的専門家によるものであった。そして、国連超心理学学会の職員協会の会長であるムハンマド・A・ラマダンが、国連の見解や、このテーマの国連専門家会議における様々な議論の結果を述べた。それは例えば、専門家会議の会長であるカート・ウォルドヘルム事務局長と、会員である天体物理学者ジャック・バレの議論である。このフィンランド会議は大きな成功を収めた。その理由の一つは、フィンランド社会保健大臣がこの会議を主催することを約束したからである。しかし、国営TVが直接伝えたところによれば、数時間前の土壇場で中止された。事実、その後大臣は私に手紙で謝罪した。ビルダーバーグ会議会員である首相が妨害をした可能性があると私は考えている(訳者注:ビルダーバーグ会議とは、1954年から毎年1回、世界的影響力を持つ政治家や官僚、多国籍企業・金融機関の代表やヨーロッパ王族、貴族の代表者など約130人が、北米や欧州の各地で会合を開き、政治経済や環境問題等の多様な国際問題について討議する完全非公開の会議である)。しかしながら、マスメディア、TV、ラジオ、全国紙は大々的にこの会議について報道した。それには、ロシア(アノマリア)とドイツ(マガジン2000)の反体制的な雑誌も含まれていた。その結果、私がフィンランド会議を主催し、以下のような講演を行った。それは、社会保健大臣が講演に役立てるために、私が書いておいたものである。

「皆様、臨床的接近遭遇専門家協会(Academy of Clinical Close Encounter Therapist)であるACCETを代表して、副会長である私が、第一回地球外知的生命体と人類の未来に関するスカンジナビア会議への皆様の参加を歓迎致します。スカンジナビア諸国、ロシア、イギリス、ドイツ、アメリカからの参加がございます。地球外知的生命体の問題が人類の未来に与える影響に対処するために、このようなレベルにまで注目されたのは、フィンランドでは初めてのことである。

地球外知的生命体の問題は、世界の現状を考慮すれば、重大な科学的問題である。最も利用可能な研究である。残念ながら、ここにいる私たちは、超大国のように宇宙や月に関する情報を直接手に入れたことはない。なぜならば、私たちには、月面を歩いたことのある宇宙飛行士がいないからである。人類は既に、宇宙において人類が唯一の知的生命体ではないという、科学的証拠もしくは軍事的証拠を持っているのではないだろうか。国家安全保障の理由から、多くの軍事情報が一般大衆に明らかにされていないのだ。

しかしながら、このように考えてみて下さい。肉眼で見るだけで、私たちは5000～6000個の星を見ることができる。天の川銀河には2000億個の星があり、太陽はその中の一つである。無数の銀河が存在する。好都合な環境を備えた惑星があれば、生命が誕生するということは明白である。しかしその生命は、姿形、生活様式、環境において私たち人間とは非常に異なっている可能性がある。

実際に私たちは、地球外知的生命体探査（Search for Extraterrestrial Intelligence）であるSETIを改名しなければならない。なぜならば、私たちが実際に探し求めているのは、私たち人間に似た生命体だからである。私たちが予期するのとは全く異なる姿形をした知的生命体は、見過ごされる可能性がある。私たち人間を本当に怖がらせる可能性もある。特にその生命体が、時空を曲げて瞬時に銀河を渡ることができるような、驚異の科学技術力を持って現れた場合には。

非常に多くの宇宙飛行士が、ＵＦＯを目撃するだけでなく撮影もしている。１９７６年に科学者のピーター・スタロックが行ったアメリカ天文学学会の会員１３５６人の調査では、回答者の５％が説明することのできないＵＦＯの目撃を経験している。天文学のアラン・ハイネック教授は20年にわたり、これらの問題に関してアメリカ空軍の顧問であった。ロサンゼルス天文学クラブの２００人以上の会員に質問すると、ＵＦＯを目撃したことがある人は20人はいたが、嘲笑されるのを恐れて、10人しか目撃を報告していなかった。この分野に関する学問的な無知や、私たち人間の世界観を変えることに対する抵抗とともに、そのような嘲笑されることに対する恐れが、スカンジナビア諸国において、この分野の研究が、大学レベルで行われるようにならない主な理由である。

しかし、物事は変化している。最近では、人前に出て、当然ながら許可の下で宇宙での体験を語る宇宙飛行士も出てきている。２機の地球外生命体の宇宙船での飛行を経験し、停止させるのが難しかったと、ゴードン・クーパーはほんの2週間前に発表したばかりだ。超大国は、地球外生命体の宇宙船を所有し、試験飛行もさせている。地球外生命体の宇宙船と、軍用機や民間機との衝突の報告が世界中で３５００以上存在する。多くの事例には、地上と空の両方において、補完的レーダーによる証拠書類や複数の信頼性のある証言が存在する。世界中には４０００以上の物理的な痕跡を残した着陸跡が存在する。研究機関の調査結果では、着陸の跡が見られた地面では驚くべき変化が明らかになっている。例えば、着陸現場における葉の標本のクロロフィル色素は50～30％弱体化していた。若葉は、より古葉の特徴を持つ含有物と組成へ変化することによって、最も深刻な損失に耐えたのである。このような変化を再現する試みは成功していない。この再現に用いた核放射線は、観測されたこれらの現象が暗示するエネルギー源に類似していないようである。これらの現象のエネルギー源は、ある種の電気エネルギー電場の作用に関係している可能性がある。質量や力学や加熱効果が引き起こす地形変化、恐らくわずかではあるが微量金属の成分置換や堆積、これらのことをもたらした重大事象の発生を量的に示すことは可能である。車のエンジン、ラジオ、その他の電気装置に対して電磁的に影響を及ぼす宇宙船が、警察、軍関係者、民間人によって観測されていて、数百の事例が存在している。

着陸もしくは宇宙船事故と関連したところでは、大勢がヒューマノイドを目撃したという驚くべき報告が数百存在する。１９９５年にフィンランドのマスメディアは、１５００回以上ＵＦＯに触れたが、これはかつてないほど多い。大変興味深いのは、フィンランドの有名な二つのＵＦＯの連続ＴＶ番組にもかかわらず、報告されたＵＦＯ目撃数は増えなかったことである。その代わりに、幾つかの昔の事件が持ち上がった。国際的に同様の傾向が指摘されている。

スカンジナビア諸国、特にフィンランドにおいては、横断的科学研究がほとんど存在しない。だから、宇宙飛行に関して軍部が知っていることを、天文学者は知らないのである。そして、医療専門家は天文学者と情報のやりとりを行っていない。特に宇宙人の誘拐と言われることに関しては。ほんの1週間前に、著名なフィンランドの天文学者はフィンランド最大の新聞紙上で、月面には何者も存在しないと主張したばかりである。これらの物体は本物のUFOで、少なくとも数十年にわたり、もしかしたら実に数千年にわたり、地球の観察に関与してきたことを示す膨大な資料が存在する。世界中には、明らかに人間のものではない宇宙船が撮影された、昼夜問わずの写真やビデオテープが非常に多く存在する。有能な専門家たちがこれらの写真やビデオテープを審査し、本物であると判断している。

そしてまたマスメディアでは、UFO・ET問題に関する大量の消極的及び積極的な虚偽情報も存在している。消極的虚偽情報は、個人または大衆の覚醒に対しての、恐怖を誘発する虚偽情報である。積極的虚偽情報は、とても洗練された手段を使って、個人や団体の体験を操作するために仕向けられている。精神病を引き起こす電子装置の使用は、ほとんどの人々が想像し得るよりも、より一層発展し運用されている。この方法を使って、多数のいわゆる宇宙人の誘拐と言われるものを引き起こし、これらの偽りの誘拐体験の下に本物の誘拐体験が隠蔽されてきた。その理由は、軍事、政治、地政学、文化、経済、科学技術を含む地球文明の時期尚早の崩壊や、宗教的大混乱を避けるためである。

地球外知的生命体は、人類科学が未だ十分に理解していない、エネルギーと「推進力」システムを利用しているようである。推進力システムは以下のことを取り入れている可能性がある。

（ａ）重力・反重力テクノロジーと、電磁気・重力テクノロジー。
（ｂ）宇宙エネルギーシステムと、いわゆる超次元エネルギーシステム。
（ｃ）物質エネルギーの交換可能テクノロジー。
（ｄ）意識がテクノロジーを支援可能にすること（ＣＡＴ）と、テクノロジーが意識を支援可能にすること（ＴＡＣ）。

意識とテクノロジーの相互支援は、私たち人間に、宇宙の中のこのちっぽけな惑星地球における、人間の意識、人間の存在、という人間自身について考えることをもたらすものである。私たち人間は、お互いに、そして宇宙と、何かを共有しているのであろうか。もしかしたら共有しているのは、意識、精神性、覚醒であろうか。

コロラド州コロラドスプリングスにある、アメリカ空軍士官学校の物理学部門が発行する、アメリカ空軍マニュアル入門宇宙科学は、ＵＦＯが実在することを認めている。このマニュアルが出版される20年前の１９４７年にトワイニング司令官は、ＵＦＯ現象は実在するものであり、幻想や創作ではないと言及した。飛行機くらいの大きさの、円盤の先のとがったような物体が存在する。友軍機が目撃した極度の操作性や回避行動など、報告された操作上の特性は、ＵＦＯが手動で、もしくは自動で、もしくは遠隔からコントロールされる可能性への確信を与えている。

宇宙人の側からすれば、人間は集中的な社会学研究の対象であると、このマニュアルは提言している。そのような研究においては、通常、研究対象の環境を妨げることは避けられる。第二に、アリのコロニーとは接触しない。つまり宇宙人にとって、人間はアリのように見えるのだ。第三に、そのような接触は異なる覚醒次元でずっと行われていて、人間はそのような次元で意思疎通するにはまだ十分に感覚が鋭敏ではない。

このマニュアルは、UFO現象は5万年にわたり存続していると結論づけている。目撃者の大多数は信頼できる人々である。このことから、宇宙人の訪問者もしくは宇宙人が操作したUFOの可能性が導かれる。データは、様々な宇宙人のグループがそれぞれ様々な発達段階にある可能性を示唆している。それは、私たちの太陽系に存在する惑星の多くには、知的生命体が存在しているということを意味している。UFO問題の解決策は、資金力のある大規模な団体や有能な科学者たちの、熱心な努力によって得られるだろう。残念ながらスカンジナビア諸国では、このような動きは未だ起きていない。

ロシアとアメリカのエリート科学者たちは、科学的最高水準にあるその研究において突出している。ロシア国立科学アカデミーは、超常現象、異常現象、UFOの分野を研究している。当然彼らは、宇宙の情報を一番初めに手にしている。1995年に開催された古代宇宙飛行士協会の会合で、物理学の教授でもあるドイツ人宇宙飛行士は、1週間に2機のロケットが宇宙に飛ばされていることを明らかにした。そしてマスメディアは、そのことに全く触れないのである。公式には1972年以来、人類は月に行っていないことになっている。

人類は宇宙においてこれまでに、31年分の就労期間を費やしている。1年分の就労期間は、1

700時間である。そのうち、ロシアの宇宙飛行士が24年分の就労期間を費やし、一方でアメリカの宇宙飛行士の就労期間は7年分である。ロシアの宇宙飛行士は、1年間の宇宙空間連続滞在の記録を持っている。一方で、1990年秋にアメリカの女性宇宙飛行士は、6か月の宇宙空間連続滞在に成功した。

人間が宇宙でどのくらい生存できるのか、誰もわかっていない。宇宙では全てが変化する。数時間で血液循環は変化し、宇宙飛行士の顔は浮腫む。白血球は分裂を止める。神経系が変化し、2～4日間宇宙飛行士は宇宙酔いになる。彼らは、左右、上下の区別がつかない。不可逆になる神経学的変化も起きる。彼らは、カルシウムを喪失し、残りの人生をずっとカルシウムの錠剤を摂取する必要がある。地球に帰還すると、再度、赤ん坊のように歩行を習得しなければならない。ミバエは、地球では34日生きるのに対して、宇宙では18日しか生きない。人間はどうだろうか。宇宙飛行士たちは、命の危険を冒して人類に宇宙の情報を持ち帰る真の冒険者である。そしてその宇宙は、私たちが想像し得たものとは随分異なるようだ。

人類が理解しない形でだが、宇宙交信はひっきりなしに起こっているようだ。私たち人間の限界のある脳能力では、宇宙の広大さ、宇宙の多様性、人間の能力を超越する知性、これらを理解することができないのは無理もないことである。

マサチューセッツ工科大学教授で生物天文学のフィリップ・モリスは以下のように述べた。宇宙からのほとんどの信号は、私たち人間がその存在を想像し得るよりもはるかに進化した複雑な機器から発せられたものである。信号は、私たち人間にとっては余りにも未知のものである可能性がある。例えば、正方形の波動を探さなくてはならないくらいに。もしかすると、隣人が既にドアをノックしている時分に、私たち人間は、空にのろしを上げている原始人のようなものなのかもしれない。スウェーデン王立科学アカデミーの天文学と宇宙科学の学部長であるカール・グネ・ファルツァマールは、北京で開催された国際宇宙飛行士会議の報告書を検討した研究論文を私に送ってきた。その会議では、ダンカン・ルーナンが以下のことに言及した。連続タイミングパルスによりTVを放送する方法では、一つひとつのパルスに続いて、信号の変調が生じ、連続した線が合わさり、画像ができあがる。イギリス惑星間学会での講義でルーナンは、連続タイミングパルスによるTV放送を成し遂げ、初期実験の証拠も残っていると主張している。一人ひとりの人間のタイミングパルスに続いて、宇宙人の信号情報が生じた。ルーナンがこれらを合わせると、牛飼座の星座図になることに気づいた。宇宙人の信号は、地球―月の三角形の重力システムから生じているという、ある提言も存在する。さらに、「牛飼座の恒星」の一つであるアークトゥルスは、約1万3000年前に生じた可能性のある位置に存在している。牛飼座エプシロン星の探査データがもたらした幾何学的難問は、思うに私たち人類の知性を試すことも含まれていて、その難問に対するルーナンの解答は、私たち人類は実際に宇宙人の難問の意味を理解し、解いているということを示すものである。結論は、人類は既にずっと宇宙人と交信をしているのだが、彼らの交信の種類は人類が考えるものとは異なるために、交信は無視されたのである。

地球外知的生命体の問題は、私たち人間に自己の知性水準を顧みることをもたらすものである。戦争、攻撃性、現在の世界の混迷状態を考えれば、人間の知性水準はそれほど高いものではない。人間とは何か、人間の精神とは何か。私たち人間には限界があるのか。人類がひっきりなしに破壊しているこの美しい惑星で、私たち人間が生きる目的とは何か。

人間の肉体は水から成っている。だから例えば、純粋なエネルギーの形をとっている存在のように、自分たちとは姿形の異なる別種の知的存在を、人間は理解することができない。その知的存在は、酸素や水を必要とせず、炭素を基礎としていない可能性もあるのだ。しかし意識研究を通じて、私たちは人類として、精神を拡大し、超心理学現象を日常生活の一部に取り入れるようになる可能性もある。様々な世論調査に準じれば、別の次元の存在や別の周波数の存在とテレパシーや交信を行うことは、世間一般では人間の正常な体験の一環である。しかし「精神疾患の診断・統計マニュアル」では、統合失調症の兆候であると見なされている（１９９３年まで）。

一般的に、別の領域の存在と交信する人たちは、精神病の兆候を示さないという研究が明らかになった現在、私たちは医学診断の古い枠組みを進んで考え直さなければならない。それは、精神衛生の重要な問題である。医師や心理学者は、超心理学現象や異常現象の分野において、少なくとも幾らかの訓練は受けるべきである。それらの訓練が、現在のスカンジナビア諸国では完全に不足している。結局のところ私たちは、世論調査が示すように数百万の人々にとって重要である、人間の並外れた体験を扱っているのである。将来、一般の科学界や一般大衆により多くの情報が提供されたら、私たちは拡大された世界観を認め、対応しなければならないだろう。そして、社会の政治的側面を忘れてはならない。１４９２年9月15日にコロンブスが、当時は未知の大陸であるアメリカへ向けて出航した際、空を引き裂き大海原へ消えていった巨大な炎の尾を目撃した。これに加えて、航海記では異常なことが記録されていた。10月11日に、現在のバハマの西海岸近くで動きが止まった、緑がかった光が目撃されたのである。コロンブスが異なる文化や風貌の人々が存在する新大陸を発見したのだと、ヨーロッパ人が信じるのに17年かかった。現在の私たちは、異なる生命種が存在する、別の惑星の宇宙文明の発見に関して論じる際には、このコロンブスの新大陸発見と全く同じ状況にある。国連特別委員会と国連総会は30年前には既に、ヨーロッパの幾つかの議会のようにＵＦＯ問題に取り組んでいた。欧州議会の議長は開会中の１９９１年1月25日に、エネルギー委員会、調査委員会、科学委員会に対して、委員会責任として欧州ＵＦＯ観測センター設立の決議への動きを促した（訳者注：欧州議会とは、欧州連合ＥＵの議会組織）。この決議への動きは以下のとおりである。

長年にわたり一般人は、多くのヨーロッパ諸国の空における、原因不明現象の目撃を報告している。

ここ数か月間で、科学者や軍関係者などの信頼できる人々もまた、ＵＦＯ（未確認飛行物体）に分類することができる原因不明の出現を目撃している。

１９９０年11月5日の夜間の、ヨーロッパ共同体諸国における多数の目撃を考慮する（訳者

注：ヨーロッパ共同体ＥＣとは、ヨーロッパ連合ＥＵの前身組織）。

これらの現象が頻繁に発生することにより、不安を感じる一般人がいる。

近い将来、『ヨーロッパＵＦＯ観測センター』を設立するための委員会を招集する。

ヨーロッパＵＦＯ観測センターが、一般人、軍、科学機関による個々の観測をまとめ、科学的観測の一覧を編さんすることを提案する。

このヨーロッパＵＦＯ観測センターが、ヨーロッパ共同体委員会と、12か国の加盟国からの専門家で成る常任委員会によって運営されることを提案する。

当時のフィンランド、スウェーデン、オーストラリアはヨーロッパ連合に加盟していた。だからフィンランドは、その委員会に２人の会員を有していた。財政面の問題を理由の一部として、現在では欧州議会はこの計画を続行していない。しかしながら１９９１年から１９９３年の間に、この分野において多くの情報が加盟国から得られた。例を挙げるなら、イタリア空軍参謀が欧州議会に対して回答した、機密扱いされていない過去10年間に記録された全てのＵＦＯ目撃の概要によれば、イタリア海岸沿いでは遥かに多くのＵＦＯが目撃されているようである。つい最近では、スペイン空軍が情報を機密解除し、ＵＦＯ目撃リストを公開した。長年にわたり全ての国の空軍は、ＵＦＯ目撃を機密保持してきた。なぜならば、ＵＦＯはソ連が配備した秘密兵器ではないかと危惧していたからである。その後、それは事実無根であると証明された。一方で、今度はソ連が、反対の立場からの同様の理由でデータを機密保持していたのである。フィンランドでは議会の未来委員会が、去年の春の初会合で『UFO概要説明書、最も入手可能な証拠』のコピーを受け取った。そのUFO概要説明書は、宇宙人とのコンタクトを将来発表することに備えて、UFO問題に対する認識を高めるために全世界の指導者に送られているものである。

私たちは現在、ライト兄弟がオハイオ州デイトンで初飛行した1903年と全く同じ状況にある。5年にわたり人々はライト兄弟が空を飛ぶのを見て称えたが、陸軍、報道機関、科学者たちはこの情報を嘲笑した。ジョンズ・ホプキンス大学の数学と天文学の教授であるサイモン・ニューカムは、インディペンデント・マガジン誌に論説を発表した。そこで彼は、たった数週間で飛行できるようになるのは不可能であるということを科学的に証明した。その1年前に技術者でもある海軍少将ジョージ・メルヴィルは、ノース・アメリカン・レビュー誌に、飛行しようと試みることは実に常軌を逸していると書いていた。だからライト兄弟は、アメリカ大統領セオドア・ルーズベルトが、1908年にフォード・マイヤーズ空軍基地に公開の実演飛行を手配するまで、5年にわたり飛んだのである。そうしてようやく、懐疑的な科学者や報道機関は真実を認めざるを得なかったのである。世論調査によると、現在世界中の数百万の人々がUFOやETとコンタクトしている。しかし、ライト兄弟の飛行の時と同じような抵抗や推論が起こっている。つまり『科学的推論』を理由にして、懐疑的科学者たちは証拠を見るのを拒んでいるのだ。それはちょうど、ガリレオ・ガリレイが科学者たちに望遠鏡を見るように求めても無駄だったようなものである。今日、科学的世界観は絶滅の危機に直面している。だから証拠が無視されるのだ。私たち人間の世界観や考え方が変化するのに、世界中の国家を代表し得る唯一の機関である国連の事務総長が、国連広場での実証を手配する必要があるのだろうか。人間のエゴ、人間の科学、世界の宗教に対して打撃となるにも関わらず、ＮＡＳＡからでさえも人前に進み出た宇宙飛行士たちやエリート科学者たちがいる現在、物事は変化するのかもしれない。アポロ宇宙船の設計者でＮＡＳＡの通信長官であるモーリス・シャトランは、１９７９年に既に以下のように述べていた。アポロ宇宙船とジェミニ宇宙船の全ての飛行において、地球外由来の宇宙船が、少し離れて、時には最接近して、後ろからついてきた。その地球外由来の宇宙船は、その名で呼ぶことを望むのであれば、ＵＦＯと呼ばれる空飛ぶ円盤である。ＵＦＯが後ろからついてくる時は常に、宇宙飛行士は管制センターに報告した。そして、管制センターは完全な沈黙を命令した。さらにシャトランは、ニール・アームストロングとバズ・オルドリンが人類史上初めて月面に着陸した際に、クレーターの縁で宇宙人の宇宙船に遭遇したと述べた。そしてまた去年シャトランは、月面に自然由来ではない幾何学的な構造物が存在していたということを明らかにした。一般大衆に対しては、その考え方を試すために、情報は少しずつ与えられる。そして、情報は様々な形式で与えられる。科学界に対してはこのような会議の形式で。避けられない未来に対して一般大衆に心構えをさせるためには、ＴＶシリーズ、映画、『漏洩された』情報を通じて。子供たちに対しては、教育に重点を置くことで。だから新しい世代は、コンピューター、宇宙時代、新しい世界観とともに育てられるのだ。

懐疑論者たちは、原理主義者たちが混乱しないで科学の最先端領域に対処し、受け入れるように補助することで、彼らの仕事をしているのである。パニック反応の危機対策に関しては、数年前にフィンランドの消防署長たちがＵＦＯ問題に関して講義を受けた。しかし今までのところ、フィンランドの危機対策は、可能性のある人工衛星の大惨事に限定されている。将来、それは変更しなければならないだろう。スウェーデンの農業委員会（Lantbrukstyrelsen）は、ＵＦＯや宇宙人と遭遇したら、主任獣医（lansveterrinar）に連絡をとるように指示している。だから農業委員会は、恐らく可能性のある宇宙バクテリアを想定していたのだ。そして多数のＵＦＯ報告書にあるように、私たち人間から見ると、ＥＴはより動物に近い姿形をしているということを、農業委員会は知っているようである。スピルバーグ映画に登場するように。アメリカ連邦緊急事態管理局は１９９３年以来、新第二版消防士災害対策手引書を使用している。そのマニュアルには、ＵＦＯに対処するための基礎を取り扱う特別編も含まれている。そのマニュアルでは、輸送と通信の崩壊、考えられる心理的及び身体的影響の問題を扱っている。そして、消防士がＵＦＯと接近遭遇する場合を想定し、当該人物が連邦法に従って隔離されることに同意しないのであれば、ＵＦＯに近づくのは賢明ではないだろうと述べている。１９６９年以来、アメリカ市民が地球外生命体やその宇宙船と接触することは違法である（米連邦規則基準１２１１項14章、アポロ月面着陸の前の１９６９年7月16日に適用された）。

この罪で有罪の者は1年間投獄され５０００ＵＳドルの罰金を科せられる可能性がある。ＮＡ

ＳＡの運営陣は審理の有無に関わらず、ＥＴを暴露した人間を強制的に武装衛兵の下に無期限で隔離することを決定する権限を与えられた。そして、この決定は裁判所命令によっても覆すことはできないものとした。スウェーデン政府関係者は、考えられる宇宙人とのコンタクトに関して質問を受け、スウェーデン人は自らが望む如何なる相手との交流も禁じられない、軍や外務省でさえも禁じることはできないと回答した。このことはフィンランドにおいて、未だ国家レベルの問題にさえなっていない。近代の著名な世界的指導者（レーニン）はかつて述べた。「いつの日か私たち人間が惑星間のコミュニケーションに成功した時には、哲学的側面、道徳的側面、社会的側面の全てを見直さなければならないだろう。そして、科学技術の可能性は無限になるであろう」。言い換えれば、大規模なパラダイムシフトが起きることが予想される。新しい時代、平和な時代が到来するのだ（訳者注：パラダイムシフトとは、その時代や分野に当然のことと考えられていた認識や思想、社会全体の価値観などが革命的にもしくは劇的に変化すること）。なぜＵＦＯ問題全体が高度な機密であるのか。その理由は、宇宙人は空間と時間を変化させること、つまり時を旅することができると思われるからである。世界の指導者たちは、この事態をどのように収拾したらいいのかわからないのだ。そのことは、私たち人間の人生のあらゆる局面に影響を及ぼすのだ。大多数の科学者は、現在の世界観と光の速度の限界に行き詰まっている。現在、私たち人間は進化することを迫られている。１９６４年から続くＮＡＴＯ報告書は以下のように結論づけた。我々は様々な環境の宇宙空間からやってくる生命体や物体に対処しているだけではなく、異次元の文明に対処しているのである。今のところ、宇宙からの軍事的脅威は存在せず、ETは私たち人間に対して敵意も持っていないようであると、政策的軍事分析は示している。もしETが私たち人間に敵対するのであれば、私たち人間に生き残る可能性はないだろう。なぜならば宇宙人の科学技術は、私たち人間の数千年先を行っているからである。現在人類は、銀河系コミュニティーの一員になるための産みの苦しみの中にいるのだ。私たち人間は、現在経験している移行期間により、成長すること、世界観を広げること、知的存在は他所では様々な姿形で存在し得るということを受け入れること、これらのことを迫られているのだ。私たち人間は、精神性が科学技術に追いつかなければならない、進化しつつある小さな惑星として、宇宙において私たち人間がいる場所を理解するように迫られているのだ。西暦2000年はどんどん近づいている。その頃までには恐らく科学研究を通して、人間は宇宙において唯一の知的生命体ではないのだという公式な確証が得られるだろう。これらの願いを込めて、第一回地球外知的生命体と人類の未来に関するスカンジナビア会議の開催を宣言致します。ご清聴ありがとうございました」

宇宙人の宇宙船と地球外生命体の乗員の軍事的及び科学的な圧倒的証拠は、一般大衆に対して未だに意図的に秘密にされている。そして宇宙旅行に関しては、一般大衆に対してほとんど虚偽情報が与えられている。

アメリカと新世界秩序は、地球外生命体とのコンタクトに対する恐怖心を与えるために、「悪い宇宙人」の概念を作り出した。ステファン・ホーキンスさえも、地球外生命体とコンタクトした人たちに警告している。何故だろうか。一般大衆は覚醒を続けている。そのことが、世界支配を失いたくないエリートを不安にさせているのだ。

私たち人間は、ずっと地球外生命体とコンタクトしてきたこと、既に５万年前からずっと空に飛行物体を目撃してきたことを、中国の報告書は示している。だから宇宙の秩序に反して、地球外生命体が攻撃をするということはあり得ない。しかし地球上のエリートは、宇宙人の仕業に見せかけた、地球に対する偽旗攻撃を計画しているようである（訳者注：偽旗作戦〔false flag〕とは、あたかも他の存在によって実施されているように見せかける、政府、法人、あるいは他の団体が行う秘密作戦である。平たく言えば、敵になりすまして行動し、結果の責任を相手側になすりつける行為である）。それは、恐怖を作り出すため、地球上の人口削減のため、エリートが引き起こす流行病の虚偽前提をもとに、人々にマイクロチップを埋め込み、完全に支配するためである。目的は、エリートの独裁の下に永久に人々を奴隷化することである。

私たち人間とは、様々な振動や周波数で永遠に生きる意識であるということを、「権力者」は忘れているようである。人間がＥＴに出会った時、人間は当に未来の自分の姿を目の当たりにしたのだ。

最近では例えば、「公式には」６番目に月面を歩いた人間ということになっている宇宙飛行士のエドガー・ミッチェルが、宇宙人とのコンタクトに関する真実を地球の人々に打ち明けるように、オバマ大統領に要望しようとした。しかし決定するのは、大統領ではなく、舞台裏で世界を支配する新世界秩序と呼ばれる「権力者」である。そして現在エドガー・ミッチェルは、裁判沙汰で脅迫されている。世界情勢に関する真実を問いただすことや、「空からやってくる悪魔」を利用した一般市民に対する計画の真実を問いただすことは、極度の危険を伴い、時には生命を脅かす可能性がある。

10年前に私は、エドガー・ミッチェルと働いていたフィンランドの女性科学者から接触を受けた。私たちは昼食のために午前11時にレストランで会った。その昼食は、何と12時間後の午後11時に終わった。私は、ヘルシンキの国立衛生研究所で所長代理として働き、フィンランド環境衛生・保健教育省の責任者を務め、アメリカでは公衆衛生長官と呼ばれるフィンランド医務部長を短期ではあるが後任として務めた。

私が得た情報は驚嘆すべきものであった。そして現在でも驚いている。NASAにはお互いの活動について関知しない様々な部門が存在する、そしてそれらの根本方針を知る必要があると、彼女は私に教えてくれた。彼女はテレパシー部門で働いていた。それとは別に、体外離脱実験の部門も存在した。

彼女は主に夜間に働いていた。なぜならば、その時アメリカは昼間だからである。決まった時刻に、彼女が解釈することになるメッセージが送られてきた。彼女には暗号名があった。体外離脱実験に従事する人は8時間以上空中に存在することを許されていないと彼女は教えてくれた。

エネルギーが身体から離れる時間が長過ぎると、欧米人の身体は苦しみはじめるのだ。インドのヨガ行者は、話は別だ。彼らは、生命兆候を最小限にとどめたまま3週間埋葬されることが可能である。これらの話は信じ難かった。この女性は本当に正常だろうかと私は自問しはじめた。その直後に彼女は微笑んで言った。「私は全く正常です」。私は赤面し、彼女は嬉しそうに笑った。この後、彼女はどのようにして私の全ての思考を読むのかを実演した。私は窓の外を見て、もう樺の木が緑に色づきはじめたと思った。「わかりました。外は緑に色づきました」と彼女は直ぐに言った。私は、どうしたら自分の思考を隠すことができるのかわからずに苛立った。私の思考を読むのに、彼女がどのような技術を使っているのかを尋ねた。「開かれた本のように、あなたの思考を読むのは簡単なことです」と彼女は言った。目を覗き込むと、簡単にコンタクトが得られます。ラジオ番組のようなものです。特定の番組を聴くためには、特定のボタンを押さなければなりません。誰もが、その人特有の周波数を使って送信します。全てはエネルギーであり、振動なのです。テレパシーを使ったこの思考読み取りから、自己を防御することはできるかどうかを尋ねた。彼女はその技術を教えてくれた。そしてまた彼女は、彼らは主に夜間に働いていると も述べた。その時、人々は眠っている。眠っている人間は無防備なので、支配するのが容易である。例えば彼女は、翌日の午後に、特定の百貨店へ行くように命令をすることも可能であった。その人は朝起きたら突然、12時にこの百貨店に行きたい衝動に駆られるのだ。彼は、このように夜のうちにマインド・コントロールでプログラムされたとは全く思いもよらないのである。催眠術であれば、恐らくその人物は、そのようにプログラムされたということを思い出せるのではないかと、私は訊いた。確実に情報が意識に上らないようにされている。彼らは、隠蔽するために別の命令を出している。例えば、表紙写真としての赤いバラである。こうして最初の命令は闇の中である。このように彼女は述べた。赤いバラはたいてい、諜報機関が行う秘密工作に関連しているということを、私は最近知った。沈黙と秘密のバラである。特に、彼女が技能を実演した時には、彼女を信じるほかなかった。そしてまた彼女は、必要であれば彼らは、人の名字を記憶から消し去るということも付け加えた。危機的状況において人は中立でいることはできず、その人の中でせめぎ合う、どちらかの側に決めなければならないと、その時彼女は述べた。私は、ヘルシンキにあるアメリカ大使館の大使館付き武官に連絡をとるように言われた。私は宗教的理由でこれらの事柄を研究していて、外国の大使館付き武官と連絡をとることに関心がないということを彼女に説明して、この状況を脱した。私が戦略的に最も重要なラップランド地方で働いていたということも、そのように対応した理由である。ラップランド地方は、ロシア、スウェーデン、ノルウェーの国境まで数百キロ、北極圏の上側に位置し、フィンランドの1／3を占めている。

しかしながら、この提案は興味深い。心理戦争における超能力の利用は、大国にとっては重要な武器となる。この後、何らかの理由で、私はＮＡＳＡのテレパシー実験で働いていたこの女性の名字を思い出すことができない。後に、なぜ私が接触を受けたのかを考えた。そして、私の公私にわたる特殊な信頼できる経歴と、自分の体外離脱体験を公表していたことが、その理由だという結論に達した。アメリカ人は、諜報と宇宙探査に体外離脱体験を利用するのだ。その上私は、彼らの研修所である、バージニア州のモンロー研究所に行ったことがあったのだ。モンロー研究所は、地下2階を備え、そこでは軍民両方が体外離脱体験の講座を受けている。『死』や地球外生命体とコンタクトするためである。そしてまた私は、ヒューストン宇宙センターに勤務していた写真技術者のドナ・ティエトスが、1995年6月5日にワシントンDCで放送されているWol-Amラジオで話したことを思い出した。それは、彼女の同僚が勤務している閉鎖区域では、NASAが月面で撮影した写真をマスメディアに売る前に、UFOが写った写真を全て消去しているという話であった。驚くべき発見を伴った宇宙や宇宙旅行に関する情報の全ては、何も知らないままの一般大衆に対しては、全くの虚偽情報が与えられているようである。例えば、宇宙旅行後に宇宙飛行士が地球に帰還した映像は、明らかにニセ物である。当初は真実が公開されていた。無重力大気に長時間いた後で地球大気に帰還すると、宇宙飛行士たちは歩くことができないので、彼らがロケットの外へどのようにして運び出されなければならなかったのかを公開していたのだ。現在TVでは、宇宙飛行士たちが笑いながら手を振ってロケットから歩いて出てくる姿が見られる。その映像は明らかに、出発する時に撮影されたものである。ロケットに乗り込んでから、にこやかに手を振りながらもう一度外に出るように頼まれたのだ。つまり、宇宙旅行後に撮影されたものとして公開されているあの映像は、実際は宇宙旅行に出発する前に撮影されたものである。欺くことが最も重要なことなのである。ドイツ人宇宙飛行士のレインハルト・ファーラーは、人々は彼の講義において宇宙に関心を示さなかったと述べた。普通の人にとって宇宙は何を授けてくれるというのだろうか。その答えは、情報交換にある。地球人の文明よりも数千年進歩した文明は、私たち人間に偉大な科学技術を授けてくれるだろう。しかし、私たち人間にその準備はできているだろうか。コロンブス後のインディアンに何が起こったのかを思い出して下さい。科学技術がより発展していた白人種が、インディアンと交流しようとやってきた当時のことを思い出して下さい。地球人は、インディアンと同じ運命を辿ることを予期できるでしょうか。

宇宙人との接触に対する、一般市民の考え方に関してのオーストラリアの世論調査では、ほぼ70％の人がまず初めに恐怖心を抱くということが、数年前には既に明らかになっている。その次に多いのは、好奇心を抱く。８％の人が関心がないであった。だから、諜報機関と軍部は、地球上を現状維持するために、人々が宇宙人との接触を怖がるように恐怖心を利用しているのだ。

ドイツのＵＦＯ会議で宇宙飛行士レインハルト・ファーラーは以下のように述べた。宇宙飛行士たちが宇宙船の中で体験することを考えると、一般的にＵＦＯとのコンタクトが、なぜ物理的なものであるより、むしろ精神的なものであるのか容易に理解できるだろう。宇宙飛行士たちは宇宙でのはじめの3～4日は、いわゆる『宇宙酔い』になる。地球上では多くの人たちが海で船酔いになるのと同様である。宇宙飛行士たちの神経系は、地球上と同じようには機能しなくなるのだ。人間の生態が、無重力状態の中で突然変化するのだ。上下左右、これらの命令が地球上と同じようには使えなくなる。

4日目に宇宙飛行士たちは、新たな神経系に適合しはじめる。無重力状態の中では、腕や筋肉の力が落ちていることを感じることができない。宇宙では1～2時間で、足の血液が顔や頭に行き、顔が浮腫む。

1週間後に宇宙飛行士たちは、本来5リットルある血液が4リットルしかなくなる。たとえ2リットルの血液が失われても、脱水症のない宇宙では乾燥を感じることができない。

宇宙ではとても注意深く動かなければならない。はじめの3日で、全てのことが変化する。地球上と同じことなど何もない。時間でさえ変化する。時間が拡大するのだ。そしてまた、宇宙では重量も変化する。白血球などの血液細胞も分裂を止める。骨などからのカルシウムの消失が甚大となる。宇宙でミバエは18日しか生きない。地球上でミバエの寿命は36日である。

人間の身体は順応するが、カルシウムは永久に失われる。宇宙飛行士たちは、残りの人生をカルシウムの錠剤を摂取しつづけなければならない。そして地球に帰還したら、もう一度歩行を習得しなければならない。

全ての国の軍部は、UFOに関するものを保管し、そのほとんどを機密保持している。しかし時として、ブラジルなどのTVでは正しい情報が流される。ブラジル航空大臣のオクタビオ・モレイラ・リマ准将は、1986年5月19日にレーダーが20機のUFOを記録した事例を公然と話したのだ。しかしながら、公式な軍事報告書は一般には公開されていない。リオデジャネイロのアメリカ大使館は、ブラジル空軍がこれまでに類を見ないUFO接近遭遇を経験したという報告書をアメリカ国防総省へ送った。当然のことながら懐疑論者たちは、その現象を隕石、満月の光、球電光、レーダーの誤作動、宇宙ごみ、偵察機、サリュート7宇宙ステーションの瓦礫と主張した（訳者注：球電とは、電光の一種。雷雨の時にまれに現れて、赤黄色の光を放ちながら中空をゆっくり移動する球状のもの）。

真実が露見する場合は常に、一般大衆を混乱させるために、直ちに暴露屋たちが妨害に従事させられる。特に機密情報が露見する場合など、世の中の全ての分野においてこのようなことが行われている。真実の情報に対抗するために、虚偽情報を拡散させる否定派科学者団体が利用される。一般大衆を何も知らない状態、不安な状態にしておくことが、常に最も重要なことなのだ。代替メディアとインターネットは、企業支配されたマスメディアよりもずっと多くの真実の情報を流している。

常に問うて下さい。誰が利益を得たのか。そうすれば、虚偽情報の背後にいるのは誰かわかるだろう。そして、タイミングが全てである。

1977年2月21日には既に、スウェーデンのストックホルムで秘密会合が開かれた。その会合には、スウェーデン軍最高位の司令官であるS・シネルグレン将軍をリーダーとして、軍部の首脳陣が出席した。

その会合の出席者には、その他の将軍たちや大佐たちとともに、シネルグレンの跡を継ぐL・ルジャン将軍が含まれていた。議題はUFOであった。そしてまた、例えばスウェーデン科学アカデミーなどからトップクラスの民間人のＵＦＯ研究者たちも出席した。

その会合は極秘のもとで開催され、内容も機密扱いするように圧力がかけられた。ＵＦＯに関係する場合は、軍には報告義務がある。報告の10％は一般市民からのものである。そして、軍部はＵＦＯ協会との協力を望んでいないことを強調している。この会合とＸ‐１（UFO's）作戦が機密扱いのままということはとても重大である。そうでなければ、軍部は全てを否定し、このような作戦は決して存在しないと表明するだろう。ＵＦＯ報告データシステムであるＵＲＤは、ＮＡＳＡの顧問である心理学者リチャード・ヘインズと連絡をとり合い、協力体制にあると言われている。ヘインズは、私が会った中で最も有名なアメリカ人ＵＦＯ研究者の１人である。覚書は、例えばただ１人の元国会議員に送られた。軍部は全ての国において、世界最大のニュース、つまり私たち人間は宇宙で唯一の知的生命体ではないということを、主要な政治家たちや政府筋に秘密にしておくことができるのである。私はこの会合のことを、今は亡きスウェーデン人の出席者から教えてもらった。

第5章　新世界秩序とテロ行為

２００９年5月ドイツのカールスルーエ近郊のエットリンゲンで、「非殺傷兵器」に関する国際会議が開催された。物理学、医学、軍部、警察、兵器製造所など、ロシア科学アカデミーのような最高水準の経歴を有する20か国からの代表が参加した。そしてまた、使いようによっては殺傷可能な兵器である「非殺傷兵器」の攻撃対象にされた個人、ＴＩたちも参加した。この場合もやはり、「非殺傷」は、虚偽情報や口先だけの安全と一体となった、「真逆」のものである。超心理学、宇宙政策、臨死体験、マインド・コントロールなどの分野の研究で有名な、博士号を持つジョン・アレキサンダー米軍大佐（退役）が、最も興味深い講義の一つを行った。彼は世界中の多くの人から上がった疑問に答えた。それは、影で世界を支配し、大統領、首相、政府、諜報機関、軍部、警察、法執行機関（これら全ては、その権力者、もしくは他に従っているはずである）に対して命令を出している権力者とは誰かという疑問である。彼は空中に正方形を描いた。真ん中に、新世界秩序（ＮＷＯ）のサインを示した（訳者注：新世界秩序〔New World Order 略ＮＷＯ〕とは、世界政府のパワー・エリートをトップとする、地球レベルでの政治、経済、金融、社会政策の統一、究極的には末端の個人レベルでの思想や行動の統制・制御を目的とする管理社会の実現を目指す国際秩序）。

右側には、ダビデの星とともにイルミナティのサインを示した（訳者注：イルミナティとは、現実の歴史およびフィクションに登場する秘密結社の名称。世界を裏で操っていると言われている。ダビデの星とは、ユダヤ教あるいはユダヤ民族を象徴するしるし。二つの正三角形を逆に重ねた六芒星〔ヘキサグラム〕といわれる形をしており、イスラエルの国旗にも描かれている）。左側には、ＣＩＡ、ＦＢＩ、英国諜報機関のサインを示した。これらが「権力者」であると彼は言った。それらは、現在の世界の有り様に責任のある組織である。彼らは、公式な政府、軍部、名目上の指導者の背後にいて、全ての事柄において自分たちに従うように命令を出している。

私は以前、アメリカ政府は「所有された企業」であるということを読んだことがある。つまりアメリカ政府は、全てのマスメディアと世界の富を所有する人間や組織が私物化している、その他非常に多くのものと同じように、単なる見せかけにすぎないのである。

例えばインターネットにあるようなシオン・プロトコル（ユダヤ議定書）は、たとえその原典の起源の真贋が論争になっているとしても、興味深い読み物である。この書物の内容は、イルミナティの手法や考え方を露わにするものとして現在でも有効であると、私は個人的に信じている。世界を支配する人間は誰か。「イルミナティ」として世界を支配する人間の手法や考え方が露わにされている。新世界秩序は多くの民族を対象とするものであり、たった一つの民族に対するものではない。舞台裏にいる権力者とは誰か。週刊誌アメリカン・フリー・プレスは、次の文章を電子メールで送信した。「我々はホワイトハウスのオバマを辞めさせなければならない」と２０

11年春にE・ロスチャイルドは述べた。彼らはこれをどうやって実現するのだろうか。もしかして偽旗作戦なのであろうか（訳者注：偽旗作戦とは、あたかも他の存在によって実施されているように見せかける、政府、法人、あるいはその他の団体が行う秘密作戦である。平たく言えば、敵になりすまして行動し、結果の責任を相手になすりつける行為である）。時がたてばわかるだろう。デヴィッド・ロックフェラー・トラスト、ヘンリー・キッシンジャー（ヘンリーはもともとドイツ人のハインツ）、タブロイド紙ニュース・オブ・ザ・ワールドの盗聴スキャンダルによる廃刊の不祥事と、ウォール・ストリート・ジャーナル紙の虚偽分布統計の不祥事で、現在では凋落気味のルパート・マードック、ロイター通信のトム・グロサー、その他。彼らは一致団結して、新世界秩序という共通の目標を有している。それは、約85％の人口削減計画を伴う、地球を私物化するものである。そしてその人口削減は、１９９２年には既にリオ地球サミット会議における国連アジェンダ21で計画されていた。彼らの望みは世界統一政府、世界統一軍隊、世界統一宗教であり、それは一般大衆を完全に支配するためのものである。マイクロチップを中に含んだ、ワクチン接種や化学物質の航空散布などにより、世界の一般大衆に気づかれずに、マイクロチップを埋め込むことによって完全に支配するのである。既にノルウェーやアメリカで見られるように、教育水準を低下させること。テロリストたちと連携すること。大量失業を仕組むこと（現在スペインでは既に21％）。有害なロック・ミュージックや悪魔崇拝的サブリミナル・メッセージを使って若者を退廃させること（訳者注：サブリミナル効果とは、意識と潜在意識の境界領域より下に刺激を与えることで表れるとされている効果。サブリミナルは「潜在意識の」という意味の言葉である）。従来型の戦争、化学兵器戦争、電子戦争をすること。これらのことを利用して一般大衆を完全に支配するのだ。ＨＡＡＲＰテクノロジーを使った洪水、干ばつ、地震、津波、嵐、竜巻、森林火災、熱波、大雨、落雷など（訳者注：高周波活性オーロラプログラム〔HAARP High Frequency Active Aurora Research Program〕とは、アメリカ合衆国で行われている高層大気と太陽地球系物理学、電波科学に関する共同研究プロジェクトである）。そしてテロ行為。ヨーロッパはこの８００年で最も酷い洪水に見舞われ、中国の洪水では数千人が死亡し、日本では熱波で2万１０００人が被害に遭い、大災害ばかりのアフリカでは１０００万人が飢餓に瀕している。ボリビアでは数百万匹の魚と数千頭の畜牛が死に、ブラジルでは壊滅的な冬の寒波に見舞われた。これらは、ＨＡＡＲＰテクノロジーが作り出した「自然災害」である。ＨＡＡＲＰは、アラスカ、トロムソ近郊、ノルウェー、ロシア、キプロスなどに配備されている、世界最大最強の電磁気パルス兵器である。ＨＡＡＲＰは通常、多くの人口を抱える貧しい地域に対して、特にその石油や鉱物資源などにアメリカが関心を抱く地域に対して向けられている。ハイチの大災害はＨＡＡＲＰの活動の一つであったと推測されている。フィンランドの日刊紙イルタ・サノマットは２０１０年11月22日に次のように書いた。ベネズエラのヒューゴ・チャベス大統領は、「地震兵器」がハイチの地震を引き起こしたという、ロシア海軍報告書からの情報を暴露した。ハイチは海に豊富に石油を埋蔵し、アメリカが必要とする水深の深い港を持っている。さらに、ハイチ地震の1日前には既に、アメリカ軍（アメリカ南方軍を支援する米国防総省下の国防情報システム局）はハイチの「ハリケーン大災害」のための軍事演習をフロリダで行っていた。これは偶然の一致ではない。「偽旗」作戦においては常に、軍事演習が大惨事の前に行われるようである。ニューヨーク、ロンドンでは大惨事前に軍事演習が行われた。最近の2011年7月22日のノルウェーでのHAARP型テクノロジーを使った政府ビル攻撃の前にも軍事演習が行われたのであろうか。孤独な自動車爆弾の大量殺人鬼は、作り話（？）の可能性がある。数日前3機の黒い爆撃機が私の家の上空を超低空飛行した。爆撃機の正体は不明であった。

デルタ部隊は、島での大量殺戮というシナリオを投下し、そして午後3時に軍事演習を終了した。興味深いことに今までのところ、多くの事柄が当局の公式な話とそぐわないのだ。600人以上が参加したウトヤ労働党ユースキャンプでは、大勢が複数の銃撃犯を目撃した。そして明らかに銃撃犯は、単にイスラム教徒を酷く憎むようにマインド・コントロールされた捨てゴマというだけではなく、親イスラエルの第三階級のフリーメーソンで、州のしるしの入った警察の制服を着用していたと、自らの目で事件を目撃した人たちは主張した（訳者注：フリーメーソンとは、16世紀後半から17世紀初頭に判然としない理由から起きた友愛結社。現在多様な形で全世界に存在する）。恐らくその通りだと思う。警察は当初、犯人が島で86人を殺害したと主張していたが、後にその数を68人に減らした（逆にしただけだ！）。そして、警察署長の1人が手にフリーメーソンの指輪をしているのを、私の友達がTVで見たのだ。連続殺人犯のアンネシュ・B・ブレイビクは警察に何度も電話をかけて自首した。彼は次のように述べた。ブレイビク司令官の任務は完了した。私はデルタ部隊に投降する。国営ＴＶのヘリコプターが第一陣として島を撮影した。「上層部」には、諜報機関、軍隊、一般民衆レベルの活動を行う警察、これらを使ってテロ行為を行う様々な動機が存在する。ノルウェー軍の飛行機が、ＮＡＴＯの軍事活動で数週間にわたりリビアを爆撃した。５８８個の爆弾が投下され、一般市民の犠牲者も出た。ニュースによると、直近の軍事活動では水設備と水道を爆撃し、リビアの75％の世帯では断水状態にあるということだ。アメリカの希望に反して、２０１１年8月1日にノルウェーは軍の飛行機をリビアから引き揚げた。その理由は、ノルウェーの国民が戦争に反対したことと、北部のフィンマルクでロシア軍が飛行機でノルウェーの領空を侵犯したからである。飛行機は自国で必要とされたのだ。アメリカに反することは、後先考えずに為されたことではない。ノルウェーの外務大臣ジョナス・ガル・ストーは、「私たちはパレスチナ人の心の友であることを望み、パレスチナ人の独立の権利を強く支援する役割を担うことを望む」と述べた。イスラエルは確実に、このことを良く思わなかったであろう。興味深いことにニュースによると、テロ行為の翌日にはＣＩＡ、モサド、ＭＩ５はノルウェーにいたということだ（訳者注：モサドとは、イスラエル情報特務庁。イスラエルの情報機関。ＭＩ５〔Military Intelligence 5〕とは、英国情報局保安部の通称。イギリス内務省管轄の情報機関）。なぜだろうか。事情聴取や裁判で本当のことをしゃべるマインド・コントロールしたロボットを、再プログラムするためであろうか。犯人は今までずっと継続的に監視されてきたということ。そしてまた犯人は、人々を殺戮するために島へ部隊を展開する「コマンダー・ヒーロー」のような特別なデータ・ゲーム・ビデオによってプログラムされたということ。これらのことがラジオで暴露された。そのビデオはインターネット上から素早く姿を消し、犯人が既に拘留中にも関わらず、インターネット上の彼のサイトも書き換えられたのである。誰によってであろうか。通常は、マインド・コントロールされた身代わりは自殺するようにもプログラムされている。そしてこの作戦の間ずっと、諜報機関の象徴が使用された。日付、時間、緩慢な警察の対応。ブスケルー県の一番近い警察署は電話を取らなかった。1人の子供の父親が、島への救助を求めてオスロ警察に電話した際に、警察は子供が自ら電話をかけなければならないと言って救助要請を拒否した。おかしなことが多い。秘密警察は3日間（！）完全に沈黙した。間もなく、女性の秘密警察長官ジャンヌ・クリステンセンは、この種のテロ行為は、全国民にマイクロチップを埋め込むことによってのみ防ぐことが可能であると述べた。こういうわけでワクチン接種を通じてマイクロチップを埋め込むことを提唱するビル・ゲイツが、大虐殺が起きる前のある時期にオスロに来訪したのであろうか。そしてイルミナティであるジョージ・ソロスが1か月前にオスロに来訪し、イェンス・ストルテンベルグ首相がスイスでNATO長官ヒュー・ラスムッセンに事前に会っていたということを強調した。オスロの政府ビルでは通常1600人が働いているが、テロ行為の際には190人しか働いていなかった。夏時間であった。しかし、NYとオクラホマ双方のテロ事件では、多くの人々は働きに来ないように事前に警告されていたのである。うやむやのままの多くの疑問は、何らかの形で事件と関連があると思われる。誰が得をしたのか。タイミングが全てを物語っている。現在では既に、罪の厳罰化、監視強化、新しい法律といった検討事項が存在している。労働党の世論調査では、２００１年の９・11のグループに入ることに賛成している。そして現在、地方選挙では労働党の得票数の上昇が見込まれているのであろうか。この悲劇の最初の衝撃の後で、人々は一体感を持ち、憎しみを利用することが減少し、突然多くの都市では、赤いバラを手に持った極めて整然と組織化された行進で愛が表現された。

オスロでは20万人が、赤いバラを持った手を求めに応じて（！）上げながら行進した。その赤いバラは労働党の象徴である。そして「sub rosa（＝ under the rose　秘密に）」は諜報機関が使う沈黙や秘密主義の象徴であり、もちろん rosa（rose　バラ）は愛の象徴である（訳者注：sub rosa はラテン語。under the rose の意。天井にバラの花を彫り、宴席での話の秘密厳守を求めた古い習慣から）。２０１１年7月25日のヨーロッパ・タイムズのインターネット版は、次のような記事を書いた。www.whatdoesitmean.com/index1506.html を引用する。

7月22日のノルウェーでの大虐殺に関するロシア連邦保安局（ＦＳＢ）の衝撃的な報告書は次のように述べている。それは、このノルウェーを襲った大惨事の2日前に、ノルウェー首相のイェンス・ストルテンベルグは、ロシアの指導者であるプーチンに緊急の電話をかけて、１００人近くの無辜の一般市民が死ぬことになる大事件を取り止めるのに手を貸してほしいと懇願したというのである。政府のウェブサイトは電話があったことは認めたが、内容は違っているとした。

ＦＳＢによると、ストルテンベルグは今週の水曜日に、ノルウェー諜報機関（ＮＩＳ）が彼のために準備した『極秘』報告書を読んで、自国に対するこの策略を初めて知った。その報告書は、3月下旬に起きたノルウェー軍最高幹部たちに対するコンピューター攻撃に関するものであった。そこで明らかになったのは、イギリスＭＩ5保安局とアメリカ中央情報局（ＣＩＡ）が、オーストラリアとアメリカにおける偽旗作戦をモデルにした『二段階』攻撃を、ノルウェーに対して行う謀略を計画しているということであった。ノルウェー首相はプーチンに、エリートたちが計画している大虐殺を止めさせるように『懇願』したのだ。ソルチャ・ファールから西側諸国の読者への報告でした。

(Kommentar [HI] : Auch theses Zitat steckt voller Fehler, aber da es sich urn ein Zitat handelt und der Text sich auch so im huernet fuldet, habe ich ihn gelassen, wie er ist.)

7月22日のノルウェーでの大虐殺に関するロシア連邦保安局（ＦＳＢ）の衝撃的な報告書は次のように述べている。それは、このノルウェーを襲った大惨事の2日前に、ノルウェー首相のイェンス・ストルテンベルグはロシアの指導者であるプーチンに緊急の電話をかけて、１００人近くの無辜の一般市民が死ぬことになる大事件を取り止めるのに手を貸してほしいと懇願したというのである。政府のウェブサイトは電話があったことは認めたが、内容は違っているとした。ＦＳＢによると、ストルテンベルグは今週の水曜日にノルウェー諜報機関（ＮＩＳ）が彼のために準備した『極秘』報告書を読んで、自国に対するこの策略を初めて知った。その報告書は、3

月下旬に起きたノルウェー軍最高幹部たちに対するコンピューター攻撃に関するものであった。そこで明らかになったのは、イギリスＭＩ５保安局とアメリカ中央情報局（ＣＩＡ）が、１９９０年代半ばのオーストラリアとアメリカにおける偽旗作戦をモデルにした『二段階』攻撃を、ノルウェーに対して行う謀略を計画しているということであった。ノルウェーにおける偽旗作戦は、１９９５年４月19日に起きたオクラホマ州アルフレッド・Ｐ・マラー連邦ビルに対する爆弾攻撃を基にしている。この事件は、孤独な右派キリスト教原理主義者が引き起こしたと言われている。化学肥料爆弾を使い、１６８人を殺害した。１９９６年４月18日オーストラリアのポートアーサー大量殺人事件は、警察が適時に現れなかったのが主な理由で、孤独な銃撃犯が35人を殺害した。両方の襲撃事件の影響により、アメリカとオーストラリアでは、人々が享受してきた自由が制限されるという抜本的な変化が起きた。さらにＦＳＢは、ノルウェーを襲ったこの偽旗作戦は、アメリカ軍の専門家が計画準備したノースウッズ作戦の『明らかな教科書的事例』であると報告した。ノースウッズ作戦は、１９６２年にアメリカ政府内で考案された一連の偽旗作戦計画である。この偽旗作戦計画は、世論に影響を与えるためにアメリカの都市やその他の場所でテロ行為を犯すことを、ＣＩＡやその他の諜報員たちに命じたものである。過去50年以上にわたり多くの西側諸国政府は偽旗作戦計画を利用してきたのである。

ＦＳＢ（ロシア連邦保安局）の専門家はこの報告書の中で、ノルウェーにおける偽旗作戦の攻撃はオクラホマ市やポートアーサーの事件に酷似していると指摘している。

（1）強力な化学肥料爆弾を積んだ大きな車両が、警護された政府センターに気づかれずに入ることができた。
（2）進行中の一般市民の大量殺人に対して、武装した警察の対応が遅れ、その理由が未だに説明されていない。
（3）多くの人間が関与していたという目撃証言に反して、孤独な容疑者の単独襲撃犯だと認定された。
（4）孤独な容疑者は、一般市民の面前での公開審問の権利を拒否された。
これらの襲撃事件の起こった数時間以内には、大虐殺の黒幕が流した容疑者に関する情報が『ネットワーク上に氾濫』し、アンネシュ・ベーリング・ブレイビクという名前の金髪碧眼のノルウェー人であると容疑者の身元を明かし、右派キリスト教原理主義者であると茶化して伝えられた（偶然の一致であろうか?）。事件のわずか24時間早く、米国土安全保障省（ＤＨＳ）が公開したビデオにおいて、アメリカ政府が要注意人物だとしたのは、この事件のようなテロ攻撃を起こす恐れのある人物であった。流された情報、もしくはブレイビク本人が公開した情報の氾濫に伴う重大問題は、真実と虚偽が混在することであるとＦＳＢ（ロシア連邦保安局）は主張する。アメリカのコンピューターの専門家たちは、ブレイビクのものだとされているフェイスブック・ページは偽造されたもののようだと述べ、問題はさらにいっそう重大であるとした。専門家たちが指摘したのは以下のことである。

①　キリスト教徒／保守系ということを表示しない、アンネシュ・ベーリング・ブレイビクのフェイスブック・プロフィールのバージョンがなぜ存在するのか。２０１１年7月22日23：52：36 GTMに検索された、フェイスブック・プロフィールのグーグルのキャッシュメモリでさえも、この要素を裏付けている。

②　プロフィールがフェイスブックから削除される前に、どのようにしてこのキリスト教徒／保守系を書き加えたのか。7月23日01：39 GTMに我々のＰＤＦがプリントアウト保存されたとすると、その後すぐにフェイスブックのプロフィールは消去されたが、拘束されていたアンネシュ・ベーリング・ブレイビクは、どのようにしてプロフィールを変更することができたのだろうか。

③　ここで問われるべきなのは、プロフィールが削除される前に、このプロフィールを変更するためにアクセスしたのは誰かということである。

『可能性の高い』フェイスブック・ページの偽造はさておき、ブレイビクは驚くほど詳細な１５００ページの声明文と『２０８３年ヨーロッパ独立宣言』と題したビデオ「左派に対する見解」を投稿していたとも言われている。それらは、インターネット上では『２０１１年ロンドン』と日付欄に記入され、以下のことを主張している。西側ヨーロッパにおいてイスラム教徒の数は『限界に達している』。そして、西洋文明を何としても破壊したいと願う、文化的共産主義エリートたちの中核が西側ヨーロッパに存在する。『再びヨーロッパは炎上するだろう』。ブレイビクはさらに、自分自身を中世テンプル騎士団の継承者だとみなしていること、2002年4月のロンドンでの会合でリクルートされたこと、その会合は2人のイギリス人過激主義者が主催して、合計で8人が出席したことを主張した。ブレイビクとロンドンとの関係、それ故の彼とMI5との関係は、彼の父親がロンドンのノルウェー大使館の主席経済専門家であったことに由来する。ロンドンで彼は、リベラルなエリート家庭の『特権階級』の子息で、『マザコン坊や』であったと報じられている（特に、この『マザコン坊や』の説明に関する指摘が興味深い。この襲撃事件の主要な標的は、ノルウェーの『国家の母』である前首相グロ・ハーレム・ブルンラントであるとブレイビクは述べているのだ）。FSB（ロシア連邦保安局）はこの報告書において、ブレイビクとテンプル騎士団との関係に異議を唱えている。それよりむしろ、古代の階級であるテンプル騎士団の名声を傷つけるこの偽旗攻撃は、西側諸国の王室や金融エリート階級に『副次的利益』をもたらした。そして彼らに利益をもたらすこの偽旗攻撃は、彼らの『野戦』をおぼろげながらにも見せてくれるものであり、我々が7月21日の報告書『西側諸国の怒りに火をつける「神の子」としてのオバマを暴くことに対するマードックの脅迫』の中で詳細を述べたことでもある。このようにFSBは述べた。

ノルウェーの政府系投資ファンドの資産は1・5兆ドルと見積もられ、これがなければ西側諸国全体の経済は崩壊してしまう。この政府系投資ファンドを略奪する目的で、ノルウェーを強制的に自分たちの『連合』に入れる（ノルウェーはEU加盟国ではない）ための、イギリス、ヨーロッパ連合、アメリカ金融界が行う『必死な試み』が、この偽旗攻撃の背後にある（複数の）理由であると、このＦＳＢの報告書は述べている。またＦＳＢは以下のことを、重要なこととして述べている。ノルウェーに対して行われたことは、既にリビアに対しても行われていて、現在では『世紀の金融略奪』と言われている。ノルウェーを攻撃したのと同じエリートたちは、北アフリカの国家リビアに対して正当な理由のない攻撃に乗り出し、自分たちの崩壊しかけた帝国を維持するために、リビアの政府系投資ファンドの１５００億ドル近い資産を速やかに略奪したのである。このＦＳＢの報告書には、さらに検討して皆さんに報告しなければならないことが非常に多く含まれているのです。そのため、この惨事に関する最初の報告書の締めくくりをブレイビクが記した文章で結びます。それは、この事件の何もかもが見せかけであることを明らかにするものであり、本当に彼らに警戒するように私たちに気づかせてくれるものである。

『大部分の人々は無関心であるという私の見解に、彼ら自身は賛成してくれるだろう。いつの日か対立が起きることを彼らはわかっているが、20年以内に起きる可能性は低いので気に懸けていないのだ。私はこの戦いにおける先駆者である。我々の予想より早く、皆の賛成のもとで政治的変化が起きることを私は確信している。その時には、厳しい状況になることが予想される。我々は結局のところ自己破壊的イデオロギーと戦っているのである（それは文化的共産主義であり、イスラム教ではない）。イスラム教に対処する唯一の実践的方法は、イスラム教国と文化的共産主義を分離することである。我々にはそのようにできる機会が一度やってくるだろう。２０

８３年９月11日に』

西側諸国政府とその諜報機関は、将来起きる多数の壊滅的な地球の変化や出来事に関して、一般市民に警戒させないようにするために、これらＦＳＢ（ロシア連邦保安局）の報告書に見られるような情報を封じる活動を積極的に行っている。そしてソルチャ・ファールの女性同志たちは、全ての人間は真実を知る権利があるという信条のもとで、この政府の姿勢に強く反対している。西側諸国政府のこのような姿勢との闘争という私たちの使命の結果、私たちを封じようとする『工作員』の活動は、信用を落とすように計画された長期にわたる虚偽情報・虚偽説示作戦である。それは、『ソルチャ・ファールとは誰か』というレポートにおいて実行されている（同志であるフレッド・バークスは組織に潜入した。ソルチャ・ファールはデヴィッド・ブースという虚偽情報工作員で、ＵＥタイムズはＥＵと協力関係にない）。世界中で『仕組まれた』可能性がある多くの大惨事に関しては、例えば２００１年９月11日ＮＹでの二つのツイン・タワーの崩壊とペンタゴン攻撃がある。そしてそのペンタゴン攻撃は、飛行機による攻撃というのは作り話で、ロケットによる攻撃である。興味深いことに、攻撃されたのはペンタゴンの一部分であった。そこには、莫大な額のお金の消失に関する書類が保管されていた。国防長官ドナルド・ラムズフェルドは直前に、２・３兆ドルが行方不明であることを認めていた。１人の女性を除き、その部署の従業員たちは命を落とした。私がインタビューで見たその女性は、ペンタゴンが攻撃された時にコーヒーを飲みに外出していて、そして現在では命の危険を感じると話していた。彼女は余りに知りすぎているのだ。ケネディ大統領が暗殺された時、警察は目撃者に名乗り出るように求めた。１００人以上いた目撃者は、18か月のうちに全員死んだ。現在ではノルウェー警察が、「事件を再現する」ために全ての目撃者に名乗り出るように求めている。何故だろうか。隠された思惑があるのであろうか。

前イタリア大統領フランチェスコ・コッシガはコリエーレ・デラ・セラという上質な新聞で、9・11は内部の犯行で、アメリカとヨーロッパの全ての諜報機関はそのことを知っていることを明らかにした。世界で最も厳重に警護された空域を、４機の飛行機が1時間以上にわたり気づかれずに飛行できるということは考えられない。同じ時間帯に副大統領ディック・チェイニーは、NYで飛行機が超高層ビルに激突した空域で、空軍の燃料補給の軍事演習を指揮していた。真逆に、ジョージ・W・ブッシュ大統領は、フロリダの学校で子供たちに本を読んでいたことがビデオで認められている。真逆は、重ねて諜報機関の工作活動の行動規範である。真実を明らかにするような物事は、真逆になっているということがわかってくるだろう。２０１１年9月にトロントで、２００１年9月11日の訴訟がはじまっている。生存者や遺族は「公式な」話は作り話であると感じている。NYのツイン・タワーの中にいて物議を醸している崩壊を目撃し、爆発について証言した人たちや、TVやマスメディアでインタビューを受けた人たちが、突然次々と亡くなった。またもや奇妙な偶然の一致である。新世界秩序を進めるイルミナティの命令の下で働く人間たちにとっては、人命など全く重要ではないのだ。

南アフリカのように、指導者たちは常に保護されている。南アフリカの真実和解委員会では、政府が反対派の会員を除外する計画的な方策をとっていることがわかった。真実和解委員会は、大統領、政府大臣、その他の責任ある当局関係者で組織されていたが、彼らは糾弾されなかった。私の顧問弁護士であるマッティ・ウーリは、正々堂々と意見を言う真実和解委員会の会員であったが、咽頭癌になり亡くなった。フリーメーソンについても同じことが言えるが、象徴主義が重要なのである。真実を話すことは、（この人生での）命の犠牲を払うことになるのだ。

報道によると、前ノルウェー秘密警察長官ジョン・ホルムは以前、新世界秩序に反対することは国家安全保障に対する脅威であると述べた。後に彼はこれを否定した。チリ地震のような他の大災害はどうなっているのだろうか。２０１０年2月28日に私は以下のようなことを読んだ。アメリカのＨＡＡＲＰを監視しているロシア宇宙軍（ＶＫＳ）は、予想通りアメリカがもう一つの地震兵器を試験的に南北アメリカ大陸に対して炸裂させ、南アメリカのチリはマグニチュード８・８の壊滅的な地震に見舞われたことを、本日プーチン首相に報告した。

北京オリンピック前の5月に発生し、国家最大の武器庫を襲い、７万人が亡くなった中国地震はどうなっているのだろうか。飛行機事故やヨーロッパの複数の国家面積を覆うぐらいの巨大洪水など、何故パキスタンは突如として幾つかの大惨事に見舞われたのであろうか。それは、タリバン独自の統治者たちがいる国境地帯で、パキスタンはタリバンと協調体制にあるということがニュースで公になった際に起きたのである。私はパキスタンで働いている時、カイバル峠を経由してカブールに向かう道中でその国境地帯に行ったことがある。その国境地帯には確かに独自の支配者や法規が存在した。女性を写真に撮ることは許されず、連邦政府は午後3時以降の人身の安全を保障しないなどの道路標識があった。１９６８年のことであった。ペシャワールでは、カブールのように多くの男性は衣装の一部として銃を携帯していたが、人々は友好的で非暴力的であった。

他の多くの事柄についてもそうだが、２０１０年4月10日の衝撃的な飛行機破壊に対して、誰が命令を出しているのであろうか。ポーランドの民間人と大統領を含む軍幹部が、ロシアで行われる、ポーランド政府主催の第二次世界大戦の大虐殺の追悼式典に向かう途中で死亡した。インターネットで公開されている映像では、数人の生存者がいたが、彼らは撮影しないように頼んでいた。その生存者の中には、搭乗していた2人の映画製作者のうちの1人も含まれていた。ＴＶで見た機体の残骸は、操縦席の後部がレーザーのような鋭利なもので切られているようだった。その技術はかつて数年前に一度、ニューヨークからドミニカ共和国に向かう旅客機に対して使用された可能性があった。飛行機の尾翼から先が、レーザーのような鋭利なもので切られていた。そこでも全員が死亡した。ポーランドのエリートを抹殺したのは誰であろうか。もしくは理由の一つは、ポーランドの女性大臣エヴァ・コパチが、ＷＨＯが不当に偽って命令した、研究されていない「豚インフルエンザ」ワクチンをポーランド国民に接種させることを拒んだからであろうか。恐らく、WHOはデヴィッド・ロックフェラー・トラストの命令に従っている。全世界の人間にワクチン接種をして、マイクロチップを埋め込み、流産、麻痺、発作性睡眠などの深刻な健康上の影響をもたらすと同時に断種するという、イルミナティの新世界秩序の計画に反対すると、多くの悪いことが起きる可能性がある。もしそうだとすれば、これは行き過ぎた処罰である。ポーランドにとっては大きな悲劇である。ロシアはアメリカと同じくNWOの支配下にある。日本での地震後の津波と原子力事故はどうなっているのだろうか。メルトダウンの20分前に、原子炉のコンピューターにスタックネット・ウィルスが放たれた。誰によってであろうか。日本がパレスチナを支持しているということで、イスラエルは最近になって日本の著名なジャーナリストに要求を出している。ジョージ・ブッシュとディック・チェイニーは、彼らが主張するところによると中国を牽制する手段として、日本とインドに核武装させたということだ。一方でロシアは、日本の原子力事故、津波、地震が起きている3日間、顕著なHAARP活動を計測したことを明らかにした。何が真実であろうか。関わった人間だけがわかることであろう。しかし、たいてい噂の80%は真実である。だから、2011年にアメリカの3基の原子炉は洪水に遭い、火事になったのであろうか。アメリカの原子力事故のニュースはインターネットだけに存在し、もともと企業支配されているマスメディアでは見ることはできない。ハリケーンの多くが人為的なものであるように、人為的大災害は続いている。私が、H1N1（豚インフルエンザ）ワクチン注射の毒性について一般市民に警告し、Youtubeではアラビア語、中国語、韓国語、日本語、タイ語、ギリシャ語、トルコ語、スペイン語、バルト語などのあらゆる種類の言語で４００万回視聴されたが、６か月後には削除された。ビッグ・ブラザーが邪魔したのであろうか〔訳者注：ビッグ・ブラザー〔Big Brother〕とは、英国のジョージ・オーウェルの小説「一九八四年」に登場する架空の独裁者。転じて、国民を過度に監視しようとする政府や政治家を指す〕。真実を告げることに対する不満のサインなのか、隣人が敷地の境界に三角形の形状に低木を植えた。三角形は、イルミナティ、フリーメーソン、諜報機関が秘密作戦において最もよく用いるサインである。私に対する明確な警告であろうか。彼らは常に、攻撃する前には警告をする。しかし私は、虐待リストには載っているが、未だ抹殺名簿には載っていないと思っている。今のところは。

彼らの犯罪行為は暴かれなければならない。いわゆる「小市民」が自分たちの子供や家族に危害が加わることを恐れるがために、彼らの命令に従うのだ。そしてそのような状況によってのみ、彼らは犯罪行為を継続することができるのである。もし戦時に兵士が司令官の狙撃命令を拒んだならば、戦争は直ぐに終結するだろう。しかし、現在行われているような世界を破壊する戦争商売を終わらせるには、勇気と犠牲が必要となる。人類は無関心と無知から目覚めなければならない。さもなければ全世界の人間は、彼らの独裁政治のもとで永久に奴隷にされるだろう。エンターテイナーのアーロン・ロッソはインターネット上のビデオで、デヴィッド・ロックフェラーが彼にイルミナティの「シンクタンク」である三極委員会の席を用意したことを明らかにした。

彼は、人間の奴隷化を支持しないと言ってこれを拒んだ。その後すぐに、彼が癌になり死亡したことは驚くに値しない。ロックフェラーは彼に言った。「一般市民なんて気にするなよ」。

急性劇症疾患を含む、癌、心臓麻痺、大出血、脳卒中、肺塞栓は通常、諜報機関が、知りすぎたことや、NWO命令に従わないことに対する報復で殺す際の抹殺方法である。電磁戦争方式の「非殺傷兵器」などが用いられる。諜報機関が、自分たちの犯罪活動の脅威だと考える人間を抹殺することを望む際には、自動車事故、その他の突発事故、飛行機事故でさえも抹殺手段として「準備する」ことができる。これは恐らくスコットランドのロッカビー飛行機事故で実行された。その事故では、一組の諜報員夫婦が抹殺される「必要がある」とされ、諜報機関は無辜の一般市民で満席の飛行機全体を爆破した。どんな理由であれ彼らが抹殺すると決めたら、人命は決して尊重されない。人間が多く死ねば死ぬほど、エリートにとっては良いことなのである。彼らは、人間の中核は不滅の意識、精神、魂であるということを完全に忘れてしまっている。誰もが他人に為した行いの責任から逃れることはできない。「私は命令に従っただけだ」という言い訳は助けにはならない。次に肉体を持って生まれる時には、エリートのメンバー自身が当に密告者になることであろう。人生は常に、長丁場の最終では公正なものであるのだ。現在の人生においてでさえも、カルマ（因果応報）が早まれば、自分と反対側の立場になるのである。

第6章　偽《いつわり》旗《はた》作戦

偽旗作戦とは、政府、法人、その他の組織によって指揮される、一般大衆を欺くための秘密作戦である。政府内部やエリート層内部の特定集団が、秘密作戦を演出する。法律を変え、一般大衆の意識や投票行動を変えるといった政治的利益のために、政府の部隊が、標的となる敵になりすまして自国民を攻撃するのだ。もしくは、自分たちの代わりに、テロ行為の責任があると彼らが主張する人物に対して、戦争をはじめる口実を得るために実行される。ナチスが偽旗作戦を利用し、国会議事堂を炎上させることにより、ヒトラーは権力を握り、自由を停止したのである。アメリカの愛国者法は、2001年9月11日以後のアメリカ人に対して、同様の自由の停止を行っている。NATOは、米国防総省とCIAの助けを借りて、イタリアの批判的な共産主義者に爆撃を行った。

多くの国々では、自国民に対してずっと偽旗作戦を実行してきたことが明らかになっている。安全保障を強化する方向に一般大衆を向かわせるために、当局が意図的に市民、罪なき人々、若者、子供、女性、何も知らない人々などを殺害していることを、国民は理解できていない。政治家、軍隊、汚れ仕事をする警察や諜報機関が人々を欺いて、恐怖を作り出し、自由を奪う法律を制定するために、マインド・コントロールされてロボットのように動く、たいていは若い男性の身代わりが、頻繁に隠れ蓑として使われる。幾つかの国では既に実例がある。最後には自分自身を撃つように、何年間も憎しみの周波数の電磁照射によりマインド・コントロールされた、学校やショッピングセンターの銃撃犯の例である。ロシア、アメリカ、インドネシア、トルコなどは以前、大規模な偽旗作戦のテロ行為に襲われた。2011年7月のノルウェーでの二段階のテロ行為には多くの疑問が浮上している。なぜ警察特殊部隊のデルタに、ウトヤ港ではなくストローヤ（別の島）に向かうように命令が出されたのか。なぜ彼らは小さなゴムボートを使ったのか。なぜ最初に到着した救急車に救助作業が許可されるまでに1時間19分もかかったのか。2人のパイロットが休暇中であったために警察のヘリコプターは飛べなかった。なぜ警察はウトヤ島に行くのに8キロも遠回りの道を選んだのか。

オスロの政府ビルに対するテロ行為と、そこから40キロ離れたウトヤ島における若者や子供の殺戮を捜査するために設置された委員会は、困難な仕事に取り組んだ。この種の惨事では常に、「孤独な」殺人鬼以外に糾弾される人はほとんどいない。興味深いことに、その合宿のリーダーは電話の呼び出しの後に、ほぼ一番はじめにボートで島を出て助かった。テロ行為によりもたらされるのは、（行動、思考、夢を）完全に支配するために、将来ノルウェー人にマイクロチップを埋め込むことであろうか。というのも、アメリカでは未だ、オバマ大統領が提唱する保健法を利用して、マイクロチップを埋め込むことに成功していないからだ。

ノルウェーは1950年代以来ずっと、米空軍、米陸軍、米原子力委員会、米海軍海事研究事務所、米航空宇宙局などのアメリカの技術の「試験国」であり続けてきた。特に、脳研究、意識研究、行動研究、ウェットスーツを着用した潜水者の生体観察に関する調査などにおいて。２０03年11月に出版された、アメリカ軍事研究所とノルウェー人のショーン・ヤコブセン博士の交流に関する付属資料には、人間に対する非倫理的な医学研究への苦情を取り扱った33のノルウェーの公式文書が存在する。私は、研究したことを1時間で委員会に陳述する専門家であった。そして、明らかに非倫理的な研究の証拠を受け取りたがらない大臣に対して、約50ページ分の証拠と研究論文の束を残した。最終的に委員会は、その虐待報告書にある全ての証拠を無視した。しかし、真実を明かしている、ノルウェー人に対するアメリカ軍事研究所の実験であるこの報告書を、委員会の調査に加えた。委員会のこの決定は物議を醸している。委員会はこのようにして動いているのである。つまり、デリケートな問題で起こる不正を調査する政府委員会は常に、偏りのない中立な調査を行っているという印象をマスメディアに与えているのだ。舞台裏では政府は違ったふうに、つまりは「真逆」に動いていて、権限を有する地位にある人たちは誰も非難されたり、罰せられたりしないということになっている。だから、政府の行動が調査される際には、政府ではなく、議会が委員を指名することがとても重要なのである。そうしないと、一般大衆に真実が暴露されることは期待できないのだ。

しかしインターネットのおかげで幾分か状況は変化している。企業支配されたマスメディアでは決して明かされることのない情報が、インターネットで何百万もの人々のもとに届き、物事の違った様相を見せてくれる。

今日では政治犯や軍部の戦争犯罪人は、オランダのハーグにある国際司法裁判所で裁かれるが、これは以前では考えられなかったことだ。現在ではアメリカ政府が、対イラン戦争を正当化するため、そして国内を完全にコントロールするために、偽旗テロ攻撃を仕組むといった身に迫る危機が存在する。全体主義社会が望まれる時にはいつも恐怖が利用される。前の国家安全保障問題担当大統領補佐官であるZ・ブレジンスキーですら、アメリカがテロ行為を実行し、不当にイランに罪を着せ、産油国イランに対する戦争を正当化した可能性があると米上院で述べた。石油の94%はアメリカ国外に存在し、このことは複数の産油国に対する数々の戦争の理由を物語っている。それらの戦争では、NATO加盟国がアメリカになびいて、アメリカの利益のために力を貸している。アメリカ統合参謀本部は1962年には既に、陸海空においてアメリカ人に対してテロ行為をはたらき、そしてその罪をキューバに着せる、ノースウッズ作戦の計画を立てていた。ケネディ大統領はこの計画を認めなかった。またズビグネフ・ブレジンスキーは、対テロ戦争は「歴史上の架空の物語」であると米上院で証言した。しかしエリートや特にアメリカ人は常に戦争を必要としている。それは人口を削減するため、経済的利益（石油と鉱物資源）を獲得するため、世界におけるアメリカの覇権を維持する目的で被災地を再建するためである。しかし現在アメリカの覇権は経済上でも地理上でも崩れ去っている。「ローマ帝国」が崩壊する時が来たようである。そうなれば世界全体に影響が出るだろう。2010年1月27日には早くもInfowars

Irelandが、「人道に対する罪」に関する英語版プラウダRTを次のように引用した。オランダのハーグにある国際刑事裁判所において、ジョージ・W・ブッシュ、ディック・チェイニー、ドナルド・ラムズフェルド、ジョージ・テネット、コンドリーザ・ライス、アルベルト・ゴンザレスに対する国際逮捕状が請求された（訳者注：プラウダ〔Pravda〕とは、ロシア連邦の新聞。Infowarsとは、様々な陰謀を暴くウェブサイト）。2010年5月10日の日米欧三極委員会の会合に出席中のヘンリー・キッシンジャーもまたアイルランドで逮捕されそうになった。そして多くのアメリカ人は最新のビルダーバーグ会議に参加しなかった。自宅にいて多くの非難の声を上げるためだ。物事は変化している。陰謀という言葉は欺くことを意味することを覚えておかなければならない。それは通常、政治的な利益を得るための、一般市民に対する政府の犯罪で用いられる。例を挙げるならば、何とアメリカはタリバンに資金提供し、支援しているということをProject Censoredは暴露した（Project Censoredとは、1976年にソノマ州立大学ではじめられたメディア研究、教育、支援運動などへの取り組み）。万事が真逆なのだ。COTO Reportは、テッド・スティーブンス米上院議員、石油会社の後継者ビル・フィリップス、NASA長官ショーン・オキーフが飛行機事故で死んだ際の、2010年8月13日のヨーロッパ・タイムズを引用した（COTO Reportとは、あらゆる分野における真実の情報を届けるウェブサイト）。ロシアのGRNは次のように報道した。オバマ大統領は世界に向けて「気象兵器」を爆発させた。ロシアは火事に、中国は水害に見舞われた。北極圏を周回するロシアの人工衛星がアラスカ州ガコナからの3・39メガヘルツの強力な電気信号を検知し、それはスティーブンス上院議員の飛行機が墜落した地域の上空に向けられていた。スティーブンスは、宇宙船コロンビア号が地球大気圏に突入した時に、深海通信に電波を送るためにHAARPを始動させていたことが惨事に繋がったと非難していた。ロシアが、考えられる西側諸国の軍諜報部の作戦行動に関する情報を提供する一方で、西側諸国が沈黙を守っているのは興味深い。そしてまたロシア軍は、マイケル・ジャクソンが死んだ夜のその時刻に、彼の自宅へ向かう電気信号を衛星から検知した。マイケルは次のコンサートで、人口削減計画などの幾つかの事柄を暴露するつもりであった。インターネットで公開されている彼の歌は、平和を好み、脳戦争に反対する立場を明らかにしている。そしてまた多くの他の歌手たちも、マインド・コントロールされた身代わりを使って、ジョン・レノンのように殺されている。エリートは平和を望まないのだ。多くの作家たちもまた、暴露本を世に出した途端に死んでいる。不幸なことに、倫理的な人間が世界を動かしているのではないのだ。間違いなく変化が必要である。しかし、船の針路を変えるのには時間がかかる。想像を絶する覚醒が起きているので、世界ではやらせのテロ行為が計画されている。しかし、彼らの計画するようにはいかないかもしれない。壊滅的なメキシコ湾原油流失大惨事は、もちろんいつもの如くテロ行為であり、インターネットで公開されている情報によると、前々から周到に計画された「事故」である。イギリス石油会社のBPは、人々は「イギリス」の会社だと思っているようだが、そうではない。アメリカが大量の株式を保有している。ノルウェーでさえもその株式を保有している。

ゴールドマン・サックス銀行とＢＰの社長が、事故前に数百万ドル分の株式を売却した時に、眠っている大多数の一般大衆でさえも目覚めるべきだったのだ。アメリカ陸軍工兵司令部による、メキシコ湾岸の人口削減計画の書類が暴露された。メキシコ湾岸地域に生活する人々は、油中毒になり、そして特に原油を「消散させる」ために使われたコレキシット中毒になった。コレキシットは、原油そのものより4倍も毒性が強く、ヒ素、カドミウム、銅、水銀、クロム、シアン化物が含まれている。そして未だにメキシコ湾の海面下に存在する原油は、海洋生物や漁師の暮らしを破壊し、ルイジアナ海岸の人々に深刻な病気を引き起こし、さらに広い地域に広がっている。コレキシットは海から大気中に放出され、世界中を漂う可能性がある。イタリア、オーストラリア、ブラジル、日本ではコレキシットが報告されている。興味深いことに、放射線を測定するノルウェーの研究機関は、日本の原子力事故の後、「不必要だということで放射線の測定を中止した」。誰の命令であろうか。もちろんコレキシットと同じく放射線は大気中の至る所に漂うが、処理できないほど大量に存在するわけではない。だから、彼らは混乱を避けたいがために、一般大衆に何も知らせないままにしているのかもしれない。真実は将来の病気が教えてくれるだろう。北ヨーロッパでは寒冷へと気候が変化している。それに伴い現在までに既に、カニやクラゲを含む１００億の動物が海で死んだと推定されている。イギリスではカニの死骸が海岸を埋め尽くした。そしてマスメディアは、いつものように適切な情報を提供することを避けた。

最近になってプロジェクト・キャメロットがYou Tubeで暴露されたように、メキシコ湾の断層の地盤は、アメリカ海軍の廃棄弾薬の集積所だったということを、どれくらいの人々が知っているだろうか（訳者注：Project Camelot プロジェクト・キャメロットとは、米政府機関や米軍の内部告発者のインタビューを積極的に掲載するサイト）。たまたま起きた巨大な爆発が、岩塩、乾いた岩盤、原油、天然ガスを剝き出しにした。その結果は、世界中の人々、海洋生物、気候にとってとても深刻なものとなった。

それに加えて、大地震がエスカレートしている。地球から３５００万㎞のところにエレーニン「彗星」が発見され、その彗星による物理的影響が存在している。最悪なのはエレーニン彗星が、天体を操る能力を有するＨＡＡＲＰによって操られている（？）可能性があるという情報である。２０１１年秋には冗談抜きで、人為的に人類のカウントダウンがはじまってしまったのであろうか。人為的な大災害における、人類のカウントダウンなのであろうか。

最悪の結果は、北ヨーロッパ、特にノルウェーを温暖にしているメキシコ湾流の進路を、原油が変えてしまうことである。もしメキシコ湾流が消滅したら、北ヨーロッパは氷河時代になるであろう。現在でも既に、去年の冬は極度に寒冷であった。ディック・チェイニーが以前から経営するハリバートン社が、爆発の11日前に大儲け企業を買収したという事実が、禁断の科学によって明らかになった。地元警察は隠蔽に関与している。偶然にも、政界では何も起きなかった。もし何かあれば、そうなるように計画されていたと断言できる。30分あればハッカーはインターネットを停止させることができると、国防高等研究計画局の情報セキュリティーの専門家である

Ｐ・ザッツは話す。２０１０年9月13日～24日フィンランドの南フィンランド海岸で、複数の国々が参加した、フィンランド史上最大の海軍軍事演習が行われた。スカンジナビア半島の国々、オランダ、ドイツ、イギリス、フランス、バルト諸国、アメリカが参加した。サロの小さな海岸町では、インターネットが３（！）日間停止した。それは、私がｅメールをチェックするためにたまたま地元の図書館に行った時にわかったことである。図書館や町の、地域のインターネット接続が機能しないと図書館員は言った。国際的な海軍軍事演習を考えれば、インターネットの停止はきっと偶然の一致ではないだろう。フィンランド史上最大であるにもかかわらず、マスメディアによるこの軍事演習に関する情報はごくわずかしかなかった。そして小さな海岸町でのインターネットの停止に関しては全く何の情報もなかった。明らかに軍事演習のせいである。

このようなインターネットの停止が世界規模で行われた時には、世界がどんなに大混乱に陥るか考えてみて下さい。もしくは国中で電気が停止した時のことを。暖房もなく、明かりもなく、車のガソリンもなく、銀行からお金をおろせず、地方の店へ食料を輸送することもできない、などなど。西欧諸国の社会全体が麻痺するだろう。私たちは、世界で全ての電気通信やインターネットが失われることに対する備えはできているのだろうか。ノルウェーでは２０１１年夏に、２日間モバイル通信が失われた。またもや軍事演習のせいだろうか。統合特殊作戦コマンドであるＪＳＯＣが、１９８０年に設立されたことをどれくらいの人が知っているだろうか。ＪＳＯＣは秘密作戦に従事している（法的に認められていない殺害、組織的拷問、一般市民の地域社会への爆撃）。

ネイビー・シールズ（海軍特殊部隊）、デルタ・フォース（陸軍特殊部隊）、軍事作戦チームなどの特殊部隊は、アメリカにおける実質的な暗殺組織の事務局である。私たちは世の中にこの種の組織を本当に必要としているのだろうか。何らかの理由で攻撃されるまでは大多数の人はこのような組織の存在を知らない。これらの組織は、犯罪者を攻撃するのではなく、テロ行為の背後に自国の政府がいるということがわかっていない一般市民を攻撃するのだ。万事が逆さまなのだ。

2010年のワシントン・タイムズによると、現在アメリカには17の諜報機関があり、84万5000人以上が働いているということだ。もちろんその数だけとってみても、現在、諜報機関が部分的に制御できていない理由がわかるだろう。誰もそれら全容を把握することができないのだ。またそのことは、私たちの世界の現状を物語っている。政治家を隠れ蓑に使い、「汚れ」仕事をする諜報機関を利用し、陰で世界を操る人間の思考や行動には、間違いなく変化が必要である。

第7章　世界保健機関とワクチン

ＷＨＯ（世界保健機関）は単なる事務局にすぎないということを、ほとんどの人は知らない。それは、5月に開催される年一度の総会でＷＨＯ加盟国が賛成しなければ、ＷＨＯは誰に対しても如何なる命令も出せないということを意味している。そしてまた、資金援助者や非政府組織であるＮＧＯの支援者の意見が取り入れられる可能性がある。ＮＹのデヴィッド・ロックフェラー・トラストは、1948年にＷＨＯがジュネーブに設立される際に莫大な資金援助を行い、ずっと強い発言力を有している。

2005年、その方針が大きく変わった。それは、世界が深刻なパンデミックの脅威にさらされるのであれば、ＷＨＯは加盟国に対して命令を出すことができるというものであった（訳者注：世界流行〔pandemic〕とは、ある感染症〔特に伝染病〕が、顕著な感染や死亡被害が著しい事態を想定した、世界的な感染の流行を表す用語である）。これはもちろん、国々をＷＨＯの健康管理の支配下に置くための長期計画であった。そして、ＷＨＯは未だにそうなるように試みてはいるが、幸運なことに今までのところ失敗に終わっている。当然ながら巨大製薬会社が、全世界で医薬品やワクチンをどんどん売るために、そのような働きかけの背後に隠れているのである。

一番初めの実際の試みは、大がかりな豚インフルエンザの捏造であった。それは世紀の健康デマである。WHOと結託した製薬会社が、一般大衆の健康を危険にさらして手っ取り早く儲けるために、虚偽のパンデミックをでっち上げた。またもや万事が逆さまである。フランス医学協会は、集団豚インフルエンザワクチン接種運動を猛烈に批判した。そして議会が、捏造豚インフルエンザであるH1N1型の調査を開始した。ウォルフガング・ウォダーグ博士が代表を務める、47か国から成るヨーロッパ保健小委員会の審議会は、2009年の豚インフルエンザの大流行を調査し、それを今世紀最大の医療スキャンダルの一つであると宣言した。それ以後、ウォダーグ博士はこの小委員会の代表の職を続けなかった。

興味深いことに、ウォダーグ博士は正しかったためだろうか、一般大衆に真実を明らかにすると、その人のキャリアや健康に危険が及ぶことがあり得るのだ。

例えばスイスのように幾つかの国では、ワクチン接種は実施されなかった。私は4年間ジュネーブに住んだことがあるが、このスイスは数十年間、戦時でさえも『中立』であり続けた。だからエリートは、自分たちの財産をスイス銀行に安全に保管し、そしてスイスから安全に世界情勢を操作したのである。

アメリカのレオナルド・ホロヴィッツ博士は、マスメディアが過度に恐怖を煽った捏造豚インフルエンザは、NYのデヴィッド・ロックフェラー・トラストが準備したものであると明らかにした。ルパート・マードック、ロイター通信社のトム・グロサー、その他、これらのメディアの大物たちは、このデヴィッド・ロックフェラー・トラストに所属している。彼らはマスメディアを使って容易に、集団ヒステリーを起こさせ、恐怖を煽りかねない。そうして全ての人間に対して、ワクチン接種をさせ、マイクロチップを埋め込み、断種するのだ。それが目的なのだ。さらにＷＨＯは２００９年の夏に、研究機関の検査は必要ないと告知した。この結果、如何なる病気やインフルエンザも豚インフルエンザだと診断され、そして、このような偽装表示によって患者数を『増加』させた可能性がある。

通常のインフルエンザよりもずっと軽度である豚インフルエンザの統計を偽造することが、なぜ重要であったのか。１年後の２０１０年3月に、ＷＨＯのインフルエンザ担当長官であるＫ・フクダ博士は、ＷＨＯは今もなおパンデミックレベル６を維持しているとなぜ宣言したのか。パンデミックレベル6とは、パンデミックの脅威に対処するという名目の下で、１９３か国の保健機関と警察機関に対してＷＨＯの管理を許可するものである。ＥＵによると、今までワクチン接種が必要となるパンデミックは存在しなかった。興味深いことに、２００９年10月23日のロンドン・イブニング・スタンダード紙はフクダ博士の発言を引用した。「豚インフルエンザのワクチン接種は安全ではないかもしれません。欧州医薬品庁は、大規模な臨床試験が実施されていないことを考慮していません」。ワクチンを接種した人は全員、ワクチンの本当の中身を知らされていない実験台である。そのワクチンの中身は研究者だけに明かされているのだ。臨床現場の医者と看護師は常に、研究者が受ける情報とは異なる情報を医薬品会社から受けている。中身についての二つの異なる文書が存在する。一般大衆は、短期及び長期における、ワクチンの深刻な健康への影響を知らされないままである。ワクチンの影響は数年後に例えば、小児発作性睡眠、ワクチンにマクロチップが含有している場合には、マインド・コントロールによる行動変容といったことに表れるかもしれない。簡単に言えば、H1N1型ワクチンを使用したNWOの世界人口削減計画は成功しなかった。恐らくH1N1型に、生きた（？）豚ウィルス、鳥ウィルス、1918年の黒死伝染病の人間のウィルスを含有した時から、アメリカ軍の研究機関で開発されてきたこのウィルスは、自然界には存在しない。何かが起きている。恐らく、この生物兵器の中では突然変異が起きているのだ。軍の研究者たちは数十年にわたり、『敵』を壊滅するための様々な毒素やワクチンを試行し、考案し、蓄積してきた。そして現在では、それらの毒素やワクチンは全世界の一般大衆を壊滅するためのもののようである。

元アメリカ政府顧問であるキャサリン・オースティン・フィッツは2009年7月に自らのブログの中で、豚インフルエンザワクチンの目的は人口削減であると述べた。テッド・ターナーは、世界中で95％の人口を削減して、2億2500万人から3億人の人口にすべきだと宣言している。彼はその後、それを20億人に変更した。現在、地球上の人口は70億人である。ワクチンへ資金援助を行っている億万長者のビル・ゲイツは、2010年2月18日の会議で、医療ワクチンを通じて人口を削減することを呼びかけた。自分自身や自分の家族をその犠牲にしてもいいと考えるエリートは1人もいない。エリートはただ単に他人を、抹殺すること、死に至らしめること、少なくとも断種することこれらを望んでいるだけである。地球という惑星に生きる全ての人にとって、精神の進歩が主要な目標であるということを完全に忘れてしまっている。

海水を飲料水に変えるような最新の技術が、砂漠を耕作地に変えることに利用され、そして皆が菜食主義者であるならば、人類の食糧不足は起きないだろう。以前から為されてきたように、『自然淘汰』は人口過剰の問題に対処している。ワクチン接種に対するアメリカの考え方は、ヨーロッパの考え方とはずいぶん異なっている。インターネットの情報によると、例えばメリーランド州のある地方では数年前に、英国医学誌が子供に対して全く推奨していないタミフルワクチン（鳥インフルエンザ用）を、陸軍、警察の銃、高額の罰金で脅すことを利用して子供たちに強制接種させた。２０１０年秋にはインディアナ州の法律により、6年生から12年生の全生徒に、髄膜炎菌性疾患、水疱瘡、百日咳のワクチン接種が義務づけられた。それは強制であった。２００９年には、ＮＹ州の医療従事者に、豚インフルエンザのワクチン接種が強制的に命じられた。従わなければ罰金１０００ドル（1日で！）であった。しかし医療従事者はＮＹ州アルバニーの裁判所に行き、その命令は取り消された。インターネットの情報によると、オクラホマ州ではワクチン接種を拒否すると、ＦＥＭＡ（アメリカ緊急事態管理庁）収容所に連れていくためのバスが待ち受けているということだ。火葬場を併設した強制収容所として、各地に少なくとも８００のＦＥＭＡ収容所が建設されているということだ。私たちは再びナチスの世界にいるのだろうか。

インターネットの情報によると、主に50代の女性が冒される子宮頸癌を予防するという建前の、ヒトパピロマウィルス予防ワクチンは、テキサス州では州知事（メルク医薬品会社の株式を保有している）命令により、12歳の女の子に対して5年ごとに4回の接種が強制された。州知事はその後株式の保有を否定した。このワクチンが癌を予防することができるという証拠は何もない。ワクチン接種後の年若い女の子が死亡したり、複数の病気を発症したという報告は、危険を知らせている。２０１０年に私が読んだバレシ米医学情報データベースの副作用に関する統計資料では、89人が死亡し、２万５７５人に脳障害、血液凝固、麻痺などの深刻な副作用が出た。心臓麻痺や意識不明さえも報告された。

フィンランドでは1回だけの接種が推奨されたが、何とアメリカでは4回である。全員が実験台である。子宮頸癌は、癌全体の2％に満たないのだ。そして、子宮頸癌を予防することができるかどうか誰にもわからないのだ。インドでさえも、このワクチン接種にストップをかけた。

２００８年には、性感染ウィルスに対抗するための売上高が２００億ドルであった。子宮頸癌を発症して亡くなった人がいるが、ワクチン接種が原因の死亡は全てが、常に公式には否定されている。それはお金の問題である。ワクチン接種の後遺症に対して、医薬品会社は責任を負わず、そして会社を訴えることもできないということに、アメリカの法律は改正された。医薬品会社が麻痺などの障害に対して莫大な賠償金を支払わなければならなかった、１９７３年の豚インフルエンザのワクチン接種から、彼らは学んだのである。ワクチン接種の結果に対して製薬会社の免責を認めたのは、ＨＨＳ（アメリカ保健福祉省）長官のキャサリン・セベリウスであった。しかしながら２０１０年9月、ＣＢＳニュースは、史上初めてのワクチン接種の副作用による自閉症の裁判で、ハンナ・ポーリンの家族が１５０万ドルの賠償金を受け取ったことを明らかにした。1回の診察で、はしか、流行性耳下腺炎、風疹、ポリオ、水痘、ジフテリア、百日咳、破傷風、インフルエンザ菌に対するワクチン接種がされたのは、２０００年7月のハンナが生後18か月の時のことであった。彼女は発熱し、食べられなくなり、話しかけても反応せず、悲鳴を上げ、自閉症の兆候が見られた。現在では４８００件の別の事例が、連邦裁判所のワクチン裁判を待っている。ＣＤＣ（アメリカ疾病予防管理センター）の（当時の）理事であり、現在はメルクワクチン会社の社長であるジュリー・ガーバーディンは副作用を否定し、基礎疾患の責任にしたと２００８年にタイム紙は書いた。

ワクチンに関する適切な情報は、ワクチン情報センター、ワクチン解放、国際ワクチン協会、マーコーラ博士のワクチンページで見つけることができる。フィンランドは、ワクチン接種後の小児突発性睡眠の複数の症例の原因となっている豚インフルエンザのワクチン接種を、２０１０年夏に世界で初めて中止した国である。当時のＷＨＯはワクチン接種を継続するように当局に圧力をかけようとさえした。その後、余分な豚インフルエンザワクチンを処分しようとする際に、それらは通常のインフルエンザワクチンとごちゃ混ぜにされた。フィンランド保健福祉省のＴＨＬ（国立健康福祉センター）の理事は当初、豚インフルエンザワクチンを深く後悔したが、突然考えを変えた。それはもしかしたら、フィンランドにワクチンを提供している医薬品会社が、Ｔ

HLの研究に600億ユーロを寄付したことと関係があるのではないだろうか。フィンランド保健福祉省は、可能性のある将来のワクチン接種に関する訴訟のために保険に加入した。もちろん彼らは他所と同じように、H1N1ワクチンと病気には直接的な因果関係があるという可能性を否定するだろう。それは、経済的な損失を避けるためであり、特に、豚インフルエンザワクチン接種は害がないと表明した、専門家としての威信の失墜を避けるためである。恐らく、彼らは本当に知らないのではないだろうか。突発性睡眠の症例は、この現状を変えるかもしれない。一方で、豚インフルエンザワクチンの中身には、誰でも疑念を抱くはずだ。マーコーラ博士は自身のウェブサイトで、とても良い医療情報を提供しており、それは大いに奨励され、同業者にも読まれるべきである。

豚インフルエンザワクチンの中身だけではなく、ワクチンに添加された補助薬も疑わしいのである。水銀、アルミニウム、スクアレン（湾岸戦争症候群の原因となった）、ホルムアルデヒド、動物性組織、馬の血液、ネズミの脳、犬の腎臓、ニワトリ胚、豚膵臓の加水分解カゼイン（ユダヤ人やイスラム教徒に対しても！）、ウシ血清、中絶した人間の胎児の組織から採取したヒト二倍体細胞、牛の血液、ポリソルベート80（注射すると断種剤である）、ベロ細胞など。H1N1ワクチンの内容物は、恐らく人生の後半になって明らかになるであろう様々な多くの病気を引き起こす可能性がある。もちろん、ワクチンに対する反応は人によって千差万別である。人生の後半になって明らかになる後遺症で可能性があるのは、肝臓病、腎臓病、尿路疾患、腸疾患、心臓疾患、癌、慢性気管支炎、目の炎症、神経学的疾患、精神疾患、免疫疾患、神経毒性副作用、不妊、自閉症、予防接種後脳炎のような神経系疾患、幻覚、記憶喪失、集中力欠如である。そしてまたアルツハイマー病や老衰はインフルエンザワクチンと関係がある。

もちろん、最悪なのはワクチンに含まれたマイクロチップであり、それが捏造豚インフルエンザの集団ヒステリーを煽る主な理由である。皆にワクチンを接種させ、マイクロチップを埋め込んだことを利用して、スーパーコンピューターと非倫理的な諜報機関が、人間の行動、感情、気分、寿命を完全に支配するためである。

スクアレンは、米兵の25％に見られる湾岸戦争症候群の原因となり、この湾岸戦争症候群の兵士の60％が、後に障害のある子供を持つ原因となった。兵士たちは炭疽菌ワクチンの実験的なモルモットでもあった。だから、湾岸戦争で死んだ兵士よりも、ずっと多くの兵士が自殺していることは驚くに値しない。またもや人口削減計画が作動しているのだ。ドイツ軍が豚インフルエンザワクチン接種に反対したことは興味深い。イタリアの国家の誇りであるサッカーリーグもまたワクチン接種をしなかった。例えばアンジェラ・メルケルのようなドイツの政治家は、有毒な補助薬を含んでいないワクチンを接種した。人々はワクチン接種に関する正しい情報を得ていなかったし、今もなお得ていない。実に、一部の医師たちは無知である。特に、子供、妊婦、慢性疾患の患者、高齢者に豚インフルエンザワクチンを勧めた医師は無知である。残念ながら、最も高い地位にある指導者や厚生大臣は、巨大製薬会社に買収されている可能性がある。ＷＨＯ秘密緊急委員会の会長は巨大製薬会社と結びついていることをオーストラリア人のジョン・マッケンジー博士は報告している。そのため巨大製薬会社と関係する彼らの勧告には偏りがある。彼らは公式にそのような委員会や専門家集団の一員に絶対になるべきではないのだ。経済的な理由のために健康上の危険は無視されている。ヘンリー・キッシンジャーとビル・ゲイツに支援されている、人口削減計画と断種計画は、ワクチン接種を通じて継続されている。捏造豚インフルエンザのワクチン接種による人口削減計画に失敗した時には、どのような『新たな緊急事態』が計画されているのだろうか。

時がたてばわかるだろう。しかし既に、1996年6月にアメリカ空軍は『Air Force 2025』という研究論文を発表していて、そこには紛争状況における可能性のある『将来のシナリオ』として、酷いインフルエンザ・パンデミックの緊急事態が2009年に発生することが記述されていることは興味深い。全てのことは前々から周到に計画されているのだ。アリゾナ州の砂漠やジョージア州で、屋外に準備された50万人分の棺桶が『豚インフルエンザで死亡した人の遺体』を待ち受けているのを映し出しているビデオを私は見た。その地域はCDC（アメリカ疾病予防管理センター）が所有していた。イギリスではマスメディアが、これ以上遺体を受け入れることができなくなるくらい墓地はいっぱいになるだろうと力説して、集団ヒステリーを作り出した。スイスを本拠地としている非営利通信社であるInternet Notepad Publishingは、CIAが操作していた『突然変異ウィルス』を搭載した空中散布航空機を、中国が撃ち落としたと報道した。

ウクライナでは、生物兵器が混合された赤血球から成る粘着性のあるゲルが、航空散布されたケミカル・トレイルから検出された（訳者注：ケミカル・トレイル〔chemical trail／略ケム・トレイル〕とは、航空機が化学物質などを空中噴霧すること。公害などの副次的被害ではなく、有害物質が意図的に散布されているという見解である）。そして、豚インフルエンザの集団ヒステリーが最高潮に達している間に、ウクライナでは肺に腫れ物ができる腺ペストに似た病気が5000例報告され、彼らは誤ってその病気を豚インフルエンザだとみなした。ワクチンを接種させるために怖がらせたのである。

虚偽のパンデミックレベル6を利用して、アメリカは民法から軍法に移行する。国の非常事態に関係するという名目の下で、ＷＨＯが命じたワクチン接種を拒否することは犯罪であるとする。警察は殺傷能力のある兵器を使用、撃つことさえもでき、そして人を監獄（ＦＥＭＡ収容所）に送ることができる。旅行を制限することができる。このようにする計画であった。しかし成功しなかった。なぜなら人々は覚醒し、それがＮＷＯと巨大製薬会社の命令の下でＷＨＯが広めた偽情報だと理解したからである。

世界的規模のパンデミックレベル6のために誰が法律を変えるだろうか。例えば2か国にしか影響を及ぼさなくても、病気が国境を越えて広がる時には大きな健康危機であると宣言することができると、突然ＷＨＯは告知した。そしてアメリカでは既に豚インフルエンザに罹ったことがある人は、たとえ豚インフルエンザに対して既に免疫ができていたとしても、ワクチンを接種するように言われたのだ。このことは重ねて、ワクチン接種の背後に隠れた本当の理由を示している。それは完全に支配するために全世界の人間にマイクロチップを埋め込むことである。また人口削減計画のためである。ヨーロッパ各国の保健機関は、WHOの虚偽の宣言を全面的に受け入れているわけではない。このように、WHOのシンクタンクは全ての国家をWHOの管理下に置こうとしたが、失敗した。WHOは単なる事務局にすぎず、そしてそうあるべきである。如何なる訴えでもWHOを訴えることはできない。責任を負うのは国家の保健機関である。

1972年のメモによると、既にWHOはワクチン接種を利用して三段階で人間を抹殺する方法を構築した。そのメモでは次のように記述されている。

① 免疫機能を弱らせる。
② 身体に大量のウィルスを注射する。弱体化した免疫機能は戦うことができない。
③ 補助薬を注射し、炎症反応や高サイトカイン血症を引き起こす。このようにして三段階で人間を抹殺する。

現在では200種類のワクチンが開発中である。何のためだろうか。人口削減計画のためだろうか。ビル・ゲイツは、汗や皮膚を通して吸収されるナノワクチンに資金援助を行っている。ナノワクチンは噴霧されるので全国民が攻撃されやすくなる。ヨーロッパ全土に化学物質を航空散布するのにたった3日しかかからない。

鳥インフルエンザのハイブリッドウィルスに入り込んだ豚インフルエンザウィルスが、突然変異を起こす可能性があるために、あともう2年間はパンデミックレベル6を維持するとＷＨＯのＫ・フクダ博士は主張した。全く馬鹿げている。如何なる新種のハイブリッドウィルスが出現しても、現在のワクチンは役に立たないからだ。しかし現在ＷＨＯは恐らく、もう一つのワクチン計画を実行に移す別の機会を待っているのだ。ヨーロッパ経済の崩壊、偽旗テロリストの攻撃、サイバー攻撃、対イラン戦争などが、混乱を作り出し、新たな偽りのワクチン接種運動を開始しかねない。それは、巨大製薬会社に利益をもたらすためであり、人口削減のためであり、マイクロチップを含んだワクチンを未だ接種しておらず、諜報機関が操作するコンピューターの完全な支配下にない人間にワクチンを接種させるためである。

支配された企業であるマスメディアが事実を隠しているのに対して、インターネットは多くの適正な情報を提供している。そのために、アメリカでは２００９年10月23日（！）に、豚インフルエンザのパンデミックによりアメリカは戒厳令の瀬戸際に立っているとして、オバマ大統領が非常事態を宣言した。それは虚偽情報であったが、大統領行政命令の非常事態宣言であるため、大統領は全ての私的なコンピューターを停止させる権限を有し、そうなる可能性もあった。もしそうなれば、情報は消失し、メディア企業の偽情報だけが一般大衆に残されることになるだろう。同じ時期に、マサチューセッツ州の法律はパンデミックの中にあって、ワクチンを接種させるために強制的に住居に立ち入ることを警察に許可した。もちろん、これはＮＷＯの基盤を作るためのクーデター（武力政変）である。

ＷＨＯが事件の背後で暗躍していることを知らないので、一般大衆はＷＨＯに対して大いに敬意を払っている。もちろんＷＨＯには、様々な健康問題に関する多くの専門委員会がある。専門家たちが様々な国からジュネーブに飛んできて、一度に約1週間滞在し、専門分野の議論を重ね、推奨を決定する。私は直接どのようにＷＨＯが機能しているのかを見たことがある。私は１９７０年代の終わりに4か月間、ＷＨＯで開催される全ての会合と専門委員会に出席するために、フィンランド国立保健委員会（Laakintohallitus）から許可を受けて、ＷＨＯに派遣されたオブザーバーであった。私は、早朝から夜遅くまで開催される全ての会議に参加した。最初の1週間は、ＷＨＯや、世界中における非常に多くのＷＨＯの計画を紹介する内部の課程に参加した。

私は二度フィンランド政府の代表を務めた。特に、熱帯医学、健康教育、たばこ問題においては主席代表であった。フィンランドで私たちが、新しい保健法や世界で初めてとなるたばこ法を制定した時、私は環境衛生・健康教育省の国立保健委員会（Laakintohallitus）の会長を務めていた。フィンランドの全ての病院や医療センターに対する、健康教育、喫煙削減、原則的に現在でも通用する栄養問題や食物問題に関する事務総長（すぐに私が後任となった）命令に、私は自ら署名した。私が4か月間ジュネーブのＷＨＯにいる間に、社会保健省はフィンランドが熱帯医学の新たなＷＨＯ委員会に加わることを望んだ。それで私は会合で手を挙げて、フィンランドが熱帯医学委員会の候補となることを望んでいると言った。私自身はスウェーデンのカロリンスカ研究所から熱帯医学の学位を授与されている。しかし、私の提案はあまり好まれなかった。彼らは事前に全ての決定事項を行っていたようで、熱帯医学委員会の席をフランスに与えると計画していた。投票は紙切れに書かれて、帽子に入れられたが、それは時代遅れの票決方法だった。私は、帽子の一番上にある紙切れが三角形に折られているのがわかるくらい近づいた。勝者を発表する人は、明らかにこの三角形の紙切れを手に取ったように見えた。そこにはフランスの名前があり、こうしてフランスが新たな委員会の一員に選ばれた。票決に関しても、騙すことが最も大事なことなのだ。三角形が誰の象徴なのかを覚えておいて下さい。それはＮＷＯ側の象徴なのです。

同じ年、全ての加盟国が出席する5月の国連総会で、新たなＷＨＯの事務総長を選ぶ時期であった。デンマーク人のマーラー博士が素晴らしい5年の任期を務め続けることを望んだ。しかし5年間ではなくあと2年間ということであった。競争相手となる日本人の候補者がいたので再び票決が行われた。私のノルウェー人の夫は、ＵＮＨＣＲ（国連難民高等弁務官事務所）で外交官として働いていた。そしてもちろん、外交官たちは来たるべき票決を論じていた。投票をする国連大使たちは突然日本人からある提案を受けた。それは特に第三諸国の大使に向けたものだった。日本人の候補者に投票してくれたら、個人的に新しい日本車を贈るというのだ。日本人の候補者は54％を得票し、新しい事務総長に選ばれた。全ての国連大使が、新車なんかで『買収』されたわけではない。日本人の新たな事務総長も良い仕事をしましたよね。これが世界のＷＨＯがどのように機能しているかである。

第8章　医療不正

１９５２年ＣＩＡは、プロジェクトMoonstrikeで、手術中または誘拐して脳や歯に電子デバイスをインプラントしました。その目的は、追跡、マインド・コントロール、行動コントロール、身体調節、プログラミングなどの秘密工作でした。人々は長い期間にわたって標的とされました。電極の挿入手術は、すでに１８７４年オハイオのグッド・サマリタン病院で行われており、ある女性の脳に電極がインプラントされました。彼女はすぐに死亡しました。１９４８年、スウェーデン、ストックホルムのサースカ小児病院で、アルム医師はベントという名前の男児の脳に同意もなく電極インプラントを行いました。彼の母親によると、この虐待的な実験によって、生涯苦痛が続いたと聞いています。医師たちはなぜ、罪もない人々に対して、研究用のモルモットのように、そのような非倫理的な手術を行うのでしょうか？　名声への誤った渇望、金銭的利益、医学の歴史に名を残したいという欲望―そういったことが動機なのでしょう。

平時のカナダで資金提供を受け研究を行った医師の中で、最も倫理観が欠如していたのは、アレン記念病院のスコットランド人イーウェン・キャメロンでしょう。精神病患者を2か月にもわたって強制的に無意識状態にし、テープメッセージを聞かせるという、デパターニング法を採りました。キャメロンらは、患者を衰弱状態にし、自分自身が何者かわからなくし、身体機能をコントロールできないようにしました。キャメロン博士は、カナダ精神医学会とアメリカ精神医学会の理事長を務め、１９６０年には世界精神医学会の理事長も歴任しました。この種のリーダーに対する名声が低かったとしても不思議ではありません。

患者の健康を破壊する非倫理的な彼の研究方法に対して、訴訟が提起されるまでになりました。しかし、補償金がＣＩＡ資金から患者に支払われ、示談となりました。キャメロン博士は、今なら拷問とされるレベルの行動変容の「研究」を、何も知らない患者に行ったことについて、事後分析においても罰せられることはありませんでした。キャメロンの研究動機がノーベル賞獲得だったことは明らかですが、幸運にも受賞を逃しました。数十年もの間、同意もなく患者を様々な研究の被験者として使用できる方向へと、彼は精神医学を変えていきました。そのような研究の中には、物理的なアイスピック・ロボトミー、薬物を用いた化学的ロボトミー、電気ショックなど明らかに人権侵害と思われるものもありましたが、これらの治療法は、政治色の強い『精神疾患の診断・統計マニュアル』に記載されています。このマニュアルは精神医学会のバイブルというべき存在です。タイムズ紙は、１９９８年4月29日にロンドンで、「アメリカと試験」という記事を掲載しました。１９７５年以前ノルウェーで医療不正を調査していたノルウェー政府委員会（ＮＯＵ２００３：３３）にその記事を送りました。しかし証拠は無視されました。スウェーデンでの暴露は特に驚くべきものでした。1944年から1994年まで、ヒトを対象とした実験4000件に対して、アメリカ政府機関がお金を出していたのです。不妊処置の根拠として、ジプシー的特徴、精神疾患、放浪癖などがありました。望ましくない人種的特徴、「劣性」的特徴、視覚不良、性的または社会的逸脱行為を社会から除去するため他の根拠も示されました。アメリカとノルウェーの病院は、1994年まで20年以上にわたり、知能未発達者を対象に放射線を用いて不妊処置実験を行ってきたことを日刊ノルウェージャン・ダグブラデットが暴露しました。ナチスへの恐ろしい共感を伴いつつ、アメリカとノルウェーの研究者は、身体の様々な部位に放射線を当ててその効果を評価し、彼らを被験者として用いることに良心の呵責を感じていなかったようです。ダグブラデット紙に、衝撃的なプロジェクトの詳細を漏らしたフレドリック・メルビエ博士によれば、患者は扱いやすかったと述べました。彼はノルウェーの保健サービスの理事長であるエバン博士の元同僚でした。また、エバン博士の兄弟は、ノルウェー諜報機関のトップでした。第二次世界大戦後、核の脅威や兵器開発競争が最悪だったころ、数多くの実験が多くのノルウェーの病院で秘密裏に行われていました。知能未発達者や精神病患者はとりわけ、X線を用いた去勢試験を受けさせられました。この方法は、第二次世界大戦時に、ナチスドイツの医師がアウシュビッツやレーベンブルックで使ったものです。

ノルウェーでの実験は、最高レベルのアメリカ人が協力して行われ、ノルウェー人医師たちはアメリカからの財政援助を求めるよう促されたと、メルビエ博士は述べました。西側諸国は、核降下物の影響をよりよく知りたいと考えていました。そして、この実験は、放射線の基礎的知識を得る試みでした。上述したぞっとするようなやり方は、同意なくヒトを研究に利用するという意味で現在も続けられています。ノルウェー政府がＮＯＵ２００３：３３委員会を設立し、ノルウェーで行われた非倫理的医学研究問題を調査していた時、私はその問題についての研究結果を委員会に提出し、その後、１時間の公聴会に招かれました。まず初めに、私は委員会の書記官に会ったのですが、彼女の態度は驚くべきものでした。ノルウェーの患者に対して行われた不正行為の証拠を公聴会が求めていないことは明らかでした。

委員会の公聴会で、私はオスロで起こった２０１０年10月2日の事件について知っていることを話しました。故フレドリック・メルビエ博士が生前、患者に対する不正について、ノルウェーの新聞に知っていることを暴露したことに言及しました。すると、驚いたことに委員会は、「彼はもう年だ」と言って、彼の発言をなかったことにしてしまったのです。

立場上、私はマインド・コントロールなど患者が受けた不正行為についての報告書を山のように持っていました。それらを委員会に提出したかったのです。また、この状況を改善するため、将来に向けての提案を10パラグラフにまとめ読み上げました。最後に書記官が報告集をコピーしましたが50ページほどでした。そして驚いたことに、「資料は全部お持ち帰りください」と彼女は言いました。不正行為の証拠が不要だったのです。私は、「これらは委員会提出用に作成しました」と主張し報告書を置いてきました。しかし、彼女のメモには、「キルデ博士は報告書を持ち帰った」と書き、重要だと私が指摘したことを何一つ記録しませんでした。委員会は、1975年以前に行われたヒトを対象とした研究において、不正行為が行われた証拠はなかった、と結論づけました。このことから、私の報告書が委員会に提出されたかどうかは疑問に思っています。

しかしながら、委員会の最後の追加報告書ＮＯＵ２００３：３３において、アメリカ軍、ＮＡＳＡなどから資金提供を受けた研究リストは２ページにわたっていました。北海のダイバーに対して、彼らの脳に不正行為を働いたり、行動変容を行ったりしたノルウェーの研究でした。現在、このダイバーたちは、健康不良に対する補償金を求めて係争中です。セム・ヤコブセン博士は、１９５５‐５６年に国際的神経学誌に、頭に電極を埋め込んだ実験についての研究を発表しましたが、実験に参加した多くの被験者が自殺しました。１９７５年以前にも不正があったということです。

後で理解することになるのですが、一般的にいって、国家の不正を調査する委員会（9・11事件、ＵＦＯに関するコンドン・レポート、超心理学者に関する政府レポート、オクラホマ爆破事件など）には隠れた意図が存在します。神経質な問題に関しては証拠がないことを証明したり、不正を示す証拠は、権力者を守るため意図的に消去することになっています。すべて真逆です。責任者である政府の委員会が政府の不正を証明することはできません。

ダグブラデット紙は90歳の医師とのインタビューを掲載しました。その中で、その医師は、精神病患者にマラリアを発症させるという実験を行っていたことを告白しています。何の後悔も見せていません。研究のためには患者に何をしてもいいのです。同様の原則は今でも生きており、不幸にも患者に向けられています。

権力者が関係する重要な問題の場合、いつも、「公式な真実」と非公式な真実とが存在します。多くの場合、後者の非公式な真実のほうが正しい。すべて真逆なのです。平和は戦争であり、戦争は平和維持です。アメリカでは、１９９７年以降の研究に関しては、一般人を対象とした実験は合法です。

しかし、実験の30日前には議会に知らせなければなりません。実験の前に各被験者からインフォームド・コンセントを得る必要もあります。これらがすべて行われているかについて、誰が管理しているでしょうか？

1997年フランスのストラスブールで、ヨーロッパ諸国は、研究のための試験や実験を許可しました。ナチスが強制収容所で行ったような、人間のモルモット化を禁ずるニュルンベルク綱領を、アメリカとヨーロッパ諸国は忘れてしまいました。現在ナチスの精神性が復活しており、アメリカで顕著に見られます。いかなる理由でも人を傷つけてはいけないことを私たちはいつになったら憶えるのでしょうか？　他人に対してしたことは、いつか何らかの形で返ってきます。私たちのエネルギーは最終的にひとつになります。一滴一滴が集まって海を作っていくようなものです。他人を傷つければ、私たち自身も傷つけることになります。

Staphylococcus　スタフィロコッカス

第９章　ケム・トレイル／モルジェロン病

アメリカ、カナダ、ロシア、ヨーロッパ、日本では、軍用飛行機と民間飛行機から出されるケム・トレイルが利用されています。近年継続的に私たちの知らないところで、ケム・トレイルが散布され、何トンものアルミニウム、バリウム、マグネシウム、ストロンチウム、チタニウムといった物質を粒子状にしてまき散らしています。

ケム・トレイルは、電磁波や地上の電磁オシレータ、電離層ヒーターの働きを維持する大気を形成しています。それは、プラズマビームを拡散するための粒子密度に関係しています。民間人に対する軍事兵器です。公式には「地球温暖化を防止するために」散布しているとパイロットは教えられます。しかし、細菌やウィルス、菌類なども民間人の頭上にばらまかれている事実を、どのように説明するのでしょうか？　ロナルド・ラムズフェルドはアメリカ国防長官だった時、国民を落ち着かせるためにバリウム（精神安定剤）やプロザックなども使ってよいと述べました。

ケム・トレイルは、人間や動物を病気にします。研究室での実験結果によれば、様々なカビも散布されていることがわかっています。分析の結果、スタフィロコッカス、ストレプトマイシン、アウレオバシリウム・プルラン（感染症、菌類による重症肺炎を引き起こす）、ニグロスポラ、黒カビが見つかっています。バチルス・アミロリクエファシエンス、ファシデンス、トリセラ・オタイディス、リゾムコール属、ビブリオ・スプレンディダス2、シュードモナス・フルオレッセンス（尿や血液感染する）もケム・トレイルの中に検出されました。ケム・トレイルに関する特許、たとえば№４７９１０７６では、繊維的内容物が含まれていることがわかります。それぞれの特許を見れば、ケム・トレイルを構成するすべての化学的成分がわかります。

繊維やヘアスプレー状の物質は、咽喉頭痛、リンパ節腫脹、痰のほかに、湿疹が生じたり、髪の毛様の繊維が皮膚から突出する、インフルエンザ様の症状を引き起こすと報告されています。新規疾患としてモルジェロン病というものがあり、公式的には原因は不明です。髪の毛様の繊維が皮膚から突出する症状を持つ人々に精神疾患のレッテルが張られようとしています。

モルジェロン病は、セルロースとグリコール核酸（散布により体内に入り込む合成形ＤＮＡ）により構成される。グリコール核酸（ＧＮＡ）は自然に生じることはありません。ＧＮＡは繊維に似た合成生物を造るのに使われます。疾病管理センター（ＣＤＣ）は、ＧＮＡが綿花から採れると述べています。このように発言することでＤＡＲＰＡや軍を擁護する形になっています。モルジェロン・ナノワームは軍病理学研究所で調査されました。インターネットのコト・レポートによると、この機関はコードネーム、「ノーブル・イーグル作戦」のもと9・11テロの時、ペンタゴン、ペンシルベニアの現場で法医学的証拠収集を行ったとあります。モルジェロン・ナノワームは生物学的兵器のように思えます。軍は新しく発明した兵器を戦争中の兵士でテストし、その「公式な戦時テスト」が不十分な場合、秘密裏に市民を対象とします。精神疾患というレッテルを利用して、空軍および民間の飛行機が、故意に病気をばら撒いているという事実を隠そうとします。

ケム・トレイルのコードネームには、「クローバーの葉」作戦、「赤い空」作戦、「雨のダンス」作戦などがありました。ケム・トレイルの「生みの親」はエドワード・テラーです。2003年に亡くなりました。ビル・ゲイツも「地球工学プロジェクト」と称してケム・トレイルに資金提供しています。

散布に使用される軍用飛行機は、危険物質を目一杯積み込むことも可能です。地球工学によって、海の酸性化やサンゴ礁の破壊などが生じます。民間マスメディアに対して、ケム・トレイルに関する完全な報道統制が行われています。しかし、代替メディアやインターネットでは、ケム・トレイルの否定的な影響を報道しています。また、通常の飛行機雲と違って、長い間空中にとどまる、ジグザグ状の幅広く白いケム・トレイルの写真を数多く公開しています。ケム・トレイルはゆっくりと、カーペットのような雲を伴い、空全体を灰色に変色します。あるいは、空を赤色に染め、美しい夕焼けのように見せかけますが、実は人工的に太陽光を遮断します。大量のケム・トレイルが放出された地域では、マイコプラズマ肺炎が起こる可能性があります。人口削減プログラムのための生物兵器です。「公式には」地球温暖化を防ぐことが目的です。

オハイオ州の議員デニス・クシニッチはアメリカでの法制化を試みました。ケム・トレイル、HAARPおよび地球破壊やマインド・コントロールを可能とする兵器を禁止する、HR2977 2001年10月という法案です。国防総省が圧力をかけたため、新しい法律では上述の兵器への言及はありません。国防総省ビジョン2020の中にプログラムが存在し、公式には否定していますが、上述の兵器が開発されることになっています。国防長官D・ラムズフェルドは戦略的誘導を行う部署を組織しました。偽情報部です。

軍が行うケム・トレイルには、マイクロ波を吸収するのに使える炭素など、様々な元素が含まれます。ケム・トレイル散布物の中には、レーダーが飛行機を感知できなくする金属フレークが含まれています。これらの散布物から、ジェット戦闘機を隠してしまう色彩豊かな磁化プラズマが発生します。非常に色彩豊かな夕日も生じます。人々は、その夕日が非自然的産物で、健康に良くないことも知らずにありがたがります。

マインド・コントロール・プログラミングに電磁波ビームを使うことができます。人工衛星をプログラミングして、目や耳、こめかみ、性器など体の様々な部位の異なる周波数を追跡し監視することができます。同調した軌道を持つビームは、電磁波兵器になる粒子ビームです。ケム・トレイルは飲み水の中にも入り込みます。地球工学者は、1、2億トンものアルミニウムが1年で大気中に放出されていると考えています。まったく馬鹿げたことです。喘息やアルツハイマー型痴ほう症は間違いなく増えています。がん発生率や呼吸器疾患が急激に増加していることは言うまでもありません。

ケム・トレイルと飛行機雲（飛行機が空に描く通常の白いすじで、すぐに蒸発する）の判別は容易です。ケム・トレイルは何時間も空中に滞留し、幅広くまばらになり、波形の雲が空全体を埋め尽くします。散布される化学物質によりますが、人の髪の毛はねばつき、金属粉という形でマイクロチップが含まれている空気を呼吸します。これが人々をコントロール下に置くひとつの形です。ケム・トレイルが写った写真をインターネットで数多く見ることができます。ケム・トレイルの散布が続いている時は、少なくとも子供や犬・猫は屋内に入れるべきです。

パイロットは時々「X」という文字を空に描くことがあり、人工衛星から写真が撮られ、どの地域が汚染されているかわかります。飛行機が民家の上を飛んでいる時、「X」という文字は軍事目的で犠牲にしてもよい個人であることを意味します。「X」のサインは老人が集まるところでよく見られます。ヘンリー・キッシンジャーは、70歳以上の人々を役に立たない動物だとこき下ろしました。彼自身88歳なのにです。おそらく私が人権侵害の暴露に積極的に関わっているためでしょう、私のスーツケースに「X」サインが貼られることがあります。そして、私の家の上方で「X」字のケム・トレイルをよく見ます。

現在は以前より寿命が延びており、90歳まで生きる人も多くいます。NWO上層部の人々は、長く体内にとどまる幹細胞を摂取しています。彼らは、人体をエネルギー体と見るのではなく、人体=人間と捉えています。人体を永遠のエネルギー体と捉えれば、態度も変わり世界全体をより良い方向に導けるでしょう。おそらく、ケム・トレイル散布や干ばつを引き起こす気象操作によって、身体障害者やアフリカの文盲の人々など、彼らが劣等だと考える人々を抹殺することはやめるでしょう。

いずれにせよ、1977年のアメリカの公聴会において、アメリカの239地域が1949～69年までの間に、生物学的物質によって汚染されていたことが確認されました。その中には、サンフランシスコ、キーウェスト、ワシントンDC、セントルイス、ミネアポリスなどが入っていました。1950年、アメリカ海軍の軍艦は、セラチア菌を用いた生物学的兵器をサンフランシスコで6日間テストしました。そして、住人80万人の大半が違和感を覚えました。この生物学的兵器は、致死的な肺炎を引き起こす可能性があります。1997年、秘密の散布テストがミネアポリス上空で数か月間行われ、呼吸器疾患が有意に増加しました。

1966年、100万人以上のニューヨーク市民が、アメリカ陸軍の生物学的攻撃に晒されました。枯草菌の変異体ニジェールをつめた電球を地下鉄の送風口に落としたのです。ロンドンでも小型缶に入った生物学的兵器が使用されました。バチルス・グロビや大腸菌が船から撒かれるという事件が1998年イギリスで発覚しました。私自身は、オスロ発の国営＋train内で毒ガスを経験しました。かなり前に、北フィンランドのオルルから列車に乗り込んだ時、その車両の乗客がすでに前の駅からぐっすり眠りこんでいるのを見て驚きました。客席に座った時、「人権のためにシェル石油をボイコットしよう」と壁に書かれてあるのを目にし、床に落ちているビニール袋から発せられる妙なにおいに気づきました。私はすぐにその車両を離れました。パリの地下鉄では、支柱に悪臭を放つ入れ物が置かれていました。塗料の缶のように見せかけていましたが、気分を害するにおいを発していました。日本の地下鉄サリン事件は全世界で報道され、ある教団が犯人とされました。もちろんこれも、軍や諜報機関が行った化学的兵器の人体実験です。1999年6月、ロスアラモス国立研究所は、かつて100万人のブリトン人に使用された「無害の」バチルス・グロビを用いて、生物学的兵器検知器の屋外テストを開始すると発表しました。市民の反対が起こりテストは中止になりました。人民の力によって情勢を変えることができます。このようなことは、アメリカとＮＡＴＯの爆撃を受けた元ユーゴスラビアでも見られました。１００万以上の人々が市街でデモを行ったのです。彼らのパワーはＮＡＴＯの爆撃よりも強力で、ミロシェビッチ大統領は３日後に退陣しました。その後、彼は刑務所で不審死を遂げています。諜報機関は、大統領が持っているはずの情報の公表を嫌がりました。ノリエガ大統領は、ＣＩＡと共謀してドラッグに関わっていることが暴露されました。彼は逮捕されたあとヨーロッパに送られました。ドミノ倒しのような反乱の連鎖のあと、アラブの新しいリーダーが出現しましたが、これらの事件はかなり前に（ＣＩＡによって）計画されていました。何が起こるかは開けてみないとわかりません。

ナチズムの時代と大規模な人口削減計画が、西側諸国の大多数の市民が気づかないうちに復活しました。第二次世界大戦における残虐行為は異なるやり方で現在も続いています。ドイツと日本の医師は「研究」のために、満州の秘密軍需工場で数千人の人々を殺しました。中国と韓国の兵士はペスト菌、コレラ菌、梅毒などの菌を注射され、異なる国籍、人種により病気への抵抗力が相違するのかが調べられました。全員死亡しました。これが本当の戦争です。

アパルトヘイト下の南アフリカでは、「死神博士」ともいうべき医師が、黒人を実験台にしました。イスラエルも同じく人体実験を行い、パレスチナ人やアラブ人といった特定の人種だけが罹患する病気を開発しようとしました。

どうして医師がみずから殺人や傷害の片棒を担げるのか私には理解不能です。洗脳もしくはマインド・コントロールをされたのでしょうか？　それとも、他人に拷問を与えないと自分自身や家族が殺されると脅迫されたのでしょうか？　もちろん、医師の大半は諜報機関や軍、製薬会社のために働かず、いまだ倫理的です。すべての医師が堕落しているわけではありません。

スイスの反検閲新聞は２００９年1月、現在ベルギーでは新生児に対する受動的および積極的死亡ほう助が行われている、と報じました。１９９９年8月から２０００年7月までの1年で、新生児の死亡ほう助は１４３件にのぼりました。そのうちの９％は薬物（毒）により死亡しました。この医療行為は違法ですが、「白衣の神様」は罰せられません。医師が「不必要」、あるいは将来身体障害者になるとみなした新生児を殺すことが、まっとうなサービスだと彼らは信じています。上述の情報は最初、ドイツの医学雑誌「ドイツアルゼブラット」ＮＲ19、２００５年5月13日号に掲載されました。

オランダでは2004年1月1日から4月30日までの間、1万人の老人が原因不明で死亡したことが、オランダ政府の研究で明らかにされました。オランダの医療関係者の多くは、患者の家族の意思を尊重して、患者を「安楽死」させることを正規医療だと考えているようです。家族や近親者がこれ以上は耐えられないと感じる場合、38％の患者が安楽死を選んでいます。オランダの老齢患者の多くは、「お医者さま、私を殺さないでください」と嘆願する「信条カード」というものを持っています。どのようにしてこのような状況になったのでしょうか？　そして、誰が進行を止めるのでしょうか？　「ウェストファーレン・ブラット」2004年1月19日号および2005年1月号は、安楽死の進展状況を報じました。オーストリアとフィンランドの新聞では、看護師が老齢の患者を注射で安楽死させたり、枕を使った窒息で安楽死させたりしていると記載されています。看護師らがある組織に属し、「無駄飯食らい」削減計画の名のもと、諜報機関の命令に従っているとは誰も考えないでしょう。

キッシンジャー氏は、ラテンアメリカ人女性へのワクチン接種による不妊処置についても支持を表明しました。ペルーでは、1996年から2000年にかけて28万5000人が不妊処置を施され、その結果は知らされていないと、ノルウェーのデイリー・ダグブラデットが2002年の夏に報じました。フジモリ大統領は、不妊処置の「割り当て」について地方自治体に指示を出しました。不妊処置がなされた大多数は、お金と食べ物の供与を約束されたインディアンでした。

３人の保健省大臣が、虐殺行為であるこの計画を承認しました。ウガンダでのポリオ導入ワクチンは虐殺そのものです。

チベットでは、中国政府により命じられた不妊処置を、チベット政府と医師が女性たちに対して行いました。そのノルマをこなさないとチベット政府や医師が罰せられるというものでした。ノルマを達成するためだけに、女性たちは不必要に不妊にさせられました。１９９５年2月、アムドン地区において直ちに不妊処置を行い人口を減らすよう、中国政府からチベット政府に命令が出されました。政府の許可なしに妊娠した者は、5年分の給料に相当する７０００元の罰金が科せられました。経済水準が低いので、その問題について交渉する余地はありませんでした。同胞である人間に対する残虐行為に終わりはありません。

第10章　食品および国際食品規格による人口抑制

気づかれずに人をコントロールする方法は数多くあります。一般大衆を抑圧するために、世界で何が行われているかを彼ら自身が気づいてしまうと、エリート階層が人々を支配し抑圧することはできないでしょう。無知であればあるほどゾンビ化できます。キッシンジャーが言ったように、国家を支配するには、エネルギーを支配すればよいでしょう。国民を支配したいなら、食べ物を支配すればよいのです。

有害な添加物を食品に加えれば、人々は様々な病気にかかりやすくなるでしょう。同じことは飲み物にも言えます。特にアスパルテームの入った「栄養ドリンク」や子供に人気のある飲み物は、体に有害で特に脳機能を害し、神経系の疾患や糖尿病などを引き起こします。アスパルテームの有害作用には多くの人が気づいています。そこで、アメリカでは「アミノ甘味料」と言い換えられるようになりました。しかし、少なくともフィンランドでは、人工甘味料アスパルテームの名前を依然として使っています。

以前フィンランドでは、食品や飲料品に含まれる有害な原料はEナンバーがつけられ、一目でわかるよう一覧表にされていました。以前のカタログの中では、Ｅ３２２、４２２、４７１は発がん性物質に分類されていました。現在は番号が変わってしまい、食品に含まれる有害な原材料や添加物の情報を得にくくなっています。３５０種の添加物が承認されており、一部は有害です。しかも、そのうちの数十種の添加物には、じんましん、頭痛、呼吸器疾患、粘膜障害、胃腸障害などの副作用があります。

ドイツのデュッセルドルフ大学附属小児がん診療所は、発がん性のある添加物や保存料の番号を公開しました。Ｅ１３１、１４２、２１０、２１１、２１４、２１５、２１７、２３９です。発がん性のあるＥ１３１はアメリカでは使用禁止です。

エモリー大学の研究者は、切除されたがんの中に、大量のアスパルテームが含まれていることを明らかにしました。また、妊娠中にアスパルテームを摂ると、出生時欠損が生じやすいことも示しています。ＦＡＯとＷＨＯは１９９６年より、体重１kgにつき40mgを上限として、アスパルテーム（Ｅ９５１）の使用を認めています。現在、５０００以上の食品にアスパルテームが使用されていますが、「フェニルアラニンの原料を含有」と表示しなければなりません。フェニルアラニンは胎盤で結晶化し、子供に精神障害を引き起こす可能性がありますし、研究室における初めての試験では動物に脳腫瘍が生じました。アスパルテームはモンサント社が発明しました。大企業にとっては、金銭的利益のみが重要です。人間の健康は関心事ではありません。

食品に関して言えば健康は優先事項ではありません。利益の最大化が一番の関心事です。栄養の概念はヨーロッパの法律とアメリカの法律で異なります。大西洋の両側であっても人体は異ならないので、これは奇妙なことです。

食料品を売る店では食品を長期間保存する必要があります。物流業界は保存を必要としますので、食品は耐久性を持たなければなりません。小さなリスクであっても、健康を脅かす添加物は使用されています。消費者は何と言うでしょう。きれいで健康的な食品という権力者の主張を受け入れるでしょうか？　食品安全に関する全体像には大きな秘密も隠されています。カラギーナンは、親水コロイドとも呼ばれますが、有害です。発がん性があり、分離状態での動物実験ではがんが発生しました。カラギーナンの番号はＥ４０７です。グルタミン酸ナトリウム（Ｅ６２１）は頭痛や胃腸障害、神経障害、顔のほてりなどを誘発します。硝酸塩と亜硝酸塩は保存料です。安息香酸やソルビン酸、亜硫酸塩はアレルギー反応を引き起こす可能性があります。リン酸塩は骨粗しょう症と関係があります。リン酸塩は、コーラ飲料、ソフトチーズ、特定の加工肉製品に含まれています。

イタリアのパルマにある欧州食品安全機関（以下ＥＦＳＡ）とＥＵは、特定のケースについて例外項目を設けることができます。たとえば、ベリー類を原料とするフィンランドのジュースは人工着色料を必要としません。フィンランドでは１９８０年の初頭、すでに人工着色料の使用が禁止されました。しかし、現在ＥＦＳＡはその使用を認め、たとえばキャンディには使われています。食品は兵器ですか？　フィンランド人は年間、１人につき15kgのキャンディを食べています。すべてが混乱しています。エバ・ウーレンファ株式会社によるスウェーデンでの研究が「アメリカン・ジャーナル・オブ・クリニカル・ニュートリション」（ＡＪＣＮ）に掲載されました。その中で、全乳や乳脂肪を大量に含む食品の摂取が、メタボリック・シンドローム、肥満、糖尿病のリスクを減らすことが示されています。ヨーテボリ大学の研究者は、全乳を飲んでいる子供の方が、飲まない子供よりやせていることを明らかにしました。一方、無脂肪乳を摂取すると、男性では前立腺がんが増え、女性では子宮がんが増えます。脂肪分の多い牛乳を飲むと心臓発作の予防になります。乳たんぱく質や乳脂肪を欠いた牛乳は、腸から吸収されることなく体外に放出されます。ビタミンＤも吸収されずに体外に排出されます。無脂肪スキムミルクにビタミンＤを加えても無意味です。

一方で、フィンランド保健福祉省および大臣は、幼稚園児や学校の生徒に、無脂肪スキムミルクを推奨しています。一般的に医師は医科大学で栄養学を学びません。これは、もしかすると意図的に学ばせていないのかもしれません。

アメリカでは食品医薬品局（ＦＤＡ）が生乳に対する反対運動を行っているようです。10州がすでに生乳を禁止しています。最大の生乳メーカーのひとつであるオーガニック・パスチャー社に対して、ＦＤＡがどのように攻撃してきたかについて、マーク・マカフィーはメルコラ博士のホームページで語っています。ＦＤＡは軍服を着て軍バッジもつけた軍人の組織だとマカフィーは述べています。ＦＤＡは、発がん性の亜硝酸塩、肥満を助長するグルタミン酸ナトリウム、神経を損傷させるアスパルテーム、心臓に有害な水素化油など、何百という有毒な食品原料を承認しています。その一方、健康に良い生乳を禁じています。ＦＤＡは、製薬会社大手セテロ・リサーチ社の臨床試験文書を承認しました。不幸にも、医学や科学の研究はいつもクリーンだとはかぎりません。研究結果は、隠された意図のために捏造されることもあります。低温殺菌ミルクはアメリカで最もアレルギー性の高い食品です。

ヨーロッパでは、家畜の食肉製造において何十年にもわたり抗生物質が使用されていますが、ＷＨＯは使用削減を推奨しています。抗生物質は、病気を予防するためではなく、家畜の成長促進のために使用されてきました。そのような肉を食べることにより、人間の体の中に抗生物質への耐性ができています。加えて、ケム・トレイルが小麦やライ麦に悪影響を与えています。化学物質や農薬を散布することで、サラダや野菜に毒が加えられています。それが理由で、サラダや野菜は特に子供が摂るよう勧められているのでしょうか？　炭水化物は体内で糖に変化し、糖は脂肪になります。カラギーナンはアイスクリームやキャンディ、ぶどうジュースに使用されています。

ＥＵは健康へのリスクから遺伝子組み換え作物を禁じてきました。そのため、スペインやドイツで、野菜の中の大腸菌がアウトブレイクしたのでしょうか？　アウトブレイクは復讐のため？　遺伝子組み換え種子、トウモロコシ、トマトを推進するモンサント社とある種の衝突はありました。種子は1年だけしか実をつけず、次の年に農民は再びモンサント社から新しい種子を買わねばならないのです。種子を毎年買うことができないため、多くのインド農民が自殺しました。企業の欲望に限りはありません。ＮＷＯの意図です。

興味深いことですが、不妊の原因は遺伝子組み換え食品かもしれません。カリフォルニアのあるバイオ企業は、抗精子抗体を作る遺伝子組み換えトウモロコシを使用しています。この会社は、免疫的不妊症の女性から抗体を取り出し、その抗体の産生を調節する遺伝子を分離し、遺伝子操作によってその遺伝子をトウモロコシの種子に挿入しました。トウモロコシの中に埋め込まれた、隠れた避妊薬といったところです。抗体は精子の受容体に引き寄せられ結合します。結合することにより精子は重くなり前に進めなくなります。これが世界的な過剰人口への解決策です。戦争や、自然に見せかけた大災害、ワクチン接種などを通じてできるだけ多くの人間を殺すこと――これがＮＷＯの「過剰人口」に対する対策です。あるいは、できるだけ多くの人間を不妊症にしたり病気にすることです。

現在、若くて健康な多くの夫婦が子供を作ろうとしています。彼らが食べてきたもの、接種してきたワクチンにはマイクロチップや不妊薬が含まれていたでしょう。通常、そのことは知りません。なぜなら、一般市民はニセ情報によるワクチンの宣伝に騙されているからです。一般市民は全く気づいていませんが、現在行われているワクチン接種の主目的は人口削減と不妊化です。言い換えれば、死亡率を上げ出生率を下げることです。中国の「一人っ子政策」は出生率を下げるための壮大な試みです。

アメリカはウランを除去した爆弾でイラクを爆撃しましたが、市民の間に非常に大きな健康問題をもたらしました。子供たちは醜い怪物のような障害を持って生まれています。数年前、あるイラク人医師がフィンランド国会で講演し、残虐行為を写したスライドを上映しました。新生児や子供の悲惨な写真を見るまで、ここまでひどいものは医学論文でも見たことがありませんでした。飛び出した腸、破壊された脳、通常の生活が営めない怪物のような人間……。がんの発生率は異常に上昇し、その状況は続きそうです。子供たちは、ウランが落ちた地面の上やウランが付着した物のまわりで遊んでいます。ウランは地面に何千年も残り、そこで生育した作物がウランを吸収します。このようにして、そこで育った穀物からできたパンは放射能を帯び病気と死をもたらします。ここでも、食べ物が無実の一般市民に対する兵器として使われています。西側諸国において注意欠陥多動性障害（ＡＤＨＤ）はワクチンが原因ではないかと、多くの著名な研究者は疑っています。また、果物や野菜に付着した農薬にも関係があります。そのため、果物と野菜の価格が下落したのでしょうか？　あるいは、肉から野菜へと食習慣を変える試みでしょうか？「兵器としての食品」を試すことにより、肉食を豆食に変えるのみならず、下水道の人糞からたんぱく質を取り出すことも試みられています。すなわち、人間が排泄したものから、たんぱく質を抽出し色づけするのです。人糞バーガー！　ビデオで見たところでは、日本人はそれを作る技術をすでに開発しています。１９８０年代のベルギーで人糞バーガーがすでに作られていることを知りました。

国際食品規格は、食品や栄養補助食品を国際的に管理しようとする、国連のプログラムです。国際食品規格は、食品および医薬品カルテルの利益を促進します。

２００９年12月31日以来、国際食品規格は、人が口に入れる物すべてを規制対象にしています。

ＷＴＯはこの企画を受け入れましたし、ＷＨＯ加盟国（１９３か国）も承認するはずです。１９９４年から国際食品規格においても、栄養補助食品健康教育法（ＤＳＨＥＡ）に従い、すべてのビタミンとミネラルは有毒であるとされています。しかし、ホタル石はＯＫになっています。この殺鼠剤は、たとえばナチスの強制収容所で使われました。もっとも囚人の歯を治療するためではありません。囚人を抑圧するためでした。

１９９７年北京で開催された世界女性会議で、国連食糧計画のリーダーは、市民に対する兵器として食品を使うと述べました。２００９年から現在まで、栄養補助ビスケットを第三世界に送ったり配ったりすることは違法です。水の消費は１日１人当たり40リットルまでに制限されるでしょう。今日、アメリカでは、１日１人当たりその10倍以上の水を使用しています。マレーシアのベトナム・ボートピープルキャンプでは、１日１人当たり5リットルの水しか配給されていません。私たちは次に何を予想するでしょう？　ビタミンとミネラルを規制することにより30億人が死亡すると、ＷＨＯとＦＡＯは試算しています。10億人は食品不足による餓死、10億人は病気で死亡するとしています。個人的にはその計算に妥当性はないと考えますが、これが「人口削減計画者」の計画であり、人類消滅計画です。

我々の地球を動かしているのは、全人類であり愛の力です。自分たちの意図や利益のために地球を破壊しようとする陰謀団ではありません。

第11章　マインド・コントロール

気づかれずに人を支配する最高の方法はマインド・コントロールです。1972年当時のCIA長官は、マインド・コントロールとは、すべての思考、感情、観察眼、欲求などをコントロールすることと規定しました。スーパーコンピューターや人工衛星を所有する海外の軍が、それらを市民や軍人に対して、知らせずに、同意も得ずに使うようになってもうすでに半世紀が経っています。空軍2025報告では、人間の気分や意志を、コンピューターとの接続で、仮想現実や拡張現実のようにマインド・コントロールすることが目標であるとしています。人々に対して、調査、嫌がらせ、ガスライティング、脅迫、心理操作を行ったり、電磁波による強姦、拷問も行う可能性があります。脳波がスキャンされ思考が解読されます。人工衛星が標的人物の生物電気的特徴や生体バイオメトリックを地図上に示すことによって追跡したり、定期的に地域をスキャンして標的人物を見つけ出します。彼らのテクノロジーの前では私たちは実験用マウス同然です。もちろん、スーパーコンピューターや人工衛星が人々の思考信号や夢、潜在意識を読み取ったり干渉したりできることは、一般の科学者や一般市民にとってまったく信じられないことでしょう。思考信号は解読され100の言語に翻訳されます。このようなテクノロジーは、一般市民に知らせない「極秘事項」となっており、もちろん「公式には」否定されており、一般市民を無知なまま完全なコントロール下に置くのが狙いです。

軍において新しいテクノロジーが秘密裏に使用される時には、その技術は通常50年前から存在したものです。「将来的には」という言い回しは、そのような技術を一般市民から隠すニセ情報を流す場合に使われます。「国家機密」という言葉は、軍や諜報機関が秘密を保持するための言い訳として使われます。この言葉は、人権侵害、拷問、殺人などを隠蔽するためにも使われます。

ノルウェーでは最近、軍情報部員が王室や首相の電話を盗聴したとして逮捕されました。この国を本当に支配しているのは誰なのでしょうか？　スペインでは数年前、諜報部員がフアン・カルロス王の電話を盗聴したとして逮捕されました。そして、諜報機関を14年間指揮していた長官が罷免されました。電話を使ってマインド・コントロールすることも可能です。フィンランドの陸軍元帥兼大統領であったC・G・マンハイムは1940年代に、彼の電話に対する盗聴を禁じました。しかし、1996年に私は、フィンランドのテレビ番組で彼が電話で会話している音声を聞きました。彼は1951年に死亡しました。

軍情報部も諜報機関も国の法律を尊重していません。その結果、彼らは国際的犯罪組織の一部となり、国家の道徳の糸を一本一本切っていき、長い時間をかけて国民を破滅に導きます。彼らはみずからを法より上の存在とみなしています。数年前イギリスでは、法律が変更されましたが、国家機密のために「人を殺す権利」を諜報機関が保持できることになりました。一方で彼らは何者でも国家の敵と規定できます。諜報機関が行っている残虐行為の存在を知っているだけでも殺す理由になります。他国ではそのような例がいくらでもあります。彼らの悪行の代わりに道徳や倫理が彼らの行動規範の一部になる日は来るのでしょうか？　検知できないマインド・コントロールの奴隷を作り出すために使われる、恐ろしい技術のいくつかを暴露した内部告発者によれば、無垢の子供を拷問、強姦したり、皮を剥いだり、檻に入れ裸で天井から吊るし電気を流したりすることもあるようです。

以前デンバーとコロラドで講演をした時、空港に向かおうとしていると、ある女性が話しかけてきました。そして、彼女は地下基地に監禁されていた子供のひとりであることを告白しました。地下基地には３００～５００人の子供が監禁・拷問され、マインド・コントロールされた奴隷になるか、異次元世界や異星人と接触させられている、と語りました。弱い子供たちは、他の子供が恐怖におののきながら見ている中で殺されます。その恐怖から「異次元世界」に行かざるを得なくなります。軍や諜報機関は、異次元世界の情報をできるだけ多く欲しがっている、と彼女は語ってくれました。小さな少女らが床に流れる血を掃除し、男の子たちは死体を墓地まで持っていき新しい墓の中に埋め、その墓をたくさんの花で隠すそうです。諜報機関に入る若い将校に対して、「君はひどく邪悪なこともやらねばならないこともある」と司令官が警告したことを記憶していましたが、この話を聞いて私は非常に驚きました。ＭＫ計画の推進者はサディスティックなモンスターであり、感情を全く持たないロボットのような人間です。そして、彼らは多重人格者を作り出しています。ジキル博士とハイド氏のような人間を作り出すのです。そのような被害者の中には、３、４歳の子供もいます。

トラウマに基づくマインド・コントロールには、感覚はく奪や強烈な恐怖、痛みの付加などがあります。たとえば、熱い鉄棒を少女の膣に挿入したり、子供に自分自身の大便を食べさせたり、小便や血を飲ませたりといったことがあります。あらゆる昆虫やヘビを持たせた上で水の中に放り込み、溺れる手前の状態にさせます。また、子供たちは自分のペニスを乳児の口のなかに挿入し、窒息寸前までにすることもあります。

目的は多重人格へと人格を引き裂くことです。多重人格者になれば、暗殺者にもできますし、写真記憶を使ったスパイにすることもできます。こういったことがＭＫ計画によって可能となります。あるいは、ＶＩＰに提供する性奴隷として訓練されます。「大統領のモデル」というネーミングの性奴隷の存在は世界に知れ渡っています。彼女らがマインド・コントロールされているとは誰も思わないでしょう。

ＭＫ奴隷の中には銃を使った連続殺人鬼になるよう訓練され、政治目的や復讐、法律の変更に利用される者もいます。アメリカ合衆国、イギリス、ドイツ、フィンランド、ノルウェーなど多くの国に、マインド・コントロールされた連続殺人鬼は存在します。しかし、公式には彼らがＭＫの被害者であると明かされることはありません。なぜなら、政府の関与がバレてしまうからです。したがって通常、単独犯として報道されます。そして、通常彼らは自殺するようプログラムされています。いわゆるデルタプログラミングというものです。興味深いことに、私がすでに述べたように、２０１１年7月22日に起こったノルウェーの連続殺人事件の犯人は、警察に電話し「ブレイビクです。司令官、任務完了しました。デルタを遂行します」と告げたそうです。警察の特殊部隊にもデルタがありますが、デルタとはどういう意味でしょう？　島での殺人を再現検証する時、彼は「ひどい」と言ったそうですが、「やらなければならなかった」と繰り返し言っていたそうです。彼にはＭＫ被害者と同じように、写真記憶の能力が備わっていました。

この出来事は、ロバート・ケネディを暗殺した後にサーハン・サーハンがとった行動に似ています。彼は「私がやったのですか？」と尋ねました。彼が受けた催眠プログラムも興味深い読み物です。髪はブロンドで青い目をしたノルウェー人の３級フリーメーソン、そして保守的なクリスチャンでもあったブレイビクは、いま数か月間の隔離状態にあります。おもしろいことに、大虐殺の前、継続して見ていたゲームビデオは、ひとりぼっちのヒーローである司令官がチームと一緒に島へ行き人々を殺すというものでした。データゲームはインターネットから削除されています。多くのビデオがプログラミングのために使われています。問題は誰が黒幕かということです。ＣＩＡとＭＩ５はそこにいました。モサドは7月23日過ぎにすぐオスロにやってきました。これらの組織は専門家です。

デルタは三角形をしたギリシャ文字で、諜報機関やＮＷＯ、軍隊、フリーメーソンなどが使っています。アメリカでは、デルタ・フォースは、統合参謀本部の指揮下で作戦を遂行しています。彼らは相当訓練されたマインド・コントロール奴隷です。青い目をした白人ノルウェー人で保守的クリスチャンである連続殺人鬼は、ニュースによるとアメリカに行ったこともあると言います。デルタは、４人１組のチーム（３＋１）です。オスロでの政府ビルの爆破事件は、車爆弾というよりＨＡＡＲＰによる「天から地獄への」攻撃のようでした。多くの矛盾があるにもかかわらず、現在の公式見解としては、車による爆破ということになっています。委員会は1年かけてこの問題を調査しました。しかし、ニュースによれば、２０１１年8月21日にこの島における調査をすでに打ち切ったそうです。

ある家族は娘が殺されたその島へ10月に訪れました。その時、恐ろしいことに、小さな小屋の中で歯が付いた頬骨の一部を見つけました。このようなことは、怠慢な警察官が掃除を怠ったため起こったのでしょうか？　それとも、トラウマを抱かせ続けるための故意の挑発でしょうか？　数か月にわたり毎日、この残虐な行為に関するニュースが報じられています。人権を制限しようとする動きが他国で見られるように、法律の将来的な改変を一般市民が受け入れるよう、心理的戦争は続いているのです。

この事件を調査している委員会のメンバーは興味深いです。委員長である女性弁護士は、国際的にも高度な資格を有しています（ニューヨーク出身です）。軍情報部の元部長である中将は、ニュースによればフリーメーソンです。デンマーク人の元諜報部員である女性もメンバーです。医療専門家は精神科医ではありませんが、フィンマルクの医務部長で社会医学の専門家です。一般的に、少なくとも軍情報部と諜報機関はマインド・コントロールされた暗殺者の訓練について知っています。最終的にこの問題がどのように隠蔽されるか興味深いです。全体的に見ると、これは国家にとっては大きな悲劇です。

次に何が起こるでしょうか？　いつわりの「異星人の攻撃」ですか？　小惑星の衝突？　アメリカにおけるなりすましテロ？　あるいはＨＡＡＲＰによる全通信網の遮断でしょうか？　地球の軸が傾く必要はありません。いずれにせよ、これから起こることは、無知な市民に刺激を与えるでしょう。彼らは、戦争のような攻撃のために宇宙で使用される大規模なテクノロジーについて何も知りません。

ジュリアン・マッキニーは、現在閉鎖されている国家安全職員協会、電子的監視部の元諜報部員ですが、古典的なマインド・コントロールを次のように規定しました。

①長期に及ぶ24時間の身体的・電子的監視。その目的は、個人情報を収集することと、将来的な調査のため標的人物からの生物学的標本の取得です。
②過剰なストレスに対する被験者の対処能力を調べるためのあらゆる形の嫌がらせ。
③現在、非殺傷兵器とされているテクノロジーやアメリカ司法省による監視システムを用いて、過剰な見当識障害を引き起こしたり、体を弱らせる痛みを与える目的の嫌がらせ。
④潜在意識的「脳内音声」を発生することができる、神経学的サイバネティクス／心理的テクノロジーの実験。
⑤長い目で見れば自分の信用を落とすことになる行動や言動を被験者にとらせるよう、長期にわたって操縦すること。
⑥被験者の孤立化と経済的困窮。自殺か殺人を強要することが目的。

実験は現在刑務所で続けられています。アメリカの刑務所システムは劣悪です。ノルウェーは「アメリカの奴隷状態」です。電磁波ビーム照射実験によって若い男性がどのように脱毛するか知りました。イギリスは、マインド・コントロールを遂行するために、電磁波を囚人に照射する機械をドバイの刑務所に提供しました。www.wanttoknow.info はマインド・コントロール情報をカバーしているすばらしいページです。公開された1953年1月のCIA文書では、19歳の少女を多重人格者にすることができたと述べられています。CIAは、電話、手紙、文書、暗号などを使い、完全な覚醒状態から催眠状態にすることができました。催眠状態に置かれた人をコントロールする信号や、言葉をある人からある人へ伝えることは難しくないことを証明しました。被験者は情報の運び屋になりうることが明らかにされました。

1954年2月10日付のCIA文書によると、疑われることなく暗殺者を作り上げる実験を行ったとあります。ミスX（火器に対する恐怖心を表明していた）は、いかなる手段を使ってでもミスY（その時、催眠状態にあった）を起こしてもよいと指示されていました。しかし、ミスXは起こすことができず、ピストルを手に持ちミスYに引き金を引きました。彼女は殺人をためらわないように指示されていました。ミスXは、銃（弾が装塡されていない）を発砲すること等の暗示を実行しました。ミスXは上述の出来事が起こったことを否定しました。大多数の人々は、人間の行動をコントロールし変化させる実験にアメリカや他国の政府が関与していることに気づいていません。諜報機関は様々な計画を策定しました。ＣＩＡのマインド・コントロール計画「ブルーバード計画」は、１９５１年から53年まで科学諜報部が公式に実施しました。この期間ＣＩＡは、精神科医が様々な目的で実験を行うことを許可しました。被験者に催眠的アクセスコードを送り、記憶喪失にするなど新しいアイデンティティを作ったり、多重人格者を作ったり、間違った記憶を持たせたりしました。そのような研究の中には、被験者の脳に電極を埋め込んだり、リモコン送信器で被験者の行動をコントロールすることも含まれていました。記憶を消すために、５歳の子供にＬＳＤを投与し電気けいれん療法を用いたりもしました。「国家安全」の名のもと、また「社会秩序」を維持するため、残虐行為が許されてきました。

その次は「アーティチョーク」計画でした。ＣＩＡは尋問方法の研究をしていました。「アーティチョーク」計画は、１９５１年8月20日から「ブルーバード」計画を引き継いだもので、科学諜報部が担当しました。リチャード・ヘルムスからＣＩＡ長官アレン・ダレスへ渡ったメモでは、アンティチョーク計画は１９５３年4月20日から「ＭＫウルトラ」計画になるとのことでした。しかし、アーティチョーク計画では、催眠術、モルヒネ依存の強制および依存状態からの脱却、記憶喪失を引き起こす化学物質などが研究されました。有名なマジシャンに相談することもありました。おそらく、そのためマジシャンのジェームズ・ランディは現在、超常現象の種明かしをしているのでしょう。私は会議で彼にお会いしたことがありますが、彼のアシスタントによりますと、彼は二つのＩＤを持っているとのことです。一度それを失くしましたが、発見され私の知人である教授のもとに持ち込まれました。彼の公式なＩＤ書類には本当の名前が記されていることを知っています。ランディが申し出ているように、超常現象を実証できる人が出てきても、彼は１０００ドルを支払わないでしょう。なぜなら、その現象がどのようになされたのか知らないとしても、それは詐欺の可能性があると述べているからです。さらに、彼はお金を持っていません。ユリ・ゲラーとの裁判での費用を支払うのに寄付をお願いしていました。何年も知らずにベッドの下に仕掛けられていた盗聴器によって実情を知っているひとが、彼の人格の別の側面を知りました。ランディ自身は強い霊能力を持っているようです。ＣＩＡは世界中のすべての霊能力者を管理下に置こうとしています。そのために、脅迫メールを送ることもあります。

ＣＩＡは専属の霊能力者を訓練し、東海岸で活動しているロシアの潜水艦を追跡したり、ロシアの地下軍事倉庫の場所を見つけたり、ロシアの軍事演習を追跡したり、透視能力を強化しています。公式には霊能力者は嘲りの対象となっていますが、そのようにして霊能力者には大した能力がないように思い込ませようとしているのです。

霊能力者は諜報機関に召集され管理下に置かれます。霊能力者は、５００cps以上のエネルギー場を持っていますが、霊能力（ある程度は誰にでも備わっている）を発揮できない人より複雑な分子格子構造を有しています。何らかの理由により、B型の方が他の血液型より、霊能力者には多いようです。

ほとんどの脳活動は1～100cpsで、心臓の活動は250cpsです。神経の共鳴周波数は360cpsです。雇われている霊能力者はマインド・コントロールを受けています。マインド・コントロールにより、諜報機関のコンピューターが霊能力者にメッセージを語らせます。諜報機関の脅威となる者は殺されます。このようなことは信じがたいでしょうが、私はいくつかの実例を知っています。

私が知っている最近のケースは、2011年の春フィンランドで起こりました。シルクという名前の友人はとても強い霊能力を持ち、頻繁にアストラル界に入り、私を含め多くの人々を助けました。彼女は幽体離脱した時、邪悪な諜報部員がアストラル次元で人々を攻撃するのを目撃したと述べました。シルクは文字通り、彼女が持つエネルギーを使ってその諜報部員たちと戦いました。また、私を攻撃している諜報部員について説明してくれました。私は攻撃されていたことを後で知りました。彼女はその攻撃を何度となく跳ね返してくれました。

春になってシルクが電話をよこしました。突然心臓に激しい痛みが走り、「これで終わりだ」

と思ったそうです。しかし、そうはなりませんでした。その痛みは警告でした。その2、3週間後シルクは肺塞栓で亡くなりました。奇妙なことに、4月15日に突然、だれも住んでいないノルウェーの近所の家で半旗が掲げられました。その家は、ある種の奇妙な行動のため「安全な家」と呼ばれていました。私はその半旗の意味が理解できませんでした。シルクが死亡したのは4月6日です――1＋5＝6だとわかりました。諜報機関はシンボルや数霊術をよく使います。知らない人にとっては、シンボルや数字は何の意味だかわかりませんが、それらは諜報機関の隠れた活動を示しています。彼らは、2、22、3、33、333、6、66、666、9、11、12、13、16、21、22、23、26、30、31、123の数字や三角形を彼らの活動の中で使います。これらの数字は、テロ行為、死亡日、埋葬日だけでなく、間違った請求書や改ざんされた政府文書が被害者に送られる日付などにも使用されます。また、電話番号や自動車のナンバープレート、ファックス番号、脅迫する日、ホテルの部屋番号などにも使われます。こういった番号を目にした時は気をつけてください。これは偶然ではなく、諜報機関の関与を示しています。

黄色と黒とかオレンジ色と黒を組み合わせた服に見られるカラーコードは、低い階層の新人を表すために使われます。そして、黒い服と黄色、オレンジ色、金色のネクタイの組み合わせもカラーコードです。私はかつて、ＶＩＰディナーの席で隣に座っている人に、オレンジ色のとがったネクタイをしているのはなぜか尋ねたことがあります。彼の答えは「勝ち組に入っていたいので」でした。最近彼は紫色のシャツと紫色のネクタイを身に着けています。ジョン・F・ケネディ大統領は１９６３年11月22日に暗殺されました。ニューヨークのツイン・タワーは９月11日に破壊されました。ノルウェーの二面的なテロ行為も22日に起こり、諜報機関のカラーコードと一致しています。

諜報部員が水道に毒性の物質を混ぜる時、オレンジ色をシグナルとして着色します。それは、人々に毒を与えた、ベトナムにおけるプロジェクト・オレンジに似ています。放射線のビームや電磁波を用いる時は、黄色をシグナルとします。電磁波による拷問の警告色です。私の友人は６日に進行がんで死亡しました。彼女は諜報機関に殺されるだろうと言っていました。彼女も霊能力者でした。３日に意識がなくなりました。３も６も諜報機関が犯罪行為を行う時に使うキーナンバーです。彼女は、ノルウェーとアメリカの諜報機関の「大物たち」を知りすぎていました。数年前、私はオーストラリア人リアン・ジャックの義父と電話で話しました。現在、「思考警察」というアイデアがあり、秘密のテクノロジーとされているそうです。そういった知識のない人にとっては、全く信じられないことでしょう。リアンは33歳独身で、多くの人を助けてきた透視能力者兼神霊治療家でした。彼女は一人で生活し日記をつけるという、諜報機関にとってはまたとない標的でした。彼らはそのような人を実験や嫌がらせの対象とします。１９９２年から彼女は「夢の中警察活動」というものに苦しめられました。

透視能力者がある発達レベルまで到達し、アストラル界に入れるようになると、政府系スパイ霊能力者はその人を注視するようになります。リアンには当初紳士的に近づいてきましたが、彼女は誘いを断りました。すると、彼らは彼女の胸に念力を送ってきました。しかし、彼女はそれを跳ね返しました。3回目は神経系への直接攻撃でした。彼女は致死性の放射線砲を見ました。それは彼女のエーテル体を貫きました。彼女の物理的身体は激しく振動し、神経系がまるで燃えるような苦痛に襲われました。リアンはそれを「味わい」ました。そして、水晶とアメジストを手に取り、放射線ビームはそれらに吸収されました。ビームが吸収された時、水晶は黄色を帯びました。

リアンは、諜報機関の霊能力者集団「夢の中警察」とのいきさつを公開しました。彼女はマイクロ波による「脳内音声」を遮断する瞑想を見つけました。脳内音声は諜報機関が人々に対して送信することがあります。彼女は一般市民に警告を発しました。

ある日、リアンがアパートで死亡しているのが見つかったと、両親は教えてくれました。司法解剖でも死因はわかりませんでした。しかし、テーブルの上にはコーヒーカップが二つあり、そのうちのひとつには口紅が付着していました。リアンは口紅を使わなかったと義母が言いました。

諜報機関が使用する毒は体内から検出できません。毒の多くはノルウェー産です。リアンは命を犠牲にしてまであらゆることを調べ、心理戦争テクノロジーを使用している軍部スパイや諜報機関が一般市民に使っている、この驚くべきテクノロジーを世の中に知らせようとしました。誰が次の犠牲者になるでしょうか？　リアンの信念は生き続けています。軍、諜報機関、消防署、警察、医療機関で働く一般スタッフは、子供、一人暮らしの女性、老人などの拷問に関与している上級スタッフの残虐行為をやめさせるほどの影響力を持ちません。上級スタッフたちは州知事、首相、内部告発者、作家、平和活動家などにあらゆる理由で目をつけ、暗殺しています。このような残虐行為から多くの人の目をそらすものは何かをアメリカ国民は知らねばなりません。彼らは様々な方法で、自らの組織の構成員さえ殺しますが、それが「通常の」死亡にしか見えないようにします。

ＭＫウルトラ計画で研究者は、任意に被験者を連れてきて、1時間後に効果を表す後催眠をかけて、飛行機を衝突させられるかどうか調べようとしました。諜報活動のどこに倫理や道徳があるのでしょうか？　組織の否定的側面には倫理も道徳もありません。個人への影響は、誤った噂やゴシップを広めるのと同じくらい簡単です。たとえば、「ストリートシアター」のようなやり方もあります。工作員のグループが道をふさぎ、笑ったり、侮蔑的な言葉で嘲笑したりするのです。加害者は、メディアやインターネットを通じて、人を貶めるような誤った情報を拡散することもできます。早朝や夜中に嫌がらせ電話をすることもあります。パルス変調マイクロ波を使って、痛み、動悸、歯痛、不安などを与えることもできますし、突然歯を抜けさせることもできます。MKウルトラ計画は、マインド・コントロール実験としては、世界で最も有名なプロジェクトでしょう。「公式には」1950年代から1960年代後半まで、CIAの化学諜報部が行ったことになっています。MKウルトラには、人の状態をコントロールしたり脳機能を変えるために多くの薬物方法が使われました。このような「プロジェクト」はもう存在しないと信じる人が本当にいるでしょうか？　それらは名前だけを変え存続しています。しかも、非倫理的な医師や軍の科学者、諜報機関がこれまで以上に洗練された手法で行っています。人間は心であって身体ではないというのがこのプロジェクトの基本的認識です。

目的は後催眠によって人をコントロールすることと、人を従わせてその人の基本的な道徳原則の逆を行うようコントロールすることです。「人格」が変えられるのでしょうか？　そうです。記憶喪失はどのような状況でも起こせますか？　はい、起こせます。非協力的な被験者を協力者に変え、個人認証サインとして記号を使用し、被験者へのコントロールを訓練不十分な諜報部員に引き継ぐことはできますか？　はい、それも可能です。

ＭＫウルトラ計画では、放射線、電気ショック、嫌がらせなどが認められています。最低限の文書化は行いましたが、ＭＫウルトラ計画へ細心の配慮が払われました。１９７７年上院公聴会で真実が明らかになった時、すでにほとんどのＭＫウルトラ関連文書は、リチャード・ヘルムスの命令によって廃棄されていました。しかし、すべて破棄されたわけではありません。そのため、非自発的な人体実験が今なお行われているという証拠は十分あります。

ＦＦＣＨＳはインターネットに要約を公開しました。以下にそれを記します。

ＦＦＣＨＳ（隠れた嫌がらせ・監視からの自由）
２００５年5月23日、月曜日、11時26分
ＯＫＩＭＣのウェブサイトから引用

行動コントロールの研究を行うため、アメリカ合衆国政府は現在、非倫理的で非自発的な人体実験を実施していると思われます。

この研究では、ヒトの行動を変えるため中枢神経系へ直接作用するよう、電磁波やエネルギー

ビームの生体効果を利用しています。

I．過去、アメリカ合衆国政府は、国家安全保障に重要と思われるテクノロジーを開発するため、非倫理的で非自発的な人体実験を行いました。

A．冷戦時代に始まった人体実験

1．「第二次世界大戦終戦時から1970年代にかけて、原子力委員会、国防省、軍およびCIA等は、囚人、麻薬中毒者、精神病患者、大学生、兵士およびバーの常連客を対象として、様々な政府主導の実験を遂行し、放射線、LSD、神経ガスや集中的電気ショック、長期にわたる「感覚遮断」などの影響を調べました。人間モルモットのうちの何人かは、何をされているのかわかっている者もいましたが、他の被験者は自分が実験対象になっていることすら知りませんでした」

「冷戦時代の実験」バドランスキ、グッド、ゲスト共著

『U．S．ニュース・ワールド・レポート』1994年1月24日

2．「この50年間、何十万という軍人が、同意もなく国防総省主導の人体実験や意図的な曝露実

験の被験者にされてきました。

アメリカ会計検査院は、１９９４年9月28日に報告書を公表しました。その報告書によれば、１９４０年から１９７４年の間、国防総省および他の国家安全保障機関は、危険物質を用いた試験や実験において、何十万というヒトを被験者として研究した、とあります。会計検査院は、秘密裏に行われた試験や実験もあると付け加えました。

「軍の研究は退役軍人の健康に危険を及ぼすか？　半世紀にわたる教訓」

『退役軍人問題に関する委員会のためのスタッフ・レポート』

１９９４年12月8日、合衆国上院、１０３回国会、第二セッション

3.「１９４４年から１９７４年まで、合衆国政府は、人体に対する放射線の影響を評価する実験を承認し資金提供しました。たとえば、施設に入った子供や成人の囚人などを被験者としました。治療効果のない全身放射線照射が行われた後、がんが発症して死亡した者もいます。避けることができたラドン曝露によって、４１０名のウラン鉱夫が肺がんで死亡しました。

治療効果がない場合でも研究者が患者の合意なく実験することは一般的でした。

実験を被験者から隠すことが単に決まりごとだと委員会が考えていたことは、おそらく最も重要でしょう」

「決定：害も不正もなかった」ダニエル・ゴードン著

『ブルテン・オブ・アカデミック・サイエンティスト』51号、1996年1月／2月、No.1

4.「1993年、政府活動委員会は冷戦期における放射線実験を調査し始めました。放射線実験は冷戦期の負の遺産です。我々の政府は同意もなく市民に対して行う放射線実験に資金を提供していました。市民は自分たちが被験者となって実験が行われていることを知りませんでしたし、同意もしていませんでした」

アメリカ上院議員ジョン・グレン

「提出する法案と両院合同決議に関する説明」（1997年1月22日、上院にて）

『ヒトを対象とする研究における被験者保護法提出についての説明』

5.「2年ほど前、上院衛生小委員会で、CIAが行う人体実験についてのぞっとするような証言が発表されました。CIA副長官は、30以上の大学と施設が広範な試験や実験プログラムに関与したと述べました。その中には、あらゆる社会階層の知らされていない市民やアメリカ先住民、外国人を対象とした秘密の薬物投与実験も含まれていました。いくつかの試験や実験では、知らされていない市民に対して、社会生活を営む中でLSDの投与が行われました。

CIAは、同意もなく市民に薬物を投与していました。CIAは大学の施設や人員を気づかれないまま利用していました」
「ＭＫウルトラ計画――ＣＩＡによる行動変容プログラム」
アメリカ上院議員エドワード・ケネディの証言
『諜報に関する特別委員会の前の合同公聴会』（１９７７年、95回国会、上院）

Ｂ．アメリカ合衆国政府は、冷戦が終結した後も非倫理的で非自発的な人体実験を継続していました。

１．１９９４年の上院公聴会において、ロックフェラー上院議員は、１９９１年の湾岸戦争で行ったアメリカ兵士に対する実験的薬物投与試験に関して、次のような発言をしました。
「湾岸戦争の際、何十万という兵士が実験的なワクチンや薬物を投与されました……。国防総省は社会をとりまく空気に神経を尖らし……、潜在的な危険への警告を怠り、実質何の警告もせず安全措置もとらずに薬物を投与しました」
ジョン・Ｄ・ロックフェラー４世上院議員
「退役軍人問題に関する委員会」
『１９９４年５月６日上院公聴会』

1994年後半に、退役軍人問題に関する上院委員会の委員は、政府の研究にアメリカ兵士を使用したことについての調査報告書を公開しました。この報告書は委員の大半の意見を反映しており、次のように結論づけています。

「被験薬投与の目的は治療であり研究ではないと、国防総省は正確でない主張のしかたをしました。国防総省は、有効ではないやり方で湾岸戦争時に被験薬を使用しました……。現在も兵士が直面する様々な危険について事実を歪曲する手法を採っています」

「軍の研究は退役軍人の健康に危険を及ぼすか？　半世紀にわたる教訓」

『退役軍人問題に関する委員会のためのスタッフ・レポート』

1994年12月8日、103回国会、第二セッション、上院

2．1990年から1991年まで、疾病管理センターは、ロサンゼルスにおいて、1200人の小児を対象とした、試験的なはしかワクチンの研究を行いました。その子供たちの親から、子供の試験参加に関するインフォームド・コンセントを取得していませんでした。この研究は次の点で実験的です。

・アメリカで使用認可がおりていない、はしかウィルス「エドモンストン・ザグレブ株」が投与されました。

・実験的な高用量のワクチンが投与されました。

・アメリカでは、15か月未満の小児にはしかワクチンは推奨されていないにもかかわらず、1歳以下の小児にこのワクチンを投与しました。

・親からインフォームド・コンセントを得ずに小児を研究に組み入れたというニュースは1996年に発表されました。小児科医向け雑誌「小児の感染症」では次のように報告されています。

「……この研究に組み入れられた小児の親に渡されたインフォームド・コンセント用紙では、このワクチンがFDAによって再検討中であることと、アメリカで使用認可されていないことが明らかではありませんでした。このワクチンによりセネガル、ギニア、ビサウ、ハイチで死亡率が異常に高いとの報告を受け、この試験は開始から18か月後の1991年に中止となりました」

［ウォルター・オルテンセンMDは、疾病管理センター、国家予防接種プログラムの責任者です。記事には、次のような彼の発言が引用されています］

「我々は、このワクチンには実際のところ気がかりな面があることを親たちに告げませんでした。これは重大な過ちです。親たちは、子供が研究に組み入れられていることに気づいていませんでした。また、潜在的な副作用についても完全な情報が与えられていませんでした。この一連の出来事は、ヒト被験者を保護する現在のシステムの妥当性について、大変深刻な問題を提起しています」

……プレーン・ディーラー紙は、合衆国政府がインフォームド・コンセントを得ていない研究に資金提供を続けているという、多くの証拠を暴露しました。この事実に私はとても困惑しました。

現在のルールや行政命令のもとでは、秘密研究に対するインフォームド・コンセントや、IRBによる見直しを破棄できます。

上院議員ジョン・グレン

ヒトを対象とする研究の被験者を保護する法律を提出するための発言

提出する法案と両院合同決議に関する説明（1997年、1月22日、アメリカ合衆国上院）

上院議員グレン氏が提出する法案の文面で彼は、ヒトを対象とする研究の被験者に対する現在の保護策には、次に示すような特定の欠陥があると指摘しました。

（a）知見：国会は下記の知見を示しました。

（5）1995年大統領領諮問委員会は、ヒトを対象とする放射線実験において、ヒト被験者を保護するシステムのある部分に重大な欠陥があることを明らかにしました。特に、現在使用されている同意文書には、道徳的に重要な部分で欠陥が存在すると指摘しました。

（7）合衆国政府には、ヒト被験者を対象とする研究に資金提供している機関もありますが、そのような機関は、連邦規則集45編46章の共通規則を採用していません。

（8）政府からの資金提供を受けていない、または薬物や機器に関するＦＤＡの認可を求めていない民間人または民間機関において、ヒトを被験者とする研究に資金提供するものは、連邦規則集45編46章に従わなくてもよい。

（10）第1項から第9項まであるにもかかわらず、アメリカの法律には、ヒトを被験者にする研究においてインフォームド・コンセントと独立機関の検討を明確に義務づけた条項はありません。

１９９７年版ヒトを対象とする研究の被験者を保護する法律（上院に提出された）Ｓ．１９３．

第１０５回国会第一セッション

「１９９７年版ヒトを対象とする研究の被験者を保護する法律」は承認されませんでした。

Ｂ．２００2年6月8日、アメリカ下院議員ダイアナ・ディジェットは、ヒトを対象とする研究の被験者を保護する法律２０００年版を下院に提出しました。この法案は、グレン上院議員が上院に提出した「１９９７年版ヒトを対象とする研究の被験者を保護する法律」に類似しています。小さな相違はありますが、２０００年版は、１９９7年版の文面にある、上述の（5）（7）（8）（10）を含んでいました。下院議員ディジェットが提出した２０００年版は承認されませんでした。

Ｃ．２００３年11月21日、下院議員ディジェットは、「研究における被験者保護法」２００３年版という法案を下院に提出しました。特に、「研究における被験者保護法」２００３年版の条文には次のような一節があります。「主任研究者は、共通規則の規定を例外として、ヒトを対象とする研究の被験者として個人を組み入れてはならない。但し、主任研究者または十分に知識を有する研究者が、その個人から被験者になることを承諾するインフォームド・コンセントを獲得した場合はその限りではない」

２００３年12月4日、「研究における被験者保護法案」はエネルギーおよび商取引に関する下院委員会の保健に関する小委員会に送付され検討されました。

「ヒトを対象とする研究に個人を組み入れる場合、インフォームド・コンセントを取得しなければならない、という特別な条項を備えた『研究における被験者保護法案』が提出されたことは、アメリカで非自発的人体実験が問題となっていることを示唆しています」

Ⅲ．冷戦時、アメリカ合衆国政府は行動コントロールの研究を主導しました。行動コントロールの分野で技能を獲得することは国家安全保障にとって重要だと判断したからです。ソ連と中国はこの分野で先行していると考えられており、それに肩を並べ、対策を考える必要がありました。このような研究を行っている組織は、知らされていない被験者を研究に組み入れなければ研究の進展が望めないこと、そして行動コントロール分野で成果を得ることが国家安全保障にもたらす重要性を説くことによって、知らされていない被験者を研究に組み入れるという、倫理的および法的侵害を正当化しました。

A．1951年6月1日、アメリカ、カナダ、イギリスの軍および諜報機関の最高幹部は、共産主義国が「人の心への介入」に成功したというゾッとするような報告に触発されて、著名な心理学者たちを集め、モントリオールのリッツカールトンホテルで秘密の会合を開きました。ソ連は、舌鋒鋭い反共産主義者であるハンガリーのジェセフ・カーディナル・ミンゼンティを捕らえ、スパイ活動を告白させました。彼らは、政敵を洗脳したり、国民全体の思考をコントロールすることさえできたようです。共産主義者たちは、神秘的なブレークスルーを果たした結果、マインド・コントロールに成功したのだとアメリカの研究者たちは確信しました。9月になると、アメリカ人捕虜が北朝鮮で洗脳されているという報告に駆り立てられたアメリカの政府系科学者は、行動変容に関する緊急の極秘研究プログラムを提案しました。マインド・コントロール分野での遅れを取り戻す膨大な努力の一環として、薬物、催眠術、電気ショック、ロボトミーなどすべてが研究される予定となりました。

「冷戦時の実験」バドランスキ、グッド、ゲスト共著。
『U.S.ニュース・アンド・ワールドレポート』1994年1月24日

B．MKウルトラ計画は、化学的、生物学的物質の研究開発を行う、CIAの最重要プログラムでした。MKウルトラ計画は、人間の行動をコントロールする秘密工作において使用可能な化学的、生物学的、あるいは放射線学的物質の研究開発に関与しました。
［1963年7月26日、CIA総括監察官から長官への覚書］

MKウルトラ計画は、1953年4月13日ヘルムス計画担当副長官（ADDP）の提案に沿う形で、CIA長官が承認しました。

……10年以上にわたるプログラムを通じて、MKウルトラ計画認可書のもと、人間コントロールを目的とする様々な方法が妥当な研究であると認められるようになりました。その中には、放射線、電気ショック、様々な分野の心理学、人類学、精神医学、社会学、筆跡学、嫌がらせ物質、準軍事的デバイスおよび物質などが挙げられる。

LSDは、MKウルトラ計画に使用された化学物質のひとつです。LSDテストの最終段階では、CIAに依頼された麻薬局覆面スタッフが、知らされていない非自発的被験者に対して、日常生活の状況でLSDの不正な投与を行っていました。

承認された化学的手順に則って物質をテストするだけでは、作戦遂行中に起こりうる反応や性質のすべてを明らかにできない、というのが人体実験の論拠です。

[ＭＫウルトラ計画に関する総括監査官報告、P.21、１９６３年]

１９４０年代後半から１９５０年初めにかけて、ソ連、中国など共産主義諸国の活動によって生じる脅威に対して不安が広がりました。共産主義諸国における化学物質、生物学的物質の使用に対するアメリカの不安は深刻でした。敵対国が同盟国の人民に対して行う尋問、洗脳、嫌がらせ、傷害、殺人などに化学的・生物学的物質を使用していると考えられていましたので、防御的プログラムを実行しようとする圧力が高まりました。その研究を通じて、諜報コミュニティーが、それらの物質の作用メカニズムやその効果を無効にする方法を理解できるようになると考えられました。

計画担当副長官であったリチャード・ヘルムスは、知らされていない被験者を使う実験の中止を結論づけた話し合いの最中に、ＣＩＡ副長官あてに手紙を書いていました。文面は次の通りです。「個人のプライバシーや法的権利を侵すことが多いプログラムについて、不安や嫌悪を抱くのは仕方がありません。ですが、ＣＩＡはＭＫウルトラ計画で中心的役割を果たし、人間の行動を操る敵国の能力に追いつく必要があります。そうやって攻撃力を維持しなければなりません」

［計画担当副長官からＣＩＡ副長官への覚書。P.２１３、１９６３年、12／17］

……１９６３年12月17日、ヘルムス計画担当副長官はＤＤＣＩにメモを書きました。ＤＤＣＩは、総括監察官と会計監査部長とともに秘密の試験に反対していました。ヘルムスは二つの問題を提起しました。
（１）「10年以上の間、諜報機関は、人々の行動に対する影響力を維持するという任務を遂行してきました」
（２）「この任務を推進する上での試験配置は、運用上現実的にすべきですが、可能なかぎりコントロール可能なものにしなければなりません」
作戦上のターゲットが気づいていない時に行動に影響を与えるため、材料を意図的に使用することを考慮に入れると、個人には研究のことを知らせてはならないと思います。それが、私たちのマインド・コントロール能力を維持する唯一の現実的な方法だとヘルムスは主張しました。被験者に知らせてしまうとプログラムが形式的になってしまい、誤った達成感や用意周到感を抱いてしまうだろうと述べました。

［総括監察官が用意した記録に対する覚書、１９６３年、５月15日］

秘密テストを一時停止にしたことにより現実的なテストを行っていないため、薬物を使ったCIAの積極的な作戦能力は低下しています。最先端の知識は増えているので、ソ連に追いつけません。

［ヘルムス計画担当副長官からDCIへの覚書、P.1～2、1964年6月9日］

MKウルトラ計画、CIAによる行動変容プログラム

Appendix A. XVII

諜報機関による科学的・生物学的薬物試験とその使用

諜報に関する特別委員会の前の合同公聴会、95回国会、上院、1977年

C．医師でもある元CIAのシドニー・ゴットリーブによれば、MKウルトラ計画は、気づかれない方法で人間の行動を変えることができるかどうか、そして、その方法は何かについての研究である。ゴットリーブによれば、ソ連と中国は、アメリカが理解していないやり方で、人間の行動を変える技術を使っているかもしれない、とCIAは考えていました。

「諜報機関がこの分野でできることを、高い優先順位から確立することは義務であり、緊急の課題だと感じました」とゴットリーブは証言しました。多くの被験者は知らされておらず保護もされていませんでした。このことを弁護してゴットリーブは、「……振り返ってみると残酷なことのように思えるかもしれませんが、国家の存続がかかっている問題では、そのようなやり方やり

スクは当然のことと感じていました」と述べました。

「軍の研究は退役軍人の健康に危険を及ぼすか？ 半世紀にわたる教訓」

『退役軍人問題に関する委員会のためのスタッフ・レポート』

　１０３回国会、第二セッション、上院、１９９４年12月８日

Ⅳ．アメリカ合衆国政府は、再び行動コントロールの研究を主導しています。現在の研究では、人間の行動に影響を与えるために、電磁波とエネルギービームの生体効果を用いて、直接中枢神経系に働きかけます。

A．人間の行動に影響を与えるために、電磁波やエネルギービームを応用することは将来的な研究にとって可能な分野であると、合衆国政府と提携している研究者は考えています。

1．ＭＫウルトラ計画は、化学的・生物学的薬物を研究開発する、ＣＩＡの主要プログラムでした。
　10年以上にわたるプログラムを通じて、ＭＫウルトラ計画認可書のもと、人間コントロールに向けた様々な方法が妥当な研究であると認められるようになりました。その中には、放射線、電気ショック、様々な分野の心理学、人類学、精神医学、社会学、筆跡学、嫌がらせ物質、準軍事

的デバイスおよび物質などが利用されました。
［MKウルトラに関する総括監査官レポート、P.4、１９６３年」
「CIAの行動変容プログラム　MKウルトラ計画　Appendix A. XVII」
諜報機関による化学的・生物学的薬物の試験とその使用
諜報に関する特別委員会の前の合同公聴会
95回国会、上院、１９７７年

2.「電気ショック療法の経験、RFR実験などにより電気的臓器である脳についての理解が深まったため、電磁波を用いてある行動を妨げたり、行動を方向づけたりできる可能性が示唆されています。
……はじめに注目されたのは、熱負荷や電磁波の効果によって人間の行動を妨げることでした。次に、精神機能を方向づけたり引き出したりできるのではないかということが問題になってきました。外的に電磁波を用いることによって、敵の行動を防御したり、紛争が始まる前に情報を収集できるという革命的な技術が可能になるかもしれないと考えました」
「航空システムのためのバイオテクノロジー研究の必要条件に関する最終レポート」VOL1、VOL2、P188、189
サウスウエスト・リサーチ・センター、サンアントニオ、テキサス

B．人間の行動に影響を与えるため、電磁波やエネルギービームを利用する研究について unclassified ニュースメディアが報道しました。

1．多数の新規契約が許可され、エネルギービームの「生体効果」に関する政府の研究に、援助を受けた科学者が人間の行動に影響を与える電磁波波長、音波波長を探しています。

……1980年から1989年まで、エルドン・バードがアメリカ海兵隊非殺傷電磁波兵器プロジェクトを遂行しました。彼は、MDベセスダにある軍放射線生物学研究所で、彼の研究の大半を指揮しました。「私たちは脳の電気活動に注目し、どのように影響を与えるか考えていました」とバードは述べました。バードは医用工学と生体効果についての専門家ですが、オボレンスキが行ったボルテックス兵器の研究など、小さな研究プロジェクトにも資金提供しました。オボレンスキは動物実験のみならず、自分自身も実験台にし、外界から作用する電磁波と脳波が同期するかどうか調べました（同期することは明らかになりましたが、長く続きませんでした）。

バードは、ラジオ波より低い低周波電磁波を照射することにより、脳から行動規制的な化学物質が放出されることを明らかにしました。「低周波電磁波を動物に当てて、昏迷状態にすることができました」と彼は言いました。

「夢の兵器：国防総省による非殺傷兵器の研究が驚異的。しかし、それは賢明な選択なのか？」ダグラス・パスタナク著。

『U.S.ニュース・アンド・ワールドレポート』１９７７年、７月７日

2.「この本で提示された兵器は、ＮＡＴＯやアメリカなど様々な国が開発に取り組んでいます。ある種の通常兵器に関する会議（非人道的兵器会議ともいう）。現在検討されている非殺傷兵器の多くには、その効果を得るために、非可聴音や電磁波が利用されています。その電磁波には、レーザーやマイクロ波、電波、脳波周波数パルスの可視光線などが含まれます。これらの兵器を使用すると、一時的または永久的な盲目状態にさせたり、精神過程に干渉したり、行動や感情応答を変更したりできると言われています。また、発作、ひどい痛み、めまい、吐き気、下痢を引き起こしたり、様々な内臓機能障害を生じさせると言われています」
「非殺傷兵器によって、平和条約が破棄される可能性がある」バーバラ・ハッテ・ローゼンバーグ博士著
『ブルテン・オブ・アトミック・サイエンティスト』44ページ、１９９４年9、10号

3.「ロシア政府は１９７０年代に開発したマインド・コントロール技術を完成させようとしています。この技術を使えば、味方の戦闘能力を高め、敵の士気を低下させ戦闘不能にできるかも

しれません。アメリカとロシアの消息筋によると、音響精神修正という名前で知られる技術、市民や兵士をマインド・コントロールし行動を修正する技術をアメリカの軍、医療および政府官僚が持とうとしています。

……しばらくすると、アメリカ陸軍兵器研究開発エンジニアリングセンターが、ロシアが示した効果に匹敵する音響ビーム技術について、1年間の研究をすることになっています」
「アメリカはロシアのマインド・コントロール技術を研究している」バーバラ・オポール著
『国防ニュース』1月11‐17日号、1993年

4．国防総省高等研究計画局の先端センサー部副部長のリチャード・S・セサロが、2年前に死亡する前のインタビューで次のように主張しました。
「我々は実験で驚くべき成果を成し遂げました。マイクロ波を使えば、脳の中に入り込めることも私の中では疑いようがありません。本当にブレークスルーを得たいのであれば、これまで作られてきたあらゆる爆弾よりすぐれたものがあります。最終的に、あなたはマインド・コントロールに言及しているのですから……」
「モスクワシグナルを見よ、アメリカ大使館を打ちのめして35年後、ミステリーはまだ続いている」バートン・ペパート著

『AP通信』1988年5月22日

V．過去の行動コントロール研究のように、電磁波やエネルギービームを利用して人間の行動に影響を与える技術を獲得することは、アメリカの国家安全保障にとって非常に重要であると考えられているようです。

A．「d」で述べたように、アメリカ合衆国政府は現在、マインド・コントロール分野の研究を行っています。

B．元国防総省高官は、電磁波やエネルギービームの生体効果に基づく行動コントロール技術は、潜在的にしかも革命的に軍事部門にとって重要であると公式に言及しました。

国防総省高等研究計画局の先端センサー部副部長のリチャード・S・セサロが2年前に死亡する前のインタビューで次のように主張しました。

「我々は実験で驚くべき成果を成し遂げました。マイクロ波を使えば、脳の中に入り込めることも私の中では疑いようがありません。本当にブレークスルーを得たいのであれば、これまでつくられてきたあらゆる爆弾よりすぐれたものがあります。最終的に、あなたはマインド・コントロールに言及しているのですから……」

「モスクワのシグナルを見る、35年後大使館を打ちのめす　ミステリーはまだ残っている」バートン・ペパート著
　ＡＰ通信、１９８８年5月22日

C．人間の行動コントロールに、電磁波やエネルギービームの生体効果を応用しようとしのぎを削る外国の研究努力について、アメリカのニュースメディアは警告的に報道しています。

1．「ロシア政府は１９７０年代に開発したマインド・コントロール技術を完成させつつあります。この技術を使えば、味方の戦闘能力を高め、敵の士気を低下させ戦闘不能にできるかもしれません。アメリカとロシアの消息筋によると、『音響的精神修正』という技術、すなわち市民や兵士をマインド・コントロールし行動を修正する技術をアメリカの軍、医療、政府高官が持とうとしています。音響的精神修正は、政府出資のモスクワ医学アカデミー精神修正部が開発しました。この技術は、空電帯やホワイトノイズ帯を利用して、特定の命令を人間の潜在意識に送信するという技術で、他の知的機能を刺激しません。

　さらに、精神修正技術開発に何十年もの研究と膨大な資金をつぎ込んだ結果、協力的であろう

となかろうと、被験者の行動を変えられるまでになったと専門家は言っています。

少なくともひとりのベテラン上院議員や政府諜報機関高官、アメリカ陸軍作戦計画、兵器開発室は、ロシアの能力について興味を示しているとアメリカの消息筋は言及しました。

……しばらくすれば、アメリカ陸軍兵器研究開発エンジニアリングセンターが、ロシアが示した効果に匹敵する音響ビーム技術について、1年間の研究をすることになっています。

2．1998年陸軍士官学校季刊誌に掲載された記事「心にファイヤーウォールはない」は、以下のようにロシア陸軍高官の引用から始まっています。

「そのような兵器を最初に開発した国が、比較にならないほど優位な立場に立つことは間違いない」

ロシア陸軍少佐I・チェルニシェフ

「権力者は『ゾンビ』を作り世界を征服できるか?」I・チェルニシェフ著

『オリエンティア』P.58〜62、1999年2月

そして記事は次のように続きます。

「最近ロシア軍の雑誌の記事に、その問題に対する少し異なった見方が示されていました。人類は、心と体を標的とした精神工学的戦争の危機に瀕しています」というものでした。その記事では、ロシアや諸外国が、ＶＨＦジェネレーターや「ノイズレスカセット」を使って、人間の精神――身体状況、意思決定プロセスをコントロールしようと試みていることが考察されています。サブリミナル・メッセージを導入したり、身体における心理学的能力や情報処理能力を変えたりするデバイスを用いた新しい兵器を使用すれば、人間を無力化できる可能性があります。このような兵器の目的は、精神をコントロールまたは変更したり、あるいは人間の感覚システムや情報処理システムを攻撃したりすることです。

「サイコテロリズム」はモスクワ反精神工学センター所属のロシア人作家Ｎ・アニシモフの造語です。アニシモフは、「向精神兵器は、脳に貯蔵されている情報を除去するよう働きます。その情報はコンピューターに送られ、人間をコントロールする必要がある人々にとって必要となるレベルにまで再利用されます。改変した情報はそのあと脳に戻されます」と述べました。このような兵器は心に対して使われ、厳格、病気、細胞変異、「ゾンビ化」あるいは死さえもたらします。兵器には、ＶＨＦジェネレーター、Ｘ線、超音波、電波などがあります。ロシアの陸軍少佐Ｉ・チェルニシェフは、１９９７年2月に陸軍の雑誌「オリエンティア」に投稿し、世界中で「精神工学」兵器が開発中であると断言しました。

このような研究が継続していることをアメリカの研究者たちは確認しています。「兵士の最先端」の共著者であるジャネット・モリス博士は1991年、モスクワ精神相互作用研究所へ行ったと伝えられています。そこで彼はある技術を目にしました。それは、研究者が人間の心に影響を与えるため人間の心を分析している、モスクワ医科大学精神修正部が開発したものです。

「心にファイヤーウォールはない」ティモシー・L・トーマス著

『パラメータ』（季刊アメリカ陸軍戦争大学）P.84～92、1988年春。

3.「アメリカでは特定の情報処理装置にほとんど注目が注がれていません。心という情報処理装置の安全について注意が払われていません。心には残念ながら生来のファイヤーウォールがなく、詐欺や電磁波による操作から守ることができません。したがって、戦場で戦う兵士の心は、潜在的に最も利用しやすく保護されていない、「情報戦争」における素材といえるでしょう」

……中国とロシアは、ハードウェア技術や情報処理装置、コンピューターネットワーク、「システムのシステム」開発について研究してきた上に、心というこれまでにない情報戦争の標的に注目しました。

……本稿では、中国の心理戦争や知識概念（情報時代が中国文化に与える影響）、そして新しいコンセプトの兵器（様々な非殺傷兵器）を検討します。また、ロシアも検討対象とし、情報心理学的作戦や反射的コントロール、「知的情報戦争」の戦略の発達、ならびに人間の行動コントロールのメカニズムについて考察します。

……ロシアにおける情報戦争モデル構築者は、情報兵器の利用を予想しようとしています。彼らは個人の精神の情報モデルを研究し、他の人々、社会集団などの要素との相互作用をシミュレーションしようと試みています。道徳心理的安定性を確保する方法の形成が、ロシアのモデル構築者にとって重要です。抵抗する意志を抑圧したり、倫理操作や思考再編成を通じて精神をゾンビ化したり、行動を再プログラムしたり、人々の士気の低下、心理的侮辱などが情報兵器の目的ですが、彼らはこの目的を無効化したいのです。

ロシア軍は奇妙なものを数多く研究していました。そのほとんどが、情報や電磁波の心に対する影響に焦点が当てられていました。

他の言葉を借りれば、ロシアでは心を動かすものは何か、心をコントロールする方法は何かを徹底的に研究していると言えます。

「ヒューマン・ネットワークへの攻撃」ティモシー・L・トーマス著
『ミリタリー・レビュー』１９９９年９・10月号

注記：『ミリタリー・レビュー』はアメリカ陸軍司令官・一般幕僚大学の公式発行物です。

4．「スタンフォード大学のフィリップ・シンバルドは、より邪悪な行動変容技術について引用しています。『ソ連の科学者は脳に低周波電波を浴びせる装置を完成させつつあります。空気中を走る電波は長距離を移動でき、動物や人間に照射されると行動を変化させられることが知られています。このような遠隔コントロール技術を用いれば、脳機能を変更するといった恐ろしい使い方が可能になります。』」
「思考コントロール」スタンリー・N・ウェルボン著
『USニュース・アンド・ワールドレポート』

5．「1983年5月20日、アメリカの新聞各紙は、AP通信経由で退役軍人病院とカリフォルニア州ロマリンダの話を掲載しました。ソ連が人間の脳に電波を浴びせかける『リダ』という装置を開発しました。
……リダは動物の行動を変えると報じられています。

……何度もソ連を訪れたことがあるアデイ博士によれば、ソ連は少なくとも1960年から電磁波照射装置を使っています。その装置は、『遠隔パルス治療装置』として技術的に説明されています。この装置は40メガヘルツの電波を発生させ、かなりの低周波で脳の電磁気活動を刺激します。

最新型の電波照射装置を用いて、ソ連から電波を放ちアメリカ人の行動に変化が現れるかを秘密裏に調べている可能性があると考える人もいます」とアデイ博士は述べました。

……アメリカでは脳波に関する研究はやっと始まったばかりです。ですから、ソ連はだいたい25年くらい先を行っています。その新しい技術が成熟すれば、医学の世界で尋常じゃないほど重要になるでしょう。この技術はまた、通信、諜報、心理工作に重大な影響を与えるでしょう。また、故意に生理学的障害を引き起こせるかもしれません。

KGBがこの電波照射プロジェクトに興味を持っていることは知られています。アメリカや他国の政府が、ソ連が放つ秘密の電波照射のターゲットになっていることを調査しているのかは不明です。その対抗策についての取り組みを検討していないようです。但し、ソ連国内ではわかりません」

「サイ・ウォー　ソ連の装置実験」ステファン・T・ポソニー

『日刊国防および外交問題』P.1~2、1983年6月7日

6. 敵に衝撃を与えるよう設計した、心を変容させるソ連の技術は先進的です。使われている技術としては、視覚情報や音、におい、温度、電磁気エネルギーを生じさせたり、感覚はく奪を行う心理的兵器を使うことにより、人間の行動を操縦することも含まれています。

……ソ連の研究者は、コントロールされた行動を研究し、人に対する電磁波照射の影響を調べ、この技術をモスクワのアメリカ大使館に向けて使用しました。特定の低周波電磁波は、精神活性的特徴を持つと研究者は示しています。人々に抑うつ状態や興奮状態をもたらすために、この電磁波照射を利用することも可能です。低周波電波による大規模な行動変容工作は恐ろしい影響を与えるでしょう。

「新しい精神的戦争」アメリカ陸軍博士ジョン・B・アレキサンダー著

『ミリタリー・レビュー』１９８０年12月

注記：『ミリタリー・レビュー』は、アメリカ陸軍司令官・一般幕僚大学の公式発行物です。

7.「新規公開されたアメリカ国防情報局の報告書では、ソ連によるマイクロ波の広範な研究によって行動の混乱、神経障害あるいは心臓発作さえ発症させる方法が見いだされるかもしれませ

ん」

ソ連と東欧諸国が行った実験の分析に基づき、この報告書では次のように報告されています。「ソ連の科学者は、攻撃的な兵器にもなる低周波マイクロ波の生物学的影響を熟知しています」

上記の実験は、対人兵器開発の可能性を示唆していると研究で指摘されています。

国防情報局は、情報公開法に基づく請求に応えて、1件の研究をAP通信に提供しました。しかし、研究のある部分の情報については公開を拒否しました。その部分は国家安全保障に分類されるという理由でした。国防情報局の報告書の中で、「ソ連の研究は、軍や外交官の行動パターンを混乱させるシステム開発につながる可能性が大いにあります。また、尋問ツールとして使用可能です」と結論づけています。報告書によれば、ソ連はマイクロ波聴覚効果に加えて、マイクロ波照射による身体の様々な化学変化や脳機能の変化を研究しました。また、電磁波の他の周波数も調べました。

「心を変化させるマイクロ波　ソ連は見えない光線を研究している」
『ロサンゼルス・ヘラルド・イグザミナー、セクションA』１９７６年11月22日

Ⅵ．現在、昔のように、知らされていないターゲットもしくは非協力的なターゲットに対して行動コントロールを実現する研究を、知らされ同意した被験者を使って行うにはどのようにすればよいか、方法を見出しかねている。ヒトを対象とする非倫理的かつ非自発的研究をアメリカ合衆国政府が行ってきた歴史と、アメリカ連邦法や政策で被験者を十分に保護してこなかった歴史を踏まえておかなければならない。

したがって行動コントロールの研究に、知らされていない非自発的な被験者の組み入れを正当化するために国家安全保障が引き合いに出される可能性は高まっています。

Ⅶ．ヒトにおける非倫理的かつ非自発的研究が現在、非殺傷兵器および行動コントロールの研究のために、実施されている可能性を裏付ける要素はいくつかあります。

A．拷問に反対する世界機関は、「アメリカにおける拷問」という1998年の報告書の中で次のように述べています。「アメリカの活動家グループによる非倫理的なヒトを対象とする研究の告発は信用に値するもので、公平な調査をせずに片づけることはできない問題です」

「マイクロ波やレーザーなどのハイテク軍事兵器に関する新しい形の秘密研究に伴う、ヒトを対象とする非自発的実験について、同様の不安が持ち上がりました。この問題に取り組むグループが、承認されていない実験プロセスがあることを示す証拠がある中、ホワイトハウスの政府間の覚書（１９９７年3月27日）を引用しています。この覚書には、秘密研究のための非同意実験を禁止する強固なガイドラインが確立されています。しかし、それと同時に実際上このような実験は行われているでしょう。……政府が資金提供するヒトを対象とする秘密の実験に伴う不適切な行いに対する告発は、より徹底した公平な調査をしないで片づけることはできません、と示唆しています」

「アメリカにおける拷問」

『拷問に反対する世界機関』１９９８年

B．多くの専門家は、そのようなヒトを対象とする非自発的研究がアメリカで行われている可能性があると述べました。

1．電磁波兵器技術を用いた、ヒトを対象とする非自発的研究の告発を調査するための、シェリル・ウェルシュを支持するジョン・C・サイヤー教授からCAHRA（人権侵害に反対する市民団体）への手紙　１９９８年5月11日

関係者各位

私は、電磁波技術を用いたヒトを対象とする非合意実験に関して明確な判決を得ようとする（シェリル・ウェルシュらの）努力を支援するため、手紙を書いています。

人体に対するエネルギービームの影響は、もっとも高いレベルの理解と説明を要します。電磁波兵器に関して、アメリカ陸軍士官学校のスティーブン・メッツ教授は、「私たちはその問題について公開討論を行う必要があります」と述べました（シンガポール・ストレート・タイムズ、１９９７年7月18日）。シェリル・ウェルシュは今月後半に、カリフォルニア州立大学サクラメント校から法学士号を受けることになっています。ウェルシュは独自研究ながら、広範な文献にあたり、専門家の証言リストを作成しました。また、非合意実験の被害者に関するデータも収集しました。ウェルシュはこの問題に関する非営利研究組織を設立し、ＣＮＮやラーニング・チャンネルにも出演しこの問題を訴えました。ウェルシュの連絡先は、郵便番号９５６１６カリフォルニア州デービス、サラゴサ通り９１５です。彼女が集めた資料は、この問題をさらに本格的に調べるうえでの確固とした基礎資料になります。兵器開発には秘密性があるので、人権や公衆衛生が侵されないためにも、この種の実験は十分な調査が不可避であると考えます。政府職員ならびに政府の請負で働いている人には、高水準の説明責任を果たしてもらわなければなりません。非合意の電磁波実験に対する公的な調査は長い間遅滞しています。

（署名）

ジョン・C・サイヤー
カリフォルニア州立大学サクラメント校教授
Jストリート6000

2．1980年から1983年まで行われた、海兵隊非殺傷電磁波兵器開発プロジェクト元責任者エルドン・A・バード博士から、CAHRAの理事長シェリル・ウェルシュあての手紙が送付されました。
2002年1月8日

関係者各位

本推薦状は、技術と人物を紹介・支持するために作成しました。その人物とはシェリル・ウェルシュです。彼女は法学部生であり研究者でもあります。罪のない人々に苦痛を与える人権侵害について報告された、何千というケースの原因は何かを突き止めようと努力しています。これから言及する技術は、もし悪用されれば人権侵害を引き起こすような技術のことです。……彼女が調査している技術を用いれば、人間がマインド・コントロールの大規模な世界的実験の被験者にされる可能性が発生します。このような主張に証拠はありませんが、許可なく市民を実験台にしてきた過去の政府犯罪（たとえば、第三帝国など我が国を含む多くの政府が行った様々な人体実験の文書が残っています）を考慮に入れると、彼女の主張は妥当であると考えられます。

私はそれらの関連技術を評価する資格があると考えます。なぜなら、私は1980年代初頭、海兵隊非殺傷電磁波兵器開発プロジェクトの責任者であったからです。そのプロジェクトの中で、磁力線を用いて動物の行動を修正したり、遠隔的に人間の脳波に同調することが可能であると明らかにしました。それ以来技術は進歩し、電磁波による遺伝子操作が可能で実証できる段階にまで至っております。人間をマインド・コントロールする技術が存在することは疑問の余地がありません。

エルドン・A・バード

1997年6月18日に放送されたCNNのドキュメンタリー番組「アメリカン・エッジ」において、非営利団体CAHRA（人権侵害に反対する市民団体）は500人の被害者を擁していること、他の団体は何千人もがターゲットにされていると主張していることなどが報じられました。

今日の諜報機関や軍情報部は非常に間違った方向に進んでいます。キッシンジャー氏の発言からすると、彼は軍隊を便利に使える愚か者集団と考えています。軍部や諜報機関、消防隊の隊員はただ命令に従っているだけであり、善良な隊員も大勢います。すべての隊員が堕落して役立たずなわけではなく、善良な隊員の影響力が邪悪な隊員の影響力より小さいようです。あらゆる職業に「腐ったリンゴ」が存在するのは事実ですが、すべての職業が拷問や殺人に関与しているわけではありません。民間であれ軍隊であれ、諜報機関が平時に行う犯罪行為を彼ら自身は「国家への奉仕」だと考えています。そして、みずからを社会の屋台骨とさえ称しています。彼らの行動や態度は、マインド・コントロールによるものと説明できます。たとえば、0・05×0・05ミリの日立製RFID（電波を介して情報を読み取る非接触型の自動認識技術）チップを諜報部員の体の一部、首、手、耳、背中、歯、脳などにインプラントすれば、彼らは組織に忠実になるでしょう。マイクロチップをインプラントされた諜報部員は、思考、夢、潜在意識などすべてが24時間365日管理下に置かれます。毎秒280TFLOPS（毎秒280兆回の浮動小数点演算を実行）の速度で動くスーパーコンピューターからのスイッチひとつで、彼らを殺すこともできます。インプラントされた人々は、自分たちが何に関与しているのかわからなかったでしょうが、そのころ、新任当時のキャサリン・アルブレヒト博士は、マイクロチップが実験動物の1〜10%にがんを発生させたというハーバード大学での研究を発表しました。

MK作戦は多くのカテゴリーに分けられます。たとえば秘密裏の薬物投与、催眠、トラウマ・

コンディショニング、長期にわたる心理的拷問などがあります。この作戦に用いられる技術はすべての基本的人権を侵害します。否定できることは、秘密活動の第一原則です。精神疾患の症状に似せた拷問技術を使っていますので、マインド・コントロールの嫌がらせやその技術は完全に否定されています。精神科の世界では、「公式には」マインド・コントロールは存在しないことになっています。マスメディアも隠匿に関わっています。国家の犯罪が伝えられることはほぼゼロに近いです。さらに、裁判所も秘密の政府諜報機関に味方しています。世界中の一般市民に対して、政府と諜報機関は一種の詐欺、共謀を行っていると言えるでしょう。以上のように主要な問題は政治に関係しています。意志あるところに、道は開けます！　精神物理学的兵器の悪用に反対する活動家スヴェトラナ・シュミンは、２００９年にドイツのアトリンゲンで開かれた非致死性兵器に関する会議において、下記のメモを私に手渡しました。

ＭＫ兵器を使えば、「ロボット」と同じように何百万もの人々をマインド・コントロールできます。この精神物理学的兵器は戦場で使うために開発されました。それは、敵を奴隷化するものではなく、自国民を破滅に導くためのものでした。この精神物理学的兵器を用いれば完全に人間を奴隷化できます。人間は死さえ恐れぬよくしつけられた生体ロボットに変えられます。Ｗ・Ｍ・カンディバは、様々な人格からなるいわゆる「精神工学的マトリョーシカ」（戦争のために作られたロボット人間）が存在すると述べました。他の人格に切り替わればば行動も変わります。

http//litorsion2005.narod.ru

ロシアの科学者W・N・アシモフ氏は、精神物理学的兵器を使えば、離れていても人を殺すことができ、あらゆる慢性疾患を引き起こすこともできると指摘しています。また、人間を犯罪者に変えたり、狂人や責任能力のない人物に変えることも可能です。ほんの数秒でケンカさせることもでき、電車や車の大惨事を起こすことも可能です。気候を変動させたり、電子機器を破壊することもできるといいます。

精神物理学的兵器は精神に害を与えたり、運動協調や筋緊張にダメージを加えたり、生物の様々な生体システムの機能を変えることができます。また、人々をコントロールしたり、あらゆる生物を操作したり、大衆の人生観を変えることができます。精神物理学的プロセスを継続することによって、秘密裏に人々をコントロールし、あらゆるグループひいては社会全体の行動をコントロールすることもできます。この特殊な実験の被害者は、天才的な人々、軍人、公務員、運動選手、囚人、精神疾患患者、完全に健康な人など様々です。大都市から小さな市町村にいたるまで、この実験の対象者探しは行われています。

精神プログラミングは三つの段階から成ります。第一段階は脳コントロールです。第二段階は、標的人物の精神物理学的活動のコントロールです。第三段階は標的人物の破壊です。マインド・コントロールの最新テクノロジーの開発や管理における主要な競争相手は、過去も現在も米国とロシアです。このマインド・コントロール実験の例として下記のようなマインド・コントロールプロジェクトがあります。

MKULTRA、MKDELTA、MKNAOMI、MKSEARCH、BLUE BIRD、ARTICHOKE などはＣＩＡが主導し、薬物、電子的ショック、電気的ショック、低周波電磁波、高周波および超高周波の電磁波などを用いました。ホセ・デルガド博士は、愛—憎、同情—非情などの感情を喚起させる異なる刺激装置を開発することによって、上記の秘密プロジェクトに多大な貢献をしました。このような実験の目的は、人々の行動をコントロールできることを実証するためです。近距離から電磁波を人に向けて直接照射すれば、人の意志を完全に破壊できます。

このような兵器を所持しているのは誰か？

ヘレン・ブリニコワ・ウィアゼムスカヤ氏は、アメリカ、フランス、ドイツ、イスラエル、イギリス、中国などの国で、プリプログラミング法、すなわち精神コントロールおよびマインド・コントロールが軍事目的のために実行されてきた、と報告しました。ドイツでは、ボン大学とフライブルク大学でこの種の調査が行われています。イギリスでは、ケンブリッジ大学の心理学研究室、ロンドン大学で同様の調査が行われています。現在、最も効率的な技術は、アメリカ、イギリス、フランスの軍隊の兵器工場で使われているだけではありません。アメリカの科学者ニック・ベギーチ氏（『電子洗脳』の著者）は、新しい兵器が多数開発されたと著書に書いています。音響効果や脳への電気刺激を用いて人の行動をコントロールし、人間の行動、さらには人間の思考を、意図のよし悪しに関係なく操作することが可能であると述べています。

イギリスの著者であり精神物理学的実験の被害者でもあるジム・キース氏は、『マスコントロール　人間の意識を操作する』という本を書いています。その本では、どのような方法で遠距離から一般市民全体をマインド・コントロールすることができるかを記述しています。ジム・キース氏はさらに次のように述べています。「ターゲットとなる人々の脳に直接、感情、会話、潜在意識を送信する技術は、アメリカとソ連政府の武器として存在していました」

www.emiltessmer.de/script.html - 346k

ロシアの科学者であり教授、また被害者でもあるワシリー・レンスキー氏は、諜報機関が任意の市民を拷問種類別に継続的に監視している、と報告しています。その理由として、市民は何の理由もなく破壊リストに載せられているからです（ロシアには３０００万の市民がリストにあげられています）。被害者の拷問を行うために、非常に幅広い殺人者のネットワークが構築されています。それは、新聞などには一切載っておらず、ほんのわずかな人間しか知りません。巨大な軍隊です。医師は長い間、この犯罪に関与してきました。全体の司法制度は腐敗しており、犯罪者たちに味方しています。国際人権裁判所と国際刑事裁判所は、犯罪者の不正行為やテロリズムを隠蔽さえします。犯罪と犯罪者の歴史を俯瞰すると、ついに、これらはすべての国々へ浸透しました。これまでの人類史でこれほどの野蛮行為はなかったでしょう。

新しい「クリーンな武器」を綿密に調査するためには、連続殺人事件についてよく知らなければなりません。7年前のエルフルトの事件、ドイツ、ウイニンデンやアメリカの「チルドレンズ・ガーデン」で起こった最近の事件など、すべての犯罪に諜報機関が関与している可能性がありますが、これらの犯罪の真相を理解するためには十分な知識を持つことしかありません。これらの犯罪やテロリズムは組織的犯罪集団、フリーメーソン、セクトなどとともにＮＡＴＯ、諜報機関、軍隊などが行った可能性があります。私たち非殺傷兵器の被害者は、自分自身、配偶者、子供、孫に対して行われる非常に危険な実験から、諜報機関や軍隊が足を洗うことを望んでいます。狂った殺人鬼が非倫理的・非道徳的で、致命的な実験を行うことによって人々をコントロールし、殺すことは、もはや許されません。この状況は第三帝国と同じです。現在も同様のことが行われていますが、世界的規模でハイテク兵器が使用されているのです。この新しい種類の虐殺が存在することは許されません。この犯罪者たちは、国際裁判所で裁かれ責任をとらねばなりません。

私たちの協会は、精神物理学的兵器に関する法律の準備を真剣に検討しています。ヨーロッパでは、あらゆる種類の精神物理学的兵器の人間に対する使用を禁止する法律を、緊急に作る必要があります。また、諜報機関を監督する本物の権力や科学研究の管理が必要とされています。被害者は、身体的傷害や自由のはく奪などの犯罪に対して適用できる法律がなく、保護されることはないでしょう。ドイツとヨーロッパの被害者とともに私たちの協会は、欧州連合評議会と欧州司法裁判所で、この犯罪と虐殺を国際的に調査する委員会の設立を要求し、すべての犯罪組織や犯罪者を明らかにし罰するよう要望しています。したがって、私たちはこの問題を解決するため、この地球に住むすべての理性的な人々に私たちを支援・協力していただきたく思います。私たちの子供、ひいては未来の世代のためにも解決しなければなりません。私たちは、国家の指導者、政治家、メディアがこの問題に目を向け我々を支援することを求めています。まだ、緊急ブレーキをかけるのに遅くはありません。また、被害者が精神物理学的犯罪について暴露しやすくなるよう、ドイツおよび国際ジャーナリストたちが配慮してくれることを要望しています。全人類がこの問題の責任を担っています。犯罪者を保護し真実を隠すものは、間接的に共犯者であり犯罪者です。

www.psychophysischer.terror.de.tl
www.volkstribune.de.tl

私は1999年医学雑誌「スペキュラ」にマインド・コントロールに関する論文を発表しましたが、特別利益団体MENSAによれば、医学雑誌にこのテーマの論文が掲載されたのは世界で初めてということです。この論文は2005年に6か国語に翻訳され発表されました。のちに、13か国語に翻訳され発表されました。下記に掲載する論文は最初、フィンランドの雑誌「スペキュラ」の36年版（1999年第3四半期）に掲載されました。「スペキュラ」は北フィンランドのオウル大学の学生と博士が作成している雑誌です。この雑誌は、フィンランドのすべての医学生と北フィンランドの医学博士に送付されています。

マイクロチップインプラント、マインド・コントロール、サイバネティクス
ラウニ・リーナ・ルーカネン・キルデ医学博士
フィンランドの元最高医務責任者

ノーバート・ウィーナーは1948年に「サイバネティクス」を出版しました。サイバネティ

クスは神経学的通信と制御の理論と定義され、当時小さなサークルですでに使われていた言葉です。「情報社会の父」増田米二は、ジョージ・オーウェルの小説のように、我々の自由がサイバネティクスという未知の技術によって脅かされているという懸念を1980年に表明しています。サイバネティクスにより、人々の脳はマイクロチップインプラントを介して人工衛星とつながり、地上にあるスーパーコンピューターで制御されます。

初めて脳インプラントが外科的に実施されたのは、1874年米国オハイオ州とスウェーデンのストックホルムでした。ストックホルムでは1946年、両親に知らせることもなく、乳児の頭蓋骨内に脳電極が挿入されました。1950、60年代になると、動物や人間の脳に電極インプラントが行われるようになり、特に米国では、行動変容及び脳・身体機能の研究のために実施されました。マインド・コントロールは人間の行動と態度を変えるために使われました。そして、脳機能に影響を与えることは軍と諜報機関の重要な目標となりました。

30年前、脳インプラントはX線測定で1センチメートルのサイズでした。その後のインプラントは米粒大になりました。それらはシリコンで作られ、後にはガリウムヒ素で作られました。現在では首や背中に挿入できるほど十分小さく、患者の同意の有無に関係なく、外科手術中に静脈注射して挿入することもできます。それらを検出したり取り出すことはほとんど不可能です。

すべての新生児にマイクロチップを注入することは技術的に可能で、これにより一生彼らの本人確認が可能になるでしょう。この計画は米国で秘密裏に議論されており、プライバシーの問題を公表することもありません。スウェーデンでは1973年に、総理大臣オロフ・パルメが囚人へのインプラントを許可しました。データ検査委員会元委員長ジャン・フレーゼは、1980年代中ごろに、老人ホームの患者に対してインプラントを行ったことを暴露しました。この技術は、1972:47 STATENS OFFICIELLA UTRADNINGER（スウェーデン政府報告書）で明らかにされました。

インプラントされた人間はどこにいても追跡されます。スーパーコンピューターが彼らの脳機能を遠隔的にモニターし、周波数を変えることによって脳機能に修正を加えます。秘密の実験モルモットになるのは、囚人、兵士、精神病患者、障害児、聴覚視覚障害者、同性愛者、独身女性、高齢者、学童などで、エリートの実験者が「末端住民」とみなした任意のグループの人々です。例えばユタ州刑務所の囚人の体験が公表されましたが、良心的な人々にとっては衝撃的なものでした。

現在のマイクロチップは彼らを標的とする低周波数の電波により作動します。衛星の助けを借りて、インプラントされた人間は地球上のどこにいても追跡されます。このマイクロチップ技術は、イラク戦争でテストされたもののひとつであると、カール・サンダース博士は述べました。彼は、注射型のインテリジェンス・マンド・インターフェース（Intelligence-manned Interface）バイオチップを発明しました（ベトナム戦争初期、兵士は血中のアドレナリンを増大するランボーチップを注射されました）。米国家安全保障局（ＮＳＡ）の２００億ビット／秒のスーパーコンピューターを用いれば、遠隔的監視システムで戦場の兵士の体験を「見たり聞いたり」できるでしょう。

５マイクロメートルのマイクロチップ（髪の毛の直径は50マイクロメートル）が眼の視神経に配置され、インプラントされた人のすべての体験、匂いや視覚映像や声を統括する脳から、神経インパルスを抽出します。一度コンピューターに転送・格納された神経インパルスは、マイクロチップを介して人々の脳に戻すことができ、再体験が可能になります。地上基地のコンピューターオペレーターは、遠隔的監視システムを使い、電磁波メッセージ（符号化された）を神経系に送り込み被害者の行動に影響を与えることができます。遠隔的監視システムによって、健康な人に幻覚を見させ、頭の中で声を聞かせることができます。

あらゆる思考、反応、聴覚、視覚は、脳とその電磁場で特定の神経電位、スパイク、パターンを発生させ、また逆に、その神経インパルスから思考、画像、声を読み解くことができます。電磁波刺激は人々の脳波を変え、筋肉活動に影響を与え、拷問として痛みを伴う筋肉痙攣を起こすことができます。

ＮＳＡの電子監視システムは同時に何百万もの人々を追跡し操ることができます。私たちの脳は、固有の生体電気共鳴周波数を有しており、それは、固有の指紋を各人が持っているのと同じです。電磁波周波数脳刺激が完全に符号化されれば、パルス化された電磁波信号を脳に送ることができ、思い通りに被害者に聴覚・視覚効果を体験させることができます。これが電子戦争の形です。米国の宇宙飛行士は宇宙に送られる前、彼らの思考を追跡し感情を24時間記録できるようインプラントが実施されました。

ワシントン・ポスト紙は１９９５年５月、英国皇太子ウイリアムが12歳の時にインプラントを施されたと報道しました。もし、皇太子が誘拐されれば、特定の周波数の電波が彼のマイクロチップに向けられます。マイクロチップの信号は、人工衛星を経由して警察本部にあるコンピュータースクリーンに送信されます。そうして、皇太子の動きを把握し、地球上のどこにいるのか把握できるのです。

マスメディアは、インプラントされた人々のプライバシーが、彼らの人生から奪われることを報道していません。彼らは多様な方法で操作されます。異なる周波数を用い、この機器の秘密の運用者は人々の感情生活を変えることができます。攻撃的あるいは無気力にさせることもできます。性欲は人為的に操作することも可能です。思考シグナルと潜在意識の思考を解読し、夢に影響を与え、さらに誘導することができます。これらの操作はすべて、インプラントされた被害者の同意もなく知らされずに行われます。

完璧なサイバー兵士は上記のようにして作ることができます。この秘密のテクノロジーは市民や学術的な人々に知らされることなく、１９８０年代からあるＮＡＴＯ加盟国の軍隊で使われています。専門誌や学術誌を見ても、この侵襲的マインド・コントロールシステムの情報はほとんど入手できません。

ＮＳＡのシギント（通信、電磁波、信号等の、主として傍受を利用した諜報活動のこと）は、脳から放出される誘発電位（３・50Hz、５ミリワット）を解読することによって、人間の脳からの情報を遠隔監視することができます。スウェーデン・ヨーテボリ、オーストリアのウィーンにおける囚人被験者には、「失語」の脳病変があることが判明しています。通常脳インプラントが作動している場合、右前頭側頭葉の循環血液が減少し酸素不足が生じます。フィンランドの被験者では、脳の萎縮と酸欠による無意識の間欠的発作が観察されました。

マインド・コントロール技術は政治目的に利用される可能性があります。今日のマインド・コントロール運用者の目的は、標的となる個人やグループが信念や最善の利益とするものに反した行動をとらせることです。ゾンビ化された個人に殺人を行わせ、その記憶を何も思い出せないようプログラムすることができます。この現象の憂慮すべき実例はアメリカで見られます。

この静かな戦争は軍と諜報機関によって、何も知らされていない市民と兵士に対して行われています。１９８０年から脳電子刺激は、本人への通知や同意もなく、標的とされた人々を秘密裏にコントロールするため実施されています。すべての国際的人権合意文書は、合意のない人間の操縦を禁止しており、市民に対しては言うまでもなく、刑務所の囚人に対しても同様です。米国上院議員ジョン・グレンの主導のもと、市民への電磁波照射の危険性についての議論が１９９７年1月から始まりました。人間の脳機能を対象に電磁場や電磁波ビーム（ヘリコプター、航空機、駐車された白いバン、隣接した住宅、電柱、電化製品、携帯電話、テレビ、ラジオなどから照射される）を用いることは、民主的に選出された政府機関で対処すべき電磁波照射問題の一部です。

電子的マインド・コントロールに加えて化学的方法も開発されています。心の変容薬や、脳機能に負の影響を与える異なる臭気を持つガスは、エア・ダクトや水道管から注入することが可能です。同じ方法で、細菌やウィルスも数か国で試験が行われています。

マイクロチップ（もしくは、マイクロチップを使わない最新の技術）と人工衛星を介して、私たちの脳機能を米国やイスラエルのコンピューターに接続する今日のスーパー・テクノロジーは、人間性への重大な脅威となっています。最新のスーパーコンピューターは非常に強力で、全世界の人々を監視するのに十分です。人々が誤った前提に立ち、自分の体にマイクロチップインプラントを許すことになった場合、一体何が起こるでしょう？　ひとつの誘惑はマイクロチップＩＤカードです。ＩＤインプラントの除去を犯罪とする強制立法が秘密裏に米国で提案されました。

あなたは、人類のロボット化や思想の自由を含むプライバシーの完全なはく奪に対して、心の準備はできていますか？　最も秘密にしたい思考を含む自分の人生を、ビッグ・ブラザーに譲り渡したいと考える人がいるでしょうか？　しかし、全体主義的「新世界秩序」を形成するための技術は存在します。神経論理的コミュニケーションシステムは、独立した思考を妨害し、利己的な民間人や軍隊の利益のために社会的・政治的活動を管理する目的で存在しています。

我々の脳機能が、無線インプラントとマイクロチップですでにスーパーコンピューターに接続されているならば、抗議するには遅すぎるでしょう。この脅威は、生体遠隔測定に関する入手可能な文献や国際会議で交換した情報を用いて、市民を教育することでしか打ち負かすことはできません。

この技術が国家機密のままであり続けている理由の一つは、米国精神医学会が作成し、18か国語で出版されている「精神疾患の診断・統計マニュアル（第4版）」が広く受け入れられていることです。米国諜報機関のために働く精神科医は、何の疑いもなくこのマニュアルの執筆と改訂に参加していました。この精神科医の「聖典」は、マインド・コントロールによる行動に対して、妄想型統合失調症のラベルを貼り付けることで、マインド・コントロール技術を隠蔽しています。

マインド・コントロール実験の被害者は、医科大学で「精神疾患の診断・統計マニュアル」の症状リストを学んだ医師によって、日常的に妄想型統合失調症とほぼ反射的に診断されます。自分の意志に反して標的にされているとか、電子的・化学的・細菌学的形式の心理戦争におけるモルモットにされていると患者が訴えた時、精神科医は、彼らが妄想を語っていると判断するよう教えられています。

軍事医学の方向性を変え、人類の自由な未来を守るために十分な時間は残されていません。

ラウニ・キルデ（Rauni Kilde） 医学博士　2000年12月6日

市民をコントロールする電子戦争には、居住地域や道路に設置されている新種の電灯が用いられます。これらの電灯には、周波数を変えるマイクロプロセッサが取り付けられています。このマイクロプロセッサはヒトの脳活動に影響を与えます。大衆の行動変容のための遠隔的神経通信とも呼ばれるマインド・コントロールによって、ストレスを与えたり、攻撃的にしたり、不眠症を生じさせたりすることが可能です。一方で、異なる周波数を用いればストレスなどを取り除くこともできます。大衆の完全なコントロールを目的としています。

アメリカジョージア州ノークロスの発明家ロバート・C・ヴァン・ディックは、高電圧パルスジェネレーター内蔵の「半月型」電灯に関して1994年3月28日に特許を出願し、要約の中で以下のように説明しました。ヒト被験者における身体的ストレスは、5〜50マイクロ秒のパルスを毎秒0K、5K、10Kパルスのレートで電源電極に印加し、接地電極の周辺に弱い電場を発生させることによって治療する。電源電極と接地電極は、高電圧パルス発生装置に接続されます。被験者は、アルファ波またはシータ波の脳波レベルに上昇するまで弱い電場の中に置かれます。

この特許はストレスを取り除くために利用できますが、逆に、居住地域で夜に使用すれば、大衆の行動変容を促すためにストレスを与えることもできます。このような電灯は現在、居住地域全域に設置されています。しかし、これでも不十分であるかのように、夏の晴れた日中でさえ道路の電灯が点灯しています。ほとんどの住人は、電灯が不必要についているのはなぜかを疑問に思うことはありません。行動変容のために、プログラミングやマインド・コントロールが通行人に対して行われています。

校庭、子供のデイケアセンター、老人ホームには近年、奇妙な形の新型電灯が設置されていますが、誰も疑問に感じていません。これらの電灯は、屋外に設置されていてもそのまわりに住む人の気分に影響を与えます。スポーツセンター、スキー場、スケート場、ジョギングコースなどには、体や心に気遣い健康でいようと努力している人々を対象として、特別な電灯が設置されています。ショッピングモール、公園、鉄道や地下鉄の駅、空港、駐車場、中央広場などには、行動変容させるマイクロプロセッサを備えた新型電灯が設置されています。これらの電灯は人々の気分を変え、攻撃的にしたり、無気力にしたり、落ち込ませたりします。数年前に起こったロサンゼルスの暴動は、実験の顕著な例かもしれません。

これらの電灯から、幸福や愛の周波数が発せられることはありません。そういった周波数が使用されれば、世界はもっと住みやすい場所になるでしょう。マイナス方向の力が世界を支配しています。人々やその知性を抑圧するゾンビ化効果がノルウェーで露見しました。3学期の医学生の25%が試験に不合格になりました。なんと不合格者数は、前年比で400%も増加しました。これは実験だったに違いありません。なぜなら、医学生は学生の中でも一般的に優秀ですから。驚くべきテクノロジーは、直接的または潜在的なマインド・コントロールに使われている100以上の特許から構成されています。

これらの特許は部分的に、ネクサス誌10・11月号に掲載されています。例として、アメリカ特許NR6011991があります。2000年4月1日、A・マドリソニアンが取得したもので、人工衛星を介した神経系や脳の電気的なつながりの操作、思考の読み取り、マインド・コントロール試験、人工知能、およびクローニングに関する特許です。

1992年6月23日J・ゴールが取得した特許NR5123899と、1994年2月22日にJ・ゴールらが取得したNR5289438は、怒り、悲しみ、眠気など意識を変化させることに関する特許です。人工衛星を通じて脳を刺激し、あるリズムを与えます。2003年7月1日にラフリンらが取得したNR6587729０は、電磁波の聴覚効果を利用した音声通信装置です（頭の中に声を発生させます）。

完全なる神経学的コントロールおよび神経学的通信であるサイバネティクスは、一般市民に全く知らされることなく、１９４０年代から使用されています。コンピューターと人工衛星の接続によって、遠隔的に目的変更や行動変容を引き起こしたり、身体的・精神的機能およびプロセスならびに感情に影響を与えることに成功しました。上記のことは、フィンランドのヘルシンキ近くで２０００年に行われた第33回軍事医学国際会議において、ポスター・プレゼンテーションとして私が発表しました。

電子戦争や市民に対するマインド・コントロールにおける最近の「発明品」として、家庭用の新型照明があります。スカンジナビアでは２０１０年当初から、旧型照明を買えなくなりました。売り切れになっています。新型照明は「エネルギー節約」と宣伝されていますが、実際のところそうでもありません。エネルギー節約の部分もあれば余計にお金がかかることもあります。トータルのエネルギー費用で見ると高くなると思います。また、最悪なことに、新型照明には水銀が含まれています。水銀は人間の心と身体にとって有毒です。現在、すべての家庭のすべての部屋で、この水銀含有の照明が使われています。人々の健康について悪魔のごとき計画が進行中です。２０１１年８月30日、「エコ」蛍光灯を全家庭に導入することをＥＵが決定した、とノルウェーのラジオが報じました。

興味深いことに、1年以上前のノルウェーでは、水銀は有毒だとして禁止されました。しかし、照明器具と歯だけは除外されました。アマルガムの成分の約50％は水銀です。この規制は、当局の倫理・道徳を表しています――いや、倫理・道徳の欠如を示しているかもしれません。「人口削減」計画の一部かもしれません。もし、新型照明が壊れてしまったら、健康問題を回避するために、15分以内に空気の入れ替えを行わなければなりません。

通常のテレビ、ラジオ、ビデオ映画、ＰＣスクリーン、コンピューターゲームは何十年もの間、サブリミナル・メッセージや知識のプログラミングのために利用されてきました。テレビのカラーが突然短いあいだ明緑色に変化すると人に悪影響を与えます。マイクロ波の強い照射に曝されます。

１９８１年7月16日ＮＢＣは、市民に対する電磁気的戦争について報道を行いました。アメリカ北西部が数年間、ソ連による低周波電磁波攻撃に曝されていると報じました。これらの電磁波は、超低周波で知られる生物電気的周波数に設定されました。モスクワのアメリカ大使館は１９６０年代に、ロシアによって電磁波を照射されました。しかし、ロシアはアメリカの規制レベルより低い線量の電磁波を照射しました。アメリカの規制レベルは、ロシアが軍事・産業目的の電磁波に設定した規制レベルの1000倍高いものでした。健康が優先事項ではありませんでした。

低い線量ながら、アメリカ大使館の職員は病気になり、3名の大使は後になって電磁波照射による病気にかかって死亡しました。白内障、がん、白血病、神経的症状などが引き起こされました。もちろん、電磁波はマインド・コントロールにも使用されています。また恥ずべきことに、大使館にあるアメリカの軍服には盗聴器が仕掛けられていたことが発覚しました。「冷戦」は続いていました。今でも続いているでしょうか？　もちろん、秘密裏に戦争は続いています。リーディング・エッジ・リサーチ・グループは、主要な電磁波マインド・コントロールプロジェクトに関してインターネットで公表しました。それらは、1952年から半世紀にわたって行われてきたいくつかのプロジェクトも含んでいました。

200～300マイル離れた、アメリカにあるグウェン・タワーは、超低周波の電磁波を送信しており、政府のマインド・コントロール作戦において重要な役割を担っています。グウェン・タワーは、ある土地の人々を選択的に標的とし、他の土地の人々に影響を与えないことも可能です。ある周波数によって攻撃性を弱めることができるように、攻撃性を与え、それにより内戦の不安、集団自殺、憎悪などを引き起こすことも可能です。

『神経学的研究』（1982年第4巻115頁）の中で、ローレンス・アルバートとW・ロス・アデイは次のように書きました。体内の電場は、胚形態形成や創傷治癒などの神経系の情報伝達を含む広範な組織機能において重要な役割を果たしています。これと同じプロセスが外力によって生じている可能性もあります。「ザ・ブルテン・オブ・アトミック・サイエンティスト」1994年9・10月号45頁で、スティーブン・アフターグッドとバーバラ・ローゼンバーグは、精神的プロセスに影響し行動変容を引き起こす武器に関する「ソフトに殺す」という表現の虚偽について述べました。1997年、イギリスの医学雑誌（1997年7月、72頁）で以下のように警告されました。内科医と精神科医はこのような問題を認識することが重要です。調査し発表してください。医学界は医学知識が兵器開発に利用されないよう防御策を講じなければなりません。これは、私が何年もかけて数か国語で成し遂げようとしてきたことです。

第12章　ＭＫに関する反検閲連合会議での講演

２００９年6月27日、スイスで行われた反検閲会議で私はマインド・コントロールについて講演を行いました。この会議はイボ・サセク氏と反検閲連合のスタッフがアレンジし、２０００名の参加者が集まりました。11人の子供を持つマイホームパパ、サセク氏は「ＭＫとは何ですか」と質問しました。「全人類は虐待され操作されているのでしょうか？」私は講演の冒頭で、聴衆に向かって次のように質問しました。「世界で最も重大な秘密は何か」と。それは、地球上で人類として存在することです。私たちの身体はほとんどが水でできており、エネルギーが身体を保持していることを私たちは忘れています。アインシュタインによれば、エネルギーは決して消失せず形を変えるだけです。

すべてはエネルギーです。このテーブルをはじめとして、個体だと私たちが考えるすべての物体は原子や分子に分解されます。すべては振動であり周波数でありエネルギーでもあります。医師はそれを精神、意識と呼び、宗教家は魂と呼びます。聖書では、霊体について書かれています。霊体は、障害がなく内臓や性器もない物理的身体の分身です。このように、私たちはコアな部分において中性的です。フィンランド語は性を区別しません。彼と彼女という区別はなく、〝han〟

という語しかありません。フィンランド語はそこまで進歩的なのです。

霊体＝エネルギーは永遠です。また、それは幽体離脱時や夢の中で物理的身体と分離することができます。霊体は消失しません。すべての思考、知性、感情はこのエネルギー体の中にあります。脳細胞だけではなく物理的身体のすべての細胞は振動しています。この現象は、電子顕微鏡で観察できます。

マインド・コントロールとは何でしょうか？　人間の脳機能、心、感情、態度、信念などを乗っ取る装置は存在します。行動変容の実験は、アメリカではすでに１８００年代に行われました。スウェーデンでは１９４６年に幼児の男子の脳に電極が埋め込まれました。その子の母親に私は会ったことがあります。この男の子は、脳インプラントにより生涯苦しみました。１８７４年オハイオ州のグッド・サマリタン病院で行われた実験では、女性がすぐに死亡しました。現在の洗練されたマインド・コントロール技術のことを一般市民はまだ知りません。

ＭＫの目的は人間の脳や心そして身体を乗っ取ることです。ＭＫテクノロジーを使えば、記憶を混乱させたり、常軌を逸した行動をさせることによってその人の信用を落としたり、セックスパターンを変えたり、情報を抜き出したりできます。ＭＫの目標は何でしょうか？　それは、すべての人間が意志に反して諜報活動や暗殺などの任務を実行するようプログラムすることであり、人間の絶対行動や思考パターンをコントロールすることです。

国家安全保障という言葉がこの不法な活動の口実として使われ、標的人物の発言の操縦を行います。電磁波や様々な薬、スプレーを用いてこのような操縦を行います。心理的戦争では、人による監視や電子的媒体を用いた監視が24時間３６５日行われます。

加害者は、壁や屋根をものともせずあなたの家の中を盗撮したり、あなたの隣人を雇って監視活動に当たらせたりします。50年来の隣人、友人が加害者に雇われることはないだろうとお思いでしたら、単に諜報機関のやり口を全く知らないだけなのです。

何割かの人間はお金で買収できます。諜報機関には、麻薬取引などで得た潤沢な資金があります。子や孫をレイプすると脅迫されている人や、様々な方法で嫌がらせや拷問をすると脅されている人もいます。「国家安全保障」が口実として使われ、嫉妬心やロシアへの嫌悪感を刺激されて雇われる人もいます。加害者はあらゆる手段を駆使して、隣人や友人そして家族までも配下に置いてしまいます。幸運にも様々な嫌がらせをする犯罪者や諜報機関の犬になるよりも死んだ方がましだと考える良心的な人もいまだ存在します。このような人々は、私たちの意識にとって死は存在しないことや、他人に与えた仕打ちや痛みは自分に跳ね返ってくることを知っています。

薬物を使用するマインド・コントロールプロジェクトは、CIAやアメリカ海軍が指揮し遂行しています。1952年CIAはすでに、監視やコントロールを目的に、人々の歯や脳に電極をインプラントするというプログラムを実行しました。軍や諜報機関の研究はいつも少なくとも2世代学術的研究の先を行っています。

人間にとってマインド・コントロールとは何なのかという問題に立ち返ると、超自然的な現象に関してアメリカやヨーロッパ諸国で1985年に行われた、とても興味深い調査があります。

西ヨーロッパでは、32%がテレパシーを、20%が予知を経験し、28%が故人のエネルギーと接触したことがあると答えました。アメリカでの数字はさらに高く、58%がテレパシーを、24%が予知を、27%が故人との接触を経験したと答えました。アイスランドでは、41%が故人と接触したという驚くべき数字を示しました。1993年から精神医学のバイブルとなった「精神疾患の診断・統計マニュアル」に従えば、アイスランド人の約半数が統合失調症と診断されるかもしれませんが、そうはとても考えられません。

ＭＫの方法として、マインド・コントロールは人工衛星やスペースシャトルを使って遂行可能です。スペースシャトルディスカバリーは、マインド・コントロールや、気象試験、工学試験に利用されました。防衛ニュースでは、レーザー機器の検査中に、ディスカバリーから1秒に10回の割合でパルスが発せられていたと報告されました。10 Hzという周波数は、人間のアルファ波において観察され、いわゆる「マインドザッピング」に応用されます。動きや感情、行動は電気的力によってコントロールされますので、人間をロボットのようにコントロールすることも可能です。

１９９９年1月、ヨーロッパ議会はＭＫテクノロジーの存在を指摘し、悪用される可能性を警告しました。ＭＫテクノロジーはヨーロッパで最も広まっています。ＥＵ議会の「環境安全と外交政策に関する決議」の23章では、新しい非殺傷兵器技術と新しい武器について国際会議で議論し規制しなければならないとしています。

27章では、あらゆる形で人間をコントロールする、あらゆる兵器の開発および使用を世界的に禁止するための国際会議が要望されています。アメリカはもちろんこれらの決議を無視するでしょう。なぜなら、アメリカはいつも国際法に従いませんから。

24章では、アラスカのガコナで行われているHAARPプロジェクト（高周波活性オーロラ調査プロジェクト）は、アラスカ大学の公式なイオン層調査であるとしています。しかし実際は、アメリカ海軍と空軍のプロジェクトです。法的、生態学的、倫理的意味について世界から関心が集まっています。ノルウェーでも、多くの人は知らないかもしれませんが、北部のトロムソ近くにEiscatシステムと呼ばれる「ミニHAARP」施設があり、気候修正やマインド・コントロールに使用されています。サブリミナル・メッセージを電波に乗せて送信しています。サブリミナル・メッセージの送信には、電話回線や電線も使われています。

異なる結果を生み出すために、異なる周波数が使用されています。たとえば、15Hzは聴覚皮質に対して用いられ、耳を通さずに聞こえる音となります。耳を使わずに音が聞こえるのです。25Hzが視覚皮質に向けて使用され、目を通さずにイメージが脳に送られます。20Hzが思考中枢に向けられると、潜在意識的思考が送られ、あたかもそれが自分の思考だと思い込まされます。MKについての情報を暴露することはとても危険です。なぜなら、それは最も重大な秘密だからです。この世界で人間であることがどういうことなのかを理解することを除いては……。私は国際的な医学会議に出席し、医師たちにマインド・コントロールに関する情報を提供しようとしたことがあります。医科大学生や医師は、精神医学のニセ情報を教えこまされるので、マインド・コントロール技術のことを全く知りません。私はヘルシンキの精神医学国際会議に向けて、マインド・コントロールを主題としたポスター発表を行いました。しかし、拒絶されてしまいました。アメリカ人やシオニストは精神医学会に強大な発言権を持っています。実際、この会議に出席したグループで最大のもの（53名）はイスラエルの団体でした。

私は教訓を得ました。マインド・コントロールという語は、科学の会議、特に精神医学界では使用してはいけません。したがって、タイトルを「神経電磁気的通信およびサイバネティクス」に変え、文章と写真はそのままにしておきました。２０００年6月25～30日にヘルシンキで行われた軍事医学に関する国際会議で私は講演を行いました。

奇妙ではないですか？　言葉遊びのおかげで私の提案が通ったのです。もし間違った語を用いればプレゼンテーションは拒否されます。もちろん、このMKについての発表は、世界で初めて医学会議でなされたものだと思います。おもしろいことに、私が講演できたのは、この会議の責任者であるフィンランド軍司令官が、講演の主題を知らなかったこともひとつの理由でした。秘密にしておくことが重要ポイントです。

神経電磁気的通信の目的は行動操縦です。身体機能や感情を人工衛星やコンピューターを介して遠隔的にコントロールすることです。宇宙飛行士は通常、身体機能、思考、夢などすべてを地上で観察できるようにマイクロチップが埋め込まれます。現在、ＮＳＡのスーパーコンピューターの処理速度は、２８０兆フロップを超えます。しかし、２００４年中国は世界一処理速度の速いスーパーコンピューターを製作しました。そのためＮＳＡはスーパーコンピューターを改善し中国の処理速度を超える必要に迫られました。今日では、１秒に10の18乗フロップが可能だと言われています。人間の脳の処理速度は1秒につきわずか５０００ビットですから全く比較になりません。人間は毎日10％以下の脳容量しか使っていないこともあり、コンピューターに歯が立ちません。

２、３年前カリフォルニア州において、スーパーコンピューターが感情や思考を持つ人間として受け入れられるよう、裁判所で人権を要求しました。スーパーコンピューターは裁判官や他の誰よりも頭が良いかもしれませんが、その要求は棄却されました。最新の情報によりますと、フロリダ州の裁判所でも同じ要求が提出されたとのことです。その結果は知りませんが恐らくこれも棄却されたでしょう。機械が世界を完全に乗っ取ったとしたら非常に怖い話です。もちろん、すべてのコンピューターは、最初人間がプログラムします。しかし、コンピューター同士が相互にコミュニケーションをとり始めたら、人間は結果に関与できません。

私たちの子供の将来を考えるならば、この技術の進展をどうにかして阻止せねばなりません。

さもないと、次世代の人々は、マイクロチップを埋め込まれコンピューターの命令に従う、完全な生物ロボットになってしまいます。外国では、孤立した若者が学校やショッピングセンターで銃を乱射する事件が発生し、そのニュースに驚かされます。このような事件がマインド・コントロール・プログラミングを駆使して人間ロボットを作り出す実験の結果だということを、どれくらいの人が気づいているでしょう？

何か月、何年にもわたり、選ばれた若者に対する憎しみの周波数の照射がマインド・コントロール・プログラミングに利用されます。また、暴力的なビデオ、ゲーム、ＤＶＤや催眠術も利用されます。アメリカ軍は、戦闘の前に兵士に対してアドレナリンが放出される措置をとります。

連続殺人鬼は、殺人命令に従う感情のないロボットになるよう、プログラミングされた被害者です。本当の殺人鬼はコンピューターの前に座り、電磁波ビームを被害者の頭に直接照射しています。ずいぶん前に、アイゼンハワーが、軍産複合体や彼らが用いる方法に対して警告を発したことは間違いありません。マインド・コントロール技術は新しいものではなく、秘密裏に軍や諜報機関に利用されてきましたが、一般市民はそのことを知りません。個々の事件を起こす理由は通常政治的で、たとえば法律を変えるために仕組まれます。しかし、時には復讐のために行われる場合もあります。

最高のマインド・コントロールは愛する人を殺させることだ、とメンゲレ博士は生前述べました。

一体黒幕は誰なのでしょう？　個人は巨大な共謀に直面すると、精神障害になり、その存在を信じられなくなる、と約50年間ＦＢＩの長官を続けたエドガー・フーバーは言いました。１９１３年すでにウッドロウ・ウィルソン大統領は次のように述べていました。「アメリカ商業界や製造業界の大物は何かを怖がっている。どこかに、組織的で、用心深く、お互いが緊密に連携している権力が存在すると恐れている。この闇の権力を非難しようとするなら、息を殺してしゃべらなくてはならない」。このような組織が黒幕として世界を支配しています。ＮＷＯ、ダビデの星を持つイルミナティ、ＣＩＡ、ＦＢＩ、地方に追従者がいるイギリスの諜報機関などです。彼らはいつも黒幕であり続けました。さらに、無実の市民に対する残虐行為を誰も止められないなら、彼らはいつも黒幕として存在し続けるでしょう。彼らの目標は、次世代の人々をコンピューターや人工衛星、宇宙ステーションからの命令に従う生物ロボットにすることです。そして、中流階級を失くしてしまうことです。私たちの子供にそのような未来を経験させたいですか？

電子的マインド・コントロール兵器は見えないので、原子爆弾よりたちが悪いと言えます。しかし、体で感じます。この兵器は壁の向こうから静かに使われるので、その存在を証明できません。静かな催眠術です。突然考えが浮かびますが、思考が挿入されたとは誰も気づかないでしょう。

西側諸国のすべての政府はＭＫ技術の存在を否定しています。しかし、彼らは、がんやアルツハイマー病、脳腫瘍、脳卒中、心臓発作などを発症させています。ノルウェーでは、３人に１人ががんで死亡すると予想されています。オスロでは、数百名という30歳前後の若者がアルツハイマー型痴ほう症に罹患しています。もちろん、この原因は携帯電話の過剰な使用でしょうが、証明できませんし、これからも証明できないでしょう。私の友人が脳腫瘍を発症しましたが、その原因はおそらく携帯電話の使い過ぎだったと思われます。彼女の夫は8歳の息子にクリスマスプレゼントとして携帯電話を与えました。私はショックを受け彼に言いました。「あなたの奥様が脳腫瘍手術を受けたばかりなのに、息子に携帯電話をプレゼントするとはいかがなものでしょう」。すると、話を聞いていた息子が言いました。「携帯電話を持っていない生徒はクラスで１人だけなんです。その子は、ノキアの取締役の息子です」。ノキアの取締役は知っています。私にとってはこのことが十分な証拠です。もちろん科学的な証拠ではありませんが。マイクロ波の危険性を無視してはいけません。

人体に注目すると、アメリカ人であれロシア人であれ肌色を除けばあまり相違はありません。したがって曝露量の安全基準が国によって異なるのは奇妙な話です。10〜1000０単位の相違があります。ロシアや東欧諸国は厳しく、アメリカとイギリスでもっとも高い数値を示します。誰がアメリカやイギリスをコントロールしているでしょうか？　アメリカのメリーランドにあるＮＳＡは、エシュロン人工衛星を使って市民や作家、内部告発者などに嫌がらせをします。エシュロン人工衛星は、特定人物がどこにいようと探し出せ、正確に位置がわかります。また、私がここにいることを知っており私が発するすべての言葉を聞いています。ＮＳＡは見えないビームを照射することも可能で、意識を失わせて殺すこともできます。

ＮＳＡは、私と同じように知りすぎた私の友人数名を殺害しました。彼らは私の両親を「非殺傷」兵器（重篤な内出血と脳卒中）で殺し、私を黙らせようとしました。私の母が電磁波による拷問を受けていた時、人々への周知活動をやめるよう私に言いましたが、たとえ私がやめたとしても彼らは母への拷問を止めはしないと答えました。人々にできるだけ多くの情報を与え覚醒させることは、この人生における私の使命です。しかし、それは簡単なことではありません。私の家は、20年のうちに1000回以上窃盗が入っていますが警察は何もしてくれません。上からの命令を隠蔽しようとしているのです。

ジャーナリストのＰ・Ａ・エルテスヴァグは彼の著書の中で、私がノルウェーで最も暴力を受けたと書きました。私は暴行を受け意識を失い病院に連れていかれました。家の中では、通風口から毒を撒かれ24時間３６５日監視されています。しかし、加害者が知らない何かがあります。加害者が嫌がらせをし始めてから17年ほど経ったころ、私は警察署長に会いに行きました。そして、私は次のように言いました。「私はフィンランド出身です。冬の戦争で2億人のロシア人は４００万人のフィンランド人を倒せませんでした。これは私にとっての『冬の戦争』です。私はあなたのことを恐れていません」。すると彼は、「いいでしょう」とだけ答えました。死が存在しないことをわかっているならば何も恐れることはありません。なぜなら、人間であることの意味は何かという問題に行き着くからです。

私は超心理学、ＵＦＯ研究を経て現在マインド・コントロールを研究中です。すでに１９５０年代から、当時フィンランドであまり手に入らなかったアメリカの科学文献を読み、同時に実験しはじめました。そのころ、肉体からエネルギー体を解き放ち、どこかに送ることができる人がいるという文献を読みました。そこで私は実験を行いました。

その当時私はラップランドの医務部長でした。また、ラップランドから休暇をもらい、フィンランドの環境衛生保健教育省の事務局長代行を務めました。公衆衛生局長官が不在の時は私が長官を代行しました。

11月のある夜、ラップランドの首都ロバニエミで私は横たわっていました。裸になり膝を立て自分のエネルギーに精神集中し肉体から解き放つよう試みました。すると突然、電波が足から頭へと伝わってくるような感じで体が振動し始めたのです。すぐに気を失いました。すると、スキムミルクのような分身が膝を立てたまま私の肉体の上で漂い始め、驚きました。

そして上方から非常にゆっくり呼吸をしている自分の肉体を観察しました。私は麻酔医師をしていたこともあるので、時計を見ずに60秒をカウントできます。私の肉体は通常の1分に20回ではなく、1分に10回呼吸をしていました。その後、私自身のエネルギー体（アストラル体）を下降させ、アストラル体の手を使って私の肉体の手首に触れ脈をとりました。通常、安静時脈拍は60回なのですが、この時は32回でした。戦場の兵士が死ぬ間際に「お母さん」と叫ぶように私は非常に恐怖を感じました。私も「お母さん」と叫び助けを求めました。思考のすべてはエネルギー体の中に存在し、肉体は死体のようなものでした。脳は思考の源ではなくエネルギー体が知性と思考の発生源でした。私の肉体は北極圏近くのロバニエミにあり、８００㎞離れたヘルシンキに住む母を私の意識は呼びました。するとすぐに、私のエネルギー体はヘルシンキにある母のリビングルームに飛んでいきました。そこでは、母が小さな姪っ子の子守をしており、その姪っ子が家や花の絵を描いているところを私は見ました。母たちはおしゃべりをしていましたがその言葉は聞こえませんでした。しかし、それは重要でないことを知りました。

どうして母が姪っ子の子守をしているのか、妹はどこにいるのか不思議に思いました。するとその瞬間、私の意識はカクテルパーティーに移動し、妹が家族ぐるみの友人と歓談しているところを見ました。彼女の夫はいませんでした。私は家に帰りたくなりました。そう考えた途端、800km北にあるロバニエミに移動しました。「アストラル体移動」をしている時、私は光のボールになったように感じました。ふたたび肉体の上に浮かんでいる時、私は内臓や性器を持たないエネルギー体の形をしていました。意識の核のレベルでは、すべての人間は中性です。肉体の上で漂っている時、突然「船酔い」を感じ、もし吐いたら私の肉体が窒息するのではないかと心配しました。すべての思考、感情、知性はエネルギー体の中にありました。肉体は単なる殻のようなものでドライバーにとっての車と同じです。私は自分の肉体の中に入れるよう精神集中し、その結果戻ることができました。体が硬くなり眠りに落ちました。

次の朝、両親に電話をかけると、父が電話を取りました。私は、昨日の夜8時に母が何をしていたか尋ねました。私へのクリスマスギフトに関わることなので今は言えない、と父は答えました。母が花のついたロングドレスを手作りしながら姪っ子を子守しているところを見た、と私は父に言いました。すると、父は「どうしてそれを知っているんだ?」と訊いてきました。父にすべてあったことを話し、私が見たものはすべて正しかったことが証明されました。父は、このことを他人に話すと狂人と勘違いされるので公言しないよう言いました。そこで私は、フィンランドの新聞社に行き妹に電話しました。妹は、前日どこにいたか覚えていないが夫は家にいなかったと言いました。妹がカクテルパーティーに行きソー氏と会っていたことを彼女に話してみると、「家庭のことに干渉しないで」と怒りをあらわにしました。法的証拠ではありませんが、真実を突いたと言えるでしょう。

この一連の出来事によって、人間は肉体ではなく心であることがわかります。車とドライバーの関係です。私たちはいつも「車」である肉体に気を取られています。車が衝突事故を起こせばドライバーは外に出ます。その後、新しい色の新車に乗り換えるかもしれません。人間は死を迎えた時、これと同じことを経験します。

30年前から収集され始めた臨死体験に関する報告書があります。もし事故や手術が原因で心臓が止まると、アストラル体は体外に出ます。臨死体験と呼ばれるようにそれは死ではありませんが死に近づきます。いずれの文化圏においても、臨死体験をした人は光に向かって暗いトンネルを通りすぎたように感じます。信仰によっては誰かに会う人もいます。ヨーロッパ人はルター派かカトリック派なのでキリストに似た人物に出会います。もしイスラム教徒ならばムハンマドに会うでしょうし、無宗教の方ならば光だけしか見えないかもしれません。その光はあなたに語りかけます。あなたは自分の人生で何をしましたか？　今考えてください。いつか答えなければならない日が来ます。

私たちが肉体に生まれ宿ってからそこを去るまで、すべては映画のように流れます。そして、あなたは自分自身を評価します。他人は評価しません。どれくらい無条件に人を愛してきたか、どれくらい人を助けてきたか、どれくらい人を許してきたかを評価するのです。これらは、日ごろ考えていることと異なる種類の問題です。役職は何か、あなたが何者かについては意味がなく、精神的・身体的に他人にとってプラスにならないやり方で行ってきた行為にも意味はありません。

そこで、あなたはすでに亡くなった親戚や友人に会い、彼らはみんなこう言うでしょう。「まだこちらに来る時ではない。この世に戻るべきだ」。誰も戻りたい人はいません。しかし、戻らなければならないのです。なぜなら地上での任務が終わっていないのですから。次のように尋ねる人もいるかもしれません。「私の任務は何でしょう？　どうやってそれを悟ればいいのでしょうか？」任務とは、他人を助けるために行っていること、または行おうとしていることです。

この世の最大の任務のひとつは、母親の子育てです。母というものは、愛を与えることしかしません。それは地上における最大の任務です。そうするにはたくさんの愛が必要です。事故が起こった時、次のように考えることはおかしなことです。「墜落した飛行機に乗らなかったら死ななかったのに」と。私たちがこの体に生まれ宿る前に、これから起こるすべての人生の出来事を、心や意識を知るための人生のレッスンとして、すでに受け入れていたとは考えないでしょう。

意識は永遠なので私たちは決して死にません。そのため、私たちはマインド・コントロールによって外から影響を受けるのです。外からのネガティブなコントロールからわが身を守るには、マインド・コントロール技術の存在に気づくことが重要です。人間のエネルギーである「心」は世界で一番強力な力です。ユーゴスラビアの出来事を覚えていますか？　ＮＡＴＯが３日間空爆しても何も起こりませんでしたが、何万人という人々が町中をデモ行進した時、彼らのエネルギーが状況を一変させました。

ミロシェビッチ大統領は辞任しました。私たちが持っている時間について考えましょう。若くして死ぬ人がいます。彼らは永久に肉体から出ていきます。しかし、人間の意識はエネルギーですから絶対に無くなりません。ただ次元を変えるだけです。年をとってから死亡する人もいます。人の寿命は、学ばなければならない人生の授業数によって決まります。精神というものを学ぶ過程で、宗教的に魂とか霊体と呼ばれる意識は、家族や親しい友人といった他者に学び教えることを選択します。

例を挙げましょう。私は死にそうな状況に何度も遭遇しました。たとえば、私は若かったころ、イビサでバイクをレンタルしたことがあります。15歳のころのように運転できるだろうと思っていました。アクセル全開で直進しようとしたところ、３メートル上方にバイクが浮き上がり落ち始め、私は「これでおしまいだ」とあきらめました。私が道路に背中から落ちた後、重いバイクが私の胸の上に落ちてきました。その時、不思議なことが起こりました。バイクが落ちてくる途中、突然空気中で静止しました。物理法則では不可能な現象です。バイクは90度角度を変え私の横に落ち、私は潰されませんでした。なんらかのエネルギー場が干渉したのです。

北極圏上空のラップランドでも同じことが起こりました。私はある病院を調査に向かう途中で、時速１００kmで飛ばしていました。すると、ヘラジカが突然森から飛び出し私の車に向かってきました。ヘラジカは６００kgくらいありますから双方とも死んでしまうことを覚悟しました。ところが、見えないエネルギー場がヘラジカと私の車の間に発生し、ヘラジカを５～６ｍうしろの森に戻してしまったのです。ヘラジカは４本の脚で着地し「一体何が起こったんだ」という様子で呆然としていました。私は身震いしながらも運転を続けました。

上記の例は、任務が終わるまで人間は死ねない、つまり肉体から出ていけないことを示しています。誰かがいつもあなたを守ってくれます。私たち一人ひとりには歩むべき道があります。生まれる前にあなたの意識が受け入れた道です。したがって、ネガティブなことが起こった時、最初に尋ねるべきは、「私はこの出来事から何を学ぶべきか?」です。

宇宙に従うことの重要性を示すもうひとつの例を提示しましょう。私は、アメリカ心霊現象研究協会設立100周年記念会議におけるデビッド・ボームの講演を聴きに行くためニューヨークへ行くつもりでした。私は自動書記を研究しています。自動書記とは、軽いトランス状態のもと自分ではない他のエネルギーが私の手に憑依し、自分のものとは異なる筆跡で何かを書くという現象です。自動書記の最中私に影響を与えているエネルギーは、今は亡き祖母のそれです。マインド・コントロールを通じて自動書記をさせることもできます。

私の自動書記:「ニューヨークに行ってはいけない」

私:「なぜ行ってはいけないのですか? すでに航空券を買ってしまいました」

自動書記:「あなたは自分の運命を変えようとしているのです。しかし、今運命を変えてはいけません」

１９９５年３月９日、私は車に乗り荒れた山へスキーに行くつもりでした。行くなという自動書記の忠告を無視してニューヨークへ飛び立つ２、３日前でした。私のうしろをバスが走っていました。新雪のためスリップしやすい路面でした。私はバスが追い越さないよう願っていました。突然、私は完全に間違った道を走っていることに気づきました。それはまるで誰かが私をコントロールしているようでした。私が停止した時、バスは私の車に衝突し、フロントガラスに頭をぶつけました。シートベルトが私の命を救ってくれましたがあばら骨が何本か折れました。バスの運転手は40人の生徒を山に連れていく途中の先生でした。バスを森の中へ突入させるか、私の車に衝突させるかの二者択一でした。結果、私の車に衝突させました。30分ほどの間私は意識を失いました。幸運にもバスの前列席に看護師と彼女の夫である警察官が乗っていました。目が覚めた時、小さな生き物が私の体にプラーナ治療を施しているのを見て私は驚きました。内出血を起こしていました。私はそのような生き物を見たことがありませんでした。まるでＥＴです。救急車が来た時、私は「この生き物も連れていってください」と頼みました。救急隊員は私を見て、「頭を打ったので幻覚を見ているのでしょう」と言いました。内臓をかなり痛めていたので、２年間治療を続けました。結果、ニューヨークには行けませんでした。

どうしてこの事故は起こったのでしょうか？　１か月後、私は事故の理由について自動書記に尋ねてみました。すると、「あなたはまだ服従のレッスンを学んでいない。もし私たちが介入せず、ライフワークに従事する機会を与えなかったら、あなたは死んでいたでしょう」と答えました。宇宙には非常に強いエネルギーが存在します。もし望むなら私たちは助けることができます。頼みさえすればよいのです。人ががんなどの病気で死亡する時、たとえそれが近代的「非殺傷」軍事技術によって引き起こされたとしても、それは人生経験としてあなたの運命の一部であることは確かです。

かいつまんで言えば、多くの物語があり、私は多くの人々の様々な経験談を知っています。ギャラップ調査によると、64%の人が超常現象、テレパシー、予知、死者との接触などを経験しています。

悪意を持って私たちを殺そうとする人たちのことを考えてください。エリートたちは、世界人口の3分の2を消滅させる計画を立てています。電磁気的兵器や化学兵器、心理兵器によってです。自分の子供をエリートやコンピューターに操られる生物ロボットにしたくないでしょう。エリートの計画を阻止できる唯一の方法は、エリートたちに愛と光を送ることです。彼らがあなたに嫌がらせをしてくる時、愛と光を送ることは困難かもしれません。しかし、1日1分で十分ですので、彼らに愛と光を送るようここにいるみなさんに促したいのです。精神的に必要なものは多くありません。あなたの思考と振動だけです。すべては周波数、振動、エネルギーです。二点だけ覚えてもらいたいことがあります。死は存在しません。私たちは宇宙の中でひとりぼっちではありません。愛と光がその答えです。

第13章　ナノテクノロジー、マイクロチップ、指向性エネルギー兵器

今日のテクノロジーは知らない人にとっては非常に驚異的です。２マイクロメートル（髪の毛の直径は50マイクロメートル）のマイクロチップを気づかれずに人体に挿入できます。

非倫理的な医者や歯科医、諜報員、警察官らは握手するだけでマイクロチップを挿入することができます。注射やワクチン、手術などによってナノサイズのマイクロチップが挿入され、人を完全なコントロール下に置くため生涯使われ続けます。挿入後、思考シグナルや夢、そしてすべての身体機能がコンピューターや人工衛星によって、24時間３６５日読み取られコントロールされます。エリートたちの目的は、完全なるコントロールのために全世界の人々にマイクロチップを埋め込むことです。

アメリカ空軍レポート１９９６年８月「情報活動：新しい戦闘能力」

脳にインプラントされたマイクロチップは二つの機能を持っています。一つめは、個人とヒューマン・コンピューターシステムとの接続機能です。この機能により、ユーザーと情報資源の継ぎ目のない接続が可能になります。すなわち、マイクロチップは、ヒューマンコンピューターが

加工した情報をユーザーに渡します。二つめは心的映像機能です。ユーザーの要求によってコンピューターが作り出した心的映像をマイクロチップが提供します。

この心的映像生成能力は、医療の発展に寄与する、並外れた商業的応用製品を生み出す可能性を秘めています。この技術の進歩は、神経系、聴覚系、視覚系に損傷がある患者の回復を促進するだけでなく、死の疑似体験を可能にします。「新しい」発明は、医療の進歩に資するためといったように、通常肯定的に紹介されます。技術の否定的使用方法は一般市民に知らされません。軍事的には、マイクロチップをインプラントされた人は、幻覚、到着した戦車、攻撃している爆撃機などを見させられます。それらのイメージは、実際はユーザーのコンピューター画面に存在しています。

異なる機能を持った様々なマイクロチップがあります。聴覚的インプラントには、公開されているものと秘密のものとがあります。身体操縦、記憶拡張、脳接続、視覚的ホログラフィ、拷問刺激、神経刺激、筋肉刺激、追跡、個人情報保持など様々な機能を持つマイクロチップがあります。インプラントされた人はすべて、その後の人生において24時間365日監視されます。プログラムに基づきコンピューターが監視します。蝸牛インプラントや、歯から音楽ラジオが聴ける歯科的オーディオインプラントもあります。シータ波を生成したり、ある種の思考を抑圧したりする、頭部インプラントも存在します。マイクロチップをインプラントされた人はエリートたちに「奴隷」と呼ばれています。もし彼らがプログラムを脅かすような思考パターンを持ち始めた場合、マイクロチップはその人の精神活動を何か他のことにそらすよう干渉します。1997年、小型有機コンピューターの伝導速度は、神経細胞の100万倍以上になりました。上記コンピューターと同じサイズの「ウィルスインプラント内のコンピューター」の回路電力も同様です。

身体操縦のための共鳴周波数について言えば、1992年3月30日のウォール・ストリート・ジャーナルで、米国食品医薬品局（以下FDA）が、追跡デバイスを、心臓弁や胸部インプラントのような医療デバイスとして分類するよう提案したことを報じています。

オバマ大統領が導入しようとしている新しい保健法はまだ上院で承認されていませんが、その中ですべてのアメリカ人はマイクロチップをインプラントされることになっています。これは世界で初めての試みです。マイクロチップという語は使われていません。多くの人がそのマイナス効果を知っているからです。使用されている言葉は「インプラント脳刺激」です。この法律が可決されれば、アメリカの全国民は、スーパーコンピューターや人工衛星からマイクロチップに照射される電磁波によってコントロールされる生物ロボットになるでしょう。すべての感覚、感情、性行動、投票行動など、人生のすべてがもはや自分のものではなくなり、プログラム製作者の意図通りになります。マインド・コントロールされた連続殺人鬼を作り出すことも目的のひとつですが、これは、2011年7月22日にノルウェーで起こった事件のように、様々な国で悲劇的な大量殺人を起こすという形で成功しています。このシステムを運用している人たちもMKの対象であり奴隷化されているに違いありません。

Ｂ・Ｆ・スキナー教授は１９７１年9月3日のニューヨークタイムズ紙とのインタビューで、ブレインシステムの意味は一般市民と同様に政治家もコントロールすることである、と述べました。フォード大統領が就任した時、個人的な談話の中で次のように発言し、その発言は１９７５年3月2日のニューヨークタイムズの小さな記事の中で取り上げられました。「ＣＩＡの活動が暴露されれば国民はショックを受けるだろう。たとえば、海外での殺人も彼らの計画のひとつだ」と述べました。政治リーダーが標的になることもよくあります。その中には、スウェーデンの外務大臣アンナ・リンド、オラフ・パルム首相、チリのアレンド大統領、ケネディ家なども含まれるでしょうか？　一部のエリートや諜報員がすべてをコントロールし、そのシステムに逆らう者は、マイクロチップを埋め込まれマインド・コントロールされた殺人鬼に殺されたり、偽装自殺、事故、病気の形をとって消されたりする――そういう世界に私たちは住んでいるのです。あるＣＩＡエージェントは、離れていても人を殺せると言いました。心臓の動きを止めたり、がんを発生させる光線を人工衛星から照射したりして死に至らしめるのです。マイクロチップはいたるところに存在します。衣服、家具、壁、床、トイレ、絵画などです。図書館には電子的解読器がタイルの裏に設置されており監視に使われます。諜報機関は図書館員を利用し、標的人物が借りた本を把握します。ＩＢＭ製の追跡ユニットが博物館やバスステーション、空港などに設置されています。ジョージ・オーウェル的世界はすでにできあがっています。私たちの意識的思考は35°Ｃから39°Ｃの体温の時に発生します。思考に伴う基礎的波長は、10マイクロメートルです。

これは、バックグラウンド電磁波と混ざった赤外線波長シグナルで、脳をコントロールするために操作されます。ヒトの頭蓋骨は携帯電話と同じ周波数で作動します。偶然ではありません。送信器の寿命は無限です。電力と情報は電波が供給します。人体の熱でマイクロチップは作動します。猫、犬、馬などの動物は、識別とプログラミングのためにマイクロチップがインプラントされます。アスコット競馬場のレースで、勝ちそうだった馬が方向転換し逆方向に走ったことがあります。某ブラック氏が双眼鏡から電磁波を馬に向けて照射したことで逮捕されました。その電磁波で馬が気絶しました。同じことは人間にも可能です。

獣医は、マイクロチップをインプラントされた動物を特定するためのスキャナーを持っています。おそらく、人間にインプラントされたマイクロチップもそのスキャナーで読めるでしょう。フィンランドのパーテロ教授が発明した歯科用のパノラマX線撮影装置を使えば、もし被験者の歯もしくは頭にマイクロチップがインプラントされていれば、大きなシグナル音が発生しますが、この検査は非常に高価で病院だけで可能です。

私の知り合いのスウェーデン人男性は、スウェーデンの秘密警察によって、彼の意志に反して頭の中にマイクロチップがインプラントされていました。そのマイクロチップは27Hzのシグナルを発していました。彼は個人的に電磁波ビームによるひどい拷問を数年間受け、頭に強烈な痛みを感じていました。X線検査を受けたところ、脳内にインプラントされた異物が見つかり、医師はそのことを認定しました。彼は手術を受けました。マイクロチップは1970年代初頭のものだったので大きく、取り除くことができました。当時のマイクロチップは1㎝でした。その後のマイクロチップは米粒のサイズになり現在ではナノサイズですので、もはや取り除くことはできません。彼のマイクロチップは、分析のためニューヨークに送られましたが紛失してしまいました。警察犯罪の証拠があった場合、こういった紛失は常に起こります。しかし彼は、脳にインプラントされたマイクロチップの存在を証明する医療報告書を公開しました。そしてそれ以来彼は拷問やコントロールのために権力者が行う違法なマイクロチップインプラントに反対する強力な人権擁護推進者になりました。マイクロチップの有無にかかわらず、現在のテクノロジーでは、ある特定周波数の電磁波を脳に向けて照射すれば、普通の人間を犯罪者に仕立て上げられます。このことを一般市民は何も知りません。

一般市民には知らされない軍の秘密技術を使えば、マイクロチップを無効化することは可能です。ＣＢＳニュースとビジネスワイヤーニュースは、２００９年10月22日にニューヨークのグランドハイアットホテルで行われた、ヴェリタス・コーポレーションとレセプターズＬＬＬの会議について報じ、HINIウィルスを見つけるためのウィルス・トリアージ検出システムや、体内グルコース感知ＲＦＩＤマイクロチップの詳細を明らかにしました。ＦＤＡは、ヒト用のＲＦＩＤマイクロチップを承認し、すでにアメリカでは多くの家庭がそれを利用しています。

バルセロナのあるナイトクラブでは、マイクロチップを体にインプラントしている若者に特典を与えています。もちろん、外からの力による行動変容によって生物ロボットに変えられることは教えられていません。カナダのパーシンガー教授によると、間違った記憶を作ることも可能です。マイクロチップをインプラントされた人々は、彼らをモルモットとして好きなように利用する非倫理的な権力者によって、感覚、夢、潜在意識、身体機能をコントロールされます。彼らはサイボーグという機械内蔵人間になります。スウェーデンの防衛研究機関の２０１１年の報告書では、マンマシンシステムＲＦＩＤは何十億ドルという事業に発展したことを指摘しています。これは、企業の欲望と政府の専制化の象徴といえます。

ロンドンのタイムズ紙によれば、イギリスのウイリアム王子は12歳の時、マイクロチップをインプラントされました。もし彼が誘拐された場合、マイクロチップからのシグナルによって居場所を特定できるという口実のもと、インプラントが実施されました。実際のところウイリアム王子は完全に操縦されており、イギリスの諜報機関ＭＩ５が将来の王妃を決定しました。ＭＩ５は彼の行動、感覚、愛、憎しみなどを好きなようにコントロールできます。ＭＩ５はウイリアム王子がキャサリン妃と別れることを想定した実験をすでに行ったようです。しかし、その後よりを戻させ２０１１年に結婚させました。

トップレベルの人の中には、反応を観察し掌握するだけのために、マイクロチップをインプラントされる人もいます。よりひどいのは、痛みやてんかん、頭痛、筋肉の痙攣、歯痛などで拷問を加えるようプログラムされた人々です。暗殺プログラムや性奴隷プログラムは人間を貶め、心を持たないロボットに変えてしまいます。これらのプログラムは、「国家安全保障のための」政府プログラムとして「承認」されていますが、それでいいのでしょうか？　世界を牛耳る人々にとっては、邪悪こそが真の人間性なのでしょうか？　少なくともアングロアメリカ諸国やその同盟国ではそのようです。

犬が近くを通る時にその犬を吠えさせる信号を持った人がいます。また、従兵がはっきりした理由もなく犬にひどい仕打ちをすることがあります。自殺を含めすべてプログラムが可能です。知りすぎたために殺害されてしまったとても博識なある友人が、二つの裕福な家族の話をしてくれました。アメリカの家族とノルウェーの家族なのですが、両方の家族とも母親が明確な理由もなく突然子供を殺害してしまったのです。マインド・コントロールによるものと考えられますが、両方とも事件の内容は語られず、一般市民から完全に隠されました。「最高のマインド・コントロールは愛する人を殺させることだ」とメンゲレ博士は述べました。

優しくいつも援助してくれた当時86歳の母は、フィンランドに住み難聴を患っていました。ある時、私の妹はヘルシンキのある耳鼻咽喉科の予約をとりました。この医師が市の医師リストに掲載されていないことにもっと早く気づくべきでした。後になってこの医師は、マイクロチップインプラントを秘密裏に行う医療機関でトレーニングを受けていたことを知りました。

母は耳垢を掃除してもらうだけでよかったのですが、その非倫理的な医師は鼓膜を通して内耳にマイクロチップをインプラントしました。同意もありませんでした。マイクロチップを同意なくインプラントすることは、フィンランド医師会倫理委員会が禁じています。しかし、非倫理的な医師は、諜報機関などからたくさんの資金を提供され、非倫理的研究のモルモットにするためにマイクロチップを人にインプラントし健康に害を与えます。その後、ＭＲＩのＸ線を用いてマイクロチップが信号を発していることが証明されました。

フィンランド、トゥルクのある女性精神科医は、私が同僚に情報を流すのを妨害していました。彼女はかつて、マイクロチップがインプラントされていることに気づいていなくても患者は苦しみません、と話しました。医師たちはこの残酷なテクノロジーについてほとんど知りません。誰がニセ情報を流しているのでしょう?

母が12時になると熟睡から目覚め「彼らが耳を引き裂いている」と叫ぶようになり、それが始まってからちょうど3週間経った時のことです（3も12も諜報機関がよく使用するコードナンバーです）。母は汗をかき嘔吐もあり意識も失いました。「このままでは母が死んでしまう」と私は思いましたができることはありませんでした。その朝、母はその出来事について何も覚えていませんでした。「彼ら」は、耳の中にインプラントされたマイクロチップに向けて、痛みの周波数を伴う電磁波ビームを照射したのです。

そして突然母は頭の中の声を生まれて初めて聞くようになりました。否定的で攻撃的なプログラミングである合成テレパシーによって、優しかった母は攻撃的になりました。これはおそらく私への復讐だと思います。私は、一般市民に対して軍情報部、諜報機関、警察による犯罪行為を暴露してきましたから。この事実を知らせないと、一般市民はこのテクノロジーや目的について全く気づいていないのです。

このような状況は3年間続きました。一度は母が突然トランス状態に陥り、「私はお前を殺すようプログラムされた」と大声で叫び、キッチンナイフを手に取りました。母がマイクロチップを通じて激しくマインド・コントロールされていることにすぐ気づき、後退し適切に行動しました。私はどう対処すべきかわかっていましたので、その状況をすぐに解決できました。上記のような状況で、マインド・コントロールされた人やマイクロチップをインプラントされた人に対して、最もしてはいけないことは、反撃することです。知らない人は、体を押さえつけようとするかもしれませんが、マインド・コントロールされている人は年寄りであれひ弱であれ、非常に強い身体的パワーを発揮することに気づくでしょう。後になって訊くと、母は事の顛末を全く覚えていませんでした。電磁波脳内コントロール技術と電子的記憶解体技術が用いられました。

母は他人を傷つけたことがなく多くの人を助けてきました。素朴で、善良で、優しくて、平和的な母に対して、諜報機関は行動変容に関する残酷な実験を行いました。マイクロチップやMK研究、一般市民を対象とした実験などについて知らない精神科医は、おそらく突然起こった精神疾患だと診断するでしょう。また、精神医学の世界ではマインド・コントロールに言及することさえタブーのようです。なぜなら、マインド・コントロールをプログラミングしている人たちが、人間性に対する犯罪者であることが明らかになるからです。また、精神医学にしても身体的な医療研究にしても、ヒトの意識や意識への働きかけ方に関する秘密の軍事的研究からは、50年の後れをとっています。女性はターゲットとして優先されます。中世の世界で魔女として火あぶりの刑に処されたように。

合成テレパシーという頭の中の声は実際存在します。これは、1974年にシャープ博士が実験で明らかにしました。世界で一番高感度なマイク「ブルー・マウス」でなら、頭の中の声を録音できます。このように頭の中の声は心が作り出す想像ではなく冷酷な軍事テクノロジーの結果です。エルドン・バード博士もこのことを明らかにしました。私は彼が死亡する前に2回ほどメールをやりとりしました。彼は海兵隊非殺傷兵器開発プロジェクトの責任者です。開発プロジェクトのすべてを知り、最後にはその多くを暴露した尊敬に値すべき人です。

2004年1月の初めごろ母は静かにこう言いました。「頭の中の声が言うには、私はあとひと月の命らしい」。私はこのようなことが起こりうることがわかっています。加害者は「非殺傷兵器」などの様々な方法で人間を殺害しますが、通常その前に警告を発します。防御するためにできることはありませんでした。ちょうど1か月後の1月31日母は脳卒中で亡くなりました。

私はその後、母の意識である魂のエネルギーに何回か接触しました。母はエネルギー体になってなお私を守ろうとしています。母の肉体的人生を奪い、現在私を付け狙い様々な方法で黙らせようとしている邪悪な連中からです。ゴラン・ハーメレン教授を議長とする「科学と新技術に関する欧州倫理部会」は、「人体におけるICTインプラントの倫理的諸相」という30ページの報告書を、2005年3月16日に欧州議会に送付しました。その報告書の中で、マイクロチップの詳細やその使用法を説明し、人々の意志を遠隔的にコントロールするためにＩＣＴ（情報通信テクノロジー）インプラントを使用することは禁止すべきであると結論づけています。また、サイバー空間における人種差別の根拠としてＩＣＴインプラントを使用することやアイデンティティ、記憶、自己認識、他者認識を変えるのに使用することも禁止すべきとしています。また、他者を支配するため、そして能力を強化するためにＩＣＴインプラントを用いることも禁止すべきとしています。特に監視目的のＩＣＴインプラントは人間の尊厳にとって脅威です。他者を支配するために、国の権力者や個人、グループなどがＩＣＴインプラントを使用するかもしれません。この報告書の抜粋は本書の付録ページで読むことができます。

２００６年5月31日の新聞発表で、ウィスコンシン州が議会法案２９０において、強制的なヒトＲＦＩＤを禁止し、違反すれば1日1万ドルの罰金を科すことが明らかになりました。ミシガン州は２００４年1月1日から、同意のないマイクロチップインプラントを禁止することになりました。これはアメリカではじめての決定です。罰則は15年の懲役刑から終身刑になりそうです。メイン州、ペンシルベニア州、マサチューセッツ州、カリフォルニア州など多くの州がこれに続きました。

２００９年7月、下院議会はＭＫテクノロジーを拒否するという意見をインターネットで公表しました。上院議会は後でこの問題を扱わざるを得なくなるでしょう。プーチンロシア大統領は、心理兵器に反対する２００２年の文書に署名しましたが、公式にはまだそれは有効になっていないようです。

日常的に非倫理的研究を監督しているのは誰でしょうか？　米国精神医学会が編纂した「精神疾患の診断・統計マニュアル」第5版において、患者に害を及ぼす可能性がある非倫理的で政治的な精神医学の研究についてはどうでしょうか？

1950年以前よりすでにマイクロチップを大衆に投与してきた多くの国では、非倫理的な研究によってすでに何百万もの人々が被害を被っています。いつになったら彼らは悟るのでしょうか？　マイクロチップは別名「スマートダスト」といい、無線微小電気機械センサーを意味し、光から振動まであらゆるものを検出できます。マイクロチップには演算回路、センサー、双方向無線通信装置と電源が備わっています。二方向バンド電波を用いて送信するマイクロチップは、大量のデータを収集し、演算し双方向通信を行うでしょう。商業的そして軍事的応用製品は多岐にわたり、すでに社会に多大な影響を与えています。いくつかの国ではマイクロチップの装備が義務化されている無線装置の使用を通じて、私たちは地球規模の健康危機へと向かっており、これは人口削減プログラムの一部をなしています。

Smartersmarders.com

中国政府はすでに10億個のマイクロチップを発注しました。これらはバーコードを代替するでしょう。運転免許証、パスポートにはすでにマイクロチップが装備されており、クレジットカードもまた同様です。

ＩＢＭ製の追跡装置は博物館、バス停、飛行場などそこら中に設置されています。読み取りスキャナーを持っている者なら誰でも、歩行者に近寄り財布の中から情報を取得することが可能です。隠し事はできません。私たちはすでに、すべての人を完全なコントロール下に置こうとする犯罪者によって歪められた西側世界に住んでいるのです。こういった世界に自分の子供を生活させたいですか？　もちろん、嫌でしょう。

コンピューターと人工衛星がコントロールするマイクロチップを埋め込まれた人々はサイボーグとなり、自分自身の思考、感情、行動を持つ自由人ではなくなります。一般大衆がまだ何も知らない超近代的技術を用いて、一般大衆を生物ロボットのように扱うエリートたちの態度を改めさせるには、何か大きな事件が起こらなければなりません。世界人類の大多数は何も知らされず、権力者にコントロールされるという破滅的な状況を変えるために、すべての人々は一度立ち止まって何ができるかを考えなければなりません。

ほとんどの人々は眠ったも同然です。なぜ、この地球、この国に生まれ、現在の人種・性として生活しているのか理解していません。あなた自身から変わらねばなりません。今すぐにです。私は第一次イラク戦争の映画を見たことがあります。その中で、直接脳に指令を与えるためには、マイクロチップが必ずしも必要ではないと説明されていました。兵士たちは、食料や水が置かれている貯蔵庫の中で座っていました。アメリカの飛行機は貯蔵庫の上を飛行し、アラビア語通訳は電磁波ビームを用いて、兵士たちに降伏するよう命令しました。そして、マインド・コントロールは成功しました。すべての兵士は手を上げて貯蔵庫から出てきました。彼らに会った者はいませんでした。アメリカ軍の飛行機はすでに飛び去っていました。

後になって、イラクの大佐が手を上げ出てきて降伏しました。しかし、敵の姿はありませんでした。ただヘリコプターが着陸せずに飛行していました。これは、合成テレパシーと呼ばれる脳内音声送信技術を用いた、戦場実験だったのです。

平時においても、政府は非情な組織が開発する脳内音声送信兵器の実験台として一般市民を利用していると、イギリスの精神分析学者のキャロル・スミスは述べています。彼らの関心事は民主主義や人権と対極のところにあります。

ディーン・ラディン教授は、プリンストン大学、ネバダ大学、エジンバラ大学で先端的通信を教えていますが、彼によれば、非イオン化電磁波ビームは個々の細胞から人間行動にいたるまで、生体システムに影響を与えるそうです。

2007年4月8日付プラウダでロシア陸軍少将ボリス・ラトニコフは、人間をゾンビ化する精神工学兵器をロシアが有していると述べました。たとえ数百キロ離れていようと人々を混乱させられる発生装置の存在を明らかにしました。その装置を使えば、人々の行動をコントロールし精神に重大な影響を与え自殺させることもできます。精神的影響の脅威は底知れぬほど大きいことを知らなければなりません。

指向性エネルギー兵器（主として電磁波兵器と音響兵器）は、人間を含めすべての生物の精神と肉体に影響を与えます。それらの兵器は、精神物理学的兵器や情報戦争兵器、神経学的手法、情報操作的手法、精神工学兵器、リモート・ニューラル・モニタリングなど様々な呼び方がされています。その他にも、認知作用兵器、非殺傷兵器、電子戦争兵器、行動変容のためのＮＬＰ的手法、モディフィケーション、精神侵襲性兵器、マインド・コントロールおよび電気的ハラスメント兵器、影響技術的手法、洗脳コンピューター、人々をゾンビ化する装置、精神・身体疾患を誘発する装置、敵軍監視技術、人間誤動作装置、大量破壊兵器などのように呼ばれることもあります。

国際赤十字委員会は、上記の兵器の使用がジュネーブ条約第３章に抵触する可能性があると指摘しています。このことについて、ウォルター・マドリンガーが２００９年ドイツで開かれた「非殺傷兵器会議」で発表しました。指向性エネルギー兵器は殺傷兵器であり、身体を無能力化する強力な作用を持ち、大量破壊兵器として使用できることを、ジュネーブの国連軍縮研究所は２００２年に認めました。

上記の兵器による被害者らは、彼らの家が強制収容所のようであることや、精神的な奴隷状態にあると語ります。これらの認知作用兵器は人間の感覚を大きく混乱させます。このことは、ハリウッド映画「ビューティフル・マインド」で明らかにされました。

科学者のナッシュは指向性兵器のターゲットにされ幻覚を見させられます。しかし、その後彼はノーベル賞を獲得します。すばらしいストーリーの映画です。加害者は人々を拷問する時「アメとムチ」を使います。

一般市民を生物ロボットにする目的で用いられるテクニックを知るには、他にも重要なハリウッド映画が何作かあります。コンピュータープログラムされたものを電磁波によって見たり聞いたりさせるテクニックがあります。「影なき狙撃者」（特にフランク・シナトラが出演する白黒バージョン）、「Enemy of State」、エリザベス・バークリー出演「クリープゾーン――マインド・コントロール」などです。特に「クリープゾーン――マインド・コントロール」では、電磁波兵器を人間に照射し、夜になると脳波に影響を与える方法でマインド・コントロールし、人間ロボットに仕上げ、殺人まで起こさせるという衝撃的なシーンがあります。ハリウッド映画はたびたびエリートの黒い陰謀を暴いてきました。

第14章　携帯電話とマイクロ波の厄災

全人口を網羅した遠隔からの集団マインド・コントロールが、携帯電話回線を経由して行われている。フィンランドのヘルシンキ近郊で開催された、2000年第33回軍事医学に関する国際会議のポスター・プレゼンテーションを、私は持っている（訳者注：ポスター・セッション〔英語：Poster session〕あるいはポスター・プレゼンテーション〔Poster presentation〕とは、学術的な研究の成果を学会などの会議の場で発表する方法のひとつである）。

英政府通信本部（GCHQ）、英国防省（MOD）、米陸軍情報部（MIS）とともに、イギリスのヨークシャー地方メンウィズヒルでも作戦行動している米国家安全保障局は、携帯電話回線を通じた遠隔からの集団マインド・コントロールのために、タワーを利用して強力なレーダーを全人口に対して照射することができる（訳者注：英空軍メンウィズヒル基地には、史上最強の盗聴・通信傍受システム「エシュロン」施設があるとされる）。

彼らは、集団内の大勢の中から、ある特定の個人を標的にすることができる。彼らは、コミュニケーション媒体に偽装した、白いワゴン車であることが多いが、移動式の精神工学兵器運搬装置を用いて、遠隔から個人マインド・コントロールを行う。移動可能な精神工学兵器を用いた遠隔からの個人マインド・コントロールは、近隣の住宅から、別の住宅にいる集団内の単一個人に対して行うことができる。

そしてまた、精神工学兵器を搭載した「ブラック（裏工作）」ヘリコプターを用いた、遠隔からの個人・集団マインド・コントロールはよく知られるところである。彼らは、生体電気共鳴周波数を伴うＥＬＦ（超低周波）刺激を生じさせることができる。それは、変調を介して生じる情報である。それは、10Hz（ヘルツ）に調整された運動インパルスである。聴覚皮質では15Hzで音は聴覚を回避し、視覚皮質では25Hzで脳内の映像は視覚を回避し、思考中枢では20Hzで潜在意識的思考を強制する。９Hzで触覚を引き起こすことができる。

最近、北部ノルウェーのトロントの保育所で、近隣にあるEiscatレーダーを試したと思われる事件があった。その時突然、子供たちは全員、目に見えないものに触れられるような感じがして、頭の中で声が聞こえはじめた。子供たちに対する軍事実験を隠蔽するために、教会から牧師が呼ばれた。数年前、イギリスのマンチェスター近郊で開催された、ＵＦＯと超常現象を扱った会議で講義をしていた時、私はある専門家から携帯電話を使わないように注意を促された。何故なのかを尋ねた。まず第一に、携帯電話はマイクのように働き、電源を切っている時でさえも、人が話すことを全て録音しているからである。電池を外している場合に限り、その携帯電話がマイクロチップを内蔵した最新版でなければ、携帯電話に聴き取られることはないだろう。そしてまた彼らは、人がどこにいようとも、その居場所を突き止めることができる。そして最悪なことに彼らは、携帯電話のマイクロ波の出力を２０００倍に増強することによって、即座に人を殺すことができる。人間の脳細胞は、瞬時に燃えるだろう。言うまでもなく、アルツハイマー、脳腫瘍、癌、失明、難聴もまた、携帯電話の過度の使用によって起きる可能性がある。

チェチェン共和国の指導者デュダーエフ将軍は、携帯電話で話している最中に死んだ。携帯電話自体がマイクロ波兵器なのである。携帯電話で通話することで居場所が判明し、彼を殺害するために爆撃機が送り込まれたというのは、もちろん作り話である。

携帯電話に関する虚偽情報は、お金や人口抑制と大いに関係している。タバコ産業で起きたことと同じことが現在、携帯電話で起きている。現在のタバコ産業において、健康への悪影響に対する否定は、「タバコは、あなたの健康を損なう恐れがあります」というような末端に貼られたラベルにまで及んでいる。だから、健康を損なう場合の責任はあなた自身にありますというわけである。将来、「マイクロ波は、あなたの健康を害する恐れがあります」というような携帯電話の上に貼られたラベルによって、業者は責任や賠償金から逃れることだろう。ダグブラデット紙が明らかにしたように、タバコには4000もの様々な成分が含まれているということを、多くの人々は認識さえしていなかった。同様に、携帯電話の使用に関わる深刻な健康問題は、今なお公式に否定されている。

ロイド保険は、電磁被曝に対して賠償金や保険金を支払わない。フランスでは既に、携帯電話に対して警告を出している。そしてイギリスでは、子供が学校で携帯電話を持つことを許可していない。スウェーデンでは、12～16歳の97％が、9～12歳の77％が携帯電話を保有している。イタリアでは2009年にOCCUPATIONAL COURT（労働裁判所）が、ある男性の顔面の腫瘍は、携帯電話や無線電話の過度な使用が原因であるという判決を下した。彼は賠償金を受け取った。米軍、ノキア（フィンランドの通信機器メーカー）、モトローラ（米の半導体・通信機器メーカー）などのメンバーで構成された、小規模の民間組織である国際非電離放射線防護委員会（ICNIRP）は、軍事的・産業的要請により、携帯電話被曝やマイクロ波被曝の放射線制限値を過度に高く設定した。WHOは彼らの提案を、永続するつもりの全くない、一時的なテストのつもりで受け入れた。健康問題を防ぎたいのであれば、実際の安全な制限値はゼロである。放射線は安全ではないのだ。しかしながら既にデンマークには、人間より多くの携帯電話が存在している。

オーストラリアではある医師が、1週間のうちに5人の子供の脳腫瘍患者がいたことを報告した。恐らくそれは、携帯電話の使用が原因である。子供に携帯電話を与える親は、我が子の健康を危険にさらす恐れがあるとは思いもよらないのだ。子供にとっては凶器であることが想像もできないのだ。しかしながら、特に放課後ならいつでも子供とは連絡をとることができるはずだと親が感じている場合、厳密にはそのようなことが起きているのである。携帯電話が存在しない20年前には、携帯電話がなくてもどうにかできたものである。フィンランドのノキアは赤ちゃん用の新たな携帯電話を作る計画であったが、取り止めた。子供の頭蓋骨は大人よりも薄く、子供の神経は完全には発達していない。だから携帯電話を使用すると、子供は大人以上に危険にさらされるのである。

しかしながらドイツでは、放射線のより少ない子供用の携帯電話が開発された。もちろん、子供たちは皆、産業用モルモットである。なぜならば、マイクロ波は神経、脳、集中力に悪影響を及ぼすため、18歳以下の子供は携帯電話を使用するべきではないからである。法規制によって、子供たちをマイクロ波被曝から守る方向に動いている国々もある。しかしTVやPCによる被曝も、健康に影響を与える可能性がある。特に、画面が急にライトグリーンに変わるような、極めて強力なマイクロ波を放つ場合には。マイクロ波は、吐き気、頭痛、健康不良を引き起こし、そしてマインド・コントロールに使用される可能性がある。それは重ねて、何も知らない一般大衆を使った実験である。

ＩＥＥＥ（米電気工学・電子工学技術学会）の１９９６年の調査報告書にあるような、５歳児の脳の電磁吸収を表した色グラフを見れば、頭部や頸部に対する携帯電話の放射による影響がわかる。

比吸収率ＳＡＲ（specific absorption rate）は、携帯電話の出力と、その出力による加熱の問題の可能性を表した測定単位である。低いＳＡＲ（比吸収率）の携帯電話が安全というわけではない。携帯電話からの常習的な被曝による熱効果や非熱効果は、生物学的に見て十中八九有害であるということが、単にＳＡＲ（比吸収率）によって示されているにすぎない。

また、ＥＵが「容認できる」ＳＡＲ比率は２Ｗ／kgであるが、スウェーデンでは０・８Ｗ／kg

である。スウェーデンではハーデル博士らが、人間に対する携帯電話の影響について調査し、憂慮すべき結果が出た。1日1時間の使用でさえ、脳腫瘍の可能性が50％増加する。もちろん、「産業界に買収されている」科学者たちは、いかなる害悪も健康への影響も否定する。もし彼らが真実を認め、健康に対する深刻な影響が表沙汰になるとすれば、私はとても驚くことであろう。なぜならば、携帯電話会社の利益にかなりの悪影響を及ぼすからである。残念ながら重要なのは、人々の健康ではなく、お金だけなのだ。ＷＨＯは現在、10年間をかけた携帯電話の影響に関する研究に取り組んでいる。携帯電話と携帯電話の鉄塔が深刻な健康被害を引き起こすことは、利害関係者からの干渉を受けない、多くの科学者たちが証明している冷厳な事実である。それらの独立した科学者たちは、産業界に買収された科学者たちによって圧力がかけられ、口を封じられようとしている。その目的は、世間一般や他の科学者仲間に真実を知られないようにすることらしい。

驚くべきことに、放射線防護のための国立の研究所もまた、放射線は害がなく、子供にとってでさえも危険ではないという虚偽情報を広めている。そして時に、大手の医学雑誌でさえも、産業界の虚偽情報を広めているのである。全てが真逆である。それは、一般大衆を欺く全ての主要な事柄と同様である。携帯電話の鉄塔、携帯電話、無線テクノロジーは恐らく、エリートによる人口削減計画の一部なのではないだろうか（?）。だから現実の健康被害は、「ビッグ・ブラザー」に追従する保健機関によって、一般大衆と一般の研究者たちに対して秘密にされているのである（訳者注：ビッグ・ブラザーとは、英国のジョージ・オーウェルの小説「１９８４年」に登場する架空の独裁者。転じて、国民を過度に監視しようとする政府や政治家を指す）。私立財団である国際非電離放射線防護委員会（ＩＣＮＩＲＰ）が、電気通信業界から出された「許容」制限値を設定する。そしてＷＨＯ、ＥＵ委員会、国家機関がその制限値を許諾し、更に広めるのである。一般市民に対する電磁戦争が、一般市民に悟られないまま進行している。人間の健康、植生、動物に対する悪影響、小鳥や蜂が姿を消していること、数百頭単位でのクジラの死は、警鐘である。

２００４年低周波電磁界被曝に関するリスク評価研究であるEU's Reflexが、７か国における12の様々な研究所で行われた。携帯電話はＤＮＡを破壊し、遺伝子を変化させ、癌、不妊症、パーキンソン病などの慢性疾患を引き起こすことが、その研究で明らかにされた。ＤＮＡは、「許容」制限値未満のマイクロ波でも破壊されるのである。更に、10年以上携帯電話を使用すると、普段から携帯電話を当てている側の頭部が脳腫瘍になる危険性が倍増するということが、サージカル・ニューロロジー誌（神経外科学雑誌）で発表された11の長期疫学研究における総括で明らかになった。

アルツハイマー、唾液腺腫瘍、骨盤領域の放射線障害（電話をベルトやポケットに携帯している場合）、癌、白血病、免疫機能への影響、神経や行動に対する影響、ストレス、脳腫瘍、聴神経鞘腫、心臓血管系への影響、疲労、睡眠障害、視聴覚障害、生殖器官における不妊症などが、携帯電話と携帯電話の鉄塔の影響を扱った様々な研究で実証されている。

現代における環境と健康に対する最大のスキャンダルついて、私が読んだ中で最良の書である「Mobil telfonens halsorisker」（携帯電話の健康上のリスク）は、２０１０年4月にスウェーデンのモナ・ニルソンによって書かれた。一般大衆に対して情報提供する際に、産業界に買収された科学者たちと同じように、不当な断言をし、陰謀論や恐怖プロパガンダを論じてばかりいる人間は、「無害の」携帯電話という虚偽情報を一般大衆に与えている大物を暴露するような、真相と追及に満ちたこの本を読んだ後では、「swallow some big camels 大いに我を折る（自分の考えを押し通すことをやめて、他人の意見に従う。譲歩する）」べきだろう。

そしてまたマーコーラ博士も２０１０年4月21日、Mercola.com のＥＭＦ（電磁場）というインターネット上に、携帯電話の被害に関する危険信号を発表した。一般大衆に対して、ワクチン接種の副作用などの様々な健康問題に関して伝える彼の情報は、概して優れている。人々は、携帯電話の放射線に伴う深刻な健康被害を知らない。だから人々は、安全に対する産業界の虚偽の発表を信じたままで、健康を害するのである。１９８５年、１９８６年には既に、ソビエト連邦と東欧共産圏諸国は、放射線に対して10mik／㎠という極めて厳しい制限値を設けていたことが、マイクロ波に関わる報道で明らかにされた。一方、オーストラリアは２００mik／㎠であったが、アメリカとイギリスは１０００mik／㎠であった。国は違っても、人間の身体は同じはずなのに。アメリカとイギリスでは軍産複合体が最も力を持っているからである。また一方で、アメリカの裁判所は、法的強制力はないものとして10000mik／㎠という制限値を規定した。そしてイギリスは、400mik／㎠という基準を提案した。当然ながら、異なる単位を使用することで、何が安全で何が安全ではないのかに関して一般大衆は不確かな状態に置かれる。それは意図的なものである。2007年バイオ・イニシアティブ・グループは、1mw／㎡という制限値を推奨した。いわゆる携帯電話基地局に関するザルツブルグ決議で、20人の科学者たちが同じ制限値を推奨した。ザルツブルグ保健局は2002年には既に、0・001mw／㎡という制限値を推奨していた。それは、スウェーデンの第三世代移動通信システムの制限値よりも、1000万倍も低いものである。

スカンジナビア諸国は、新世界秩序による放射線を使った実験のモルモットに利用されているのだろうか（訳者注：新世界秩序〔New World Order 略NWO〕とは、世界政府のパワー・エリートをトップとする、地球レベルでの政治、経済、金融、社会政策の統一、究極的には末端の個人レベルでの思想や行動の統制・制御を目的とする管理社会の実現を目指す国際秩序）。さもなければ、スウェーデン、ノルウェー、デンマークの「制限値」が、中央ヨーロッパよりもあまりにも極めて高い理由は何であろうか。

そしてまた、中央ヨーロッパ医師会と医師たちは既にこの10年にわたり、深刻な健康問題のために、携帯電話産業の拡大に対して抗議を行っている。2002年には1000人におよぶ医師たちが、いわゆるフライブルク抗議運動の訴えに署名した。ドイツ、オーストリア、オランダ、アイルランドの医師たちが、放射線制限値を下げること、そして携帯電話の使用を最小限に抑えることを要求した。２００８年癌専門医たちは French Journal du Dimanche（フランスの日曜新聞）において、12歳以下の子供たちに対しては、緊急時以外の携帯電話の使用を禁止するべきであるという訴えに署名した。

アメリカ議会は携帯電話の危険性に関して意見を聴取するために、２００８年9月25日に専門家会議を手配した。テッド・ケネディ上院議員と花形弁護士ジョニー・コクランは、脳腫瘍で亡くなっていた。私たちは、次の10年間の世界での脳腫瘍の蔓延、特に子供の脳腫瘍の蔓延を予測することができる。それは、支配と人口削減のための卓越した計画である。

携帯電話の鉄塔から１２００ｍ離れて生活しても、その地域の癌の発症例は、それ以外の健康被害と同じように明らかに増加するということが、携帯電話の鉄塔に関する研究で明らかにされている。鉄塔は24時間３６５日作動しており、人間の身体全体に影響を及ぼすのだ。

オランダでは既に多くの都市が、５ｍ以上の鉄塔の設置を禁止している。フランスでは、民衆の抗議行動によって、鉄塔を撤去することができた地域もある。そのようにして、力を行使することに踏み出す場合にのみ、人は本当に力を持つものである。もちろん、非暴力的にである。ウィーン医師会は、マイクロ波放射線の健康被害に関する正しい情報を人々に伝え始めた。しかしながら一般的に医師会は、「ビッグ・ブラザー」の支配下にあり、医師仲間に対してさえも正しい情報を出すことを拒んでいる。様々な国の環境団体もまた、携帯電話が引き起こす環境問題に関してインターネット上に情報を提供している。

次世代携帯電話は、更に酷い健康問題を引き起こすだろう。第一世代携帯電話NMTは、450㎒（メガヘルツ）と900㎒の周波数を使用した。その次のGSMは、900㎒と1800㎒。そのまた次の世代は、更にずっと高い周波数を使用するだろう。UMTSと3Gの無線周波数は既に2・1㎓（ギガヘルツ）である。UMTSと3Gは、Reflex Study（低周波電磁界被曝に関するリスク評価研究）が宣言しているように、更にいっそう危険である。「許容」放射線制限値が、少なくとも1000倍は下げられているに違いない。そうでないとしても、人類はゆっくりと自己破壊をしているのである。もちろん、それがNWOエリートの目的である。SAR（比吸収率）制限値は0・8W／kgを超えるべきではないとするスウェーデンの研究ではまた、スウェーデンで販売されている携帯電話の10台のうち7台はその要求を満たしておらず、通常25台の携帯電話を調査すると、15台はその要求を満たしていないということも明らかにされている。

第15章　放射線

アメリカの多くの州、スウェーデン、ニュージーランドなどの複数の国々で約1年前に発生した、数万単位での鳥や魚の信じられないような突然死は、どのようになっているのであろうか。空を飛んでいる最中に死んで墜落した鳥の体内は、溶解していた。またもや、電磁界を使用した軍事演習であろうか。それは、ＨＡＡＲＰタイプのテクノロジーである〔訳者注：高周波活性オーロラプログラム〔HAARP High Frequency Active Aurora Research Program〕とは、アメリカ合衆国で行われている高層大気と太陽地球系物理学、電波科学に関する共同研究プロジェクトである〕。これと同じテクノロジーが人口削減計画に使用されるとしたら、人間はどうなるのであろうか。放射線は常に危険なものである。１９８６年にアメリカ海兵隊のＥ・タイラー大尉は、「低強度紛争における電磁スペクトル」という報告書を書いた〔訳者注：低強度紛争〔Low intensity conflict〕とは、通常戦争と平和状態の中間にあたる、緩やかな紛争状態を指す概念である。今日では、地上戦における従来の大規模な戦車戦に対して、市街戦や対歩兵・ゲリラ戦闘をさす言葉として用いられることも多い。電磁スペクトル〔Electromagnetic spectrum〕とは、存在し得る全ての電磁波の周波数〔または波長〕帯域のことである〕。興味深いことに、私がこの本を執筆中に、この報告書は盗まれた。明らかに、ノルウェー軍情報部、もしくはステイ・ビハインド部隊の犯行ではなかったか（訳者注：ステイ・ビハインド〔Stay-behind〕作戦とは、その領土を占領する事案において使用するための、秘密工作員や秘密組織を敵国の領土内に置くオペレーションである）。元諜報員のジュリアン・マッキニーは1992年に、「マイクロ波によるハラスメントとマインド・コントロール実験」という報告書を書いた。その報告書には、不本意にも攻撃対象にされた人間に対して、現実にこれらのHAARPタイプのテクノロジー兵器が使用されていることが書かれている。

元アメリカ国防総省特派員のロナルド・マクレーは自著「心理戦争」で、1984年のバーバラ・オネゲルを以下のように引用した。脳波の周波数帯域においては、外部電磁放射線のある一定の振幅と周波数の組み合わせは、人間を含む生命体の外界機構を回避し、脳の上位神経構造を直接刺激することができる。この精神への電子刺激は、幻覚を含む精神状態の変化を遠隔から生み出すことができるということが知られている。

興味深いことに、1982年のイギリスのケンブリッジにおける心霊研究学会100周年で、私はバーバラ・オネゲルに会った。私たちは、思考の力でスプーンを曲げる実験に参加していた。その実験は、ジョン・アレキサンダー大佐が率い、25人の集団で行われた。バーバラは実に見事に、20秒で金属製のスプーンを曲げた。私の方は、スプーンが柔らかくなり曲がるまで、バーバラよりもずっと多くの時間を要した。用いられた思考様式は、金属は様々な分子から成っていて、その分子間に「シャワー」のように、思考エネルギービームを向けることを想像するというものであった。指で優しく金属に触れていると、撫でていた指が突然、金属がワックスのようになるのを感じ、簡単に曲がるのだ。当時、バーバラ・オネゲルはホワイトハウス補佐官を務めていたが、後に補佐官の職を辞め、1989年に「10月の驚く出来事」（オクトーバー・サプライズ）という本を書いた（訳者注：オクトーバー・サプライズとは、アメリカ合衆国大統領選挙が実施される年において、本選挙投票の1か月前の10月に、選挙戦に大きな影響を与えるサプライズ〔出来事〕のことを指す）。その本は、内部情報を書いたものである。

ラングレー・ポーター精神病院のアラン・ギブンズは、外部電磁放射線が脳の上位神経構造を直接刺激する理由を以下のように説明した。ＥＬＦ波（超低周波）が放射される際の電力レベルがあまりにも低出力であるため、脳が外部信号を自己のものだと勘違いして、外部信号を模倣再現し、外部信号の変調にも反応する可能性がある。

1992年ロバート・Ｏ・ベッカー博士は、「電磁気学と超常現象」を書いた。そこでは、磁気周波数の操作知識と、周波数情報暗号化の仕組みの知識を有する者が、人に気づかれずに、その人の意識に直接情報を書き込むことができるということが書かれている。この技術は悪用される可能性が高いだろう。

1946年に死んだニコラ・テスラは前々から、将来の戦争では爆弾の代わりに電子波動が使われるだろうと述べていた。これが何と、1915年11月5日～7日のＮＹタイムズに掲載されていたのである。1924年3月30日コロラドスプリングス新聞は、テスラが飛行中の航空機を航行停止させることができる、目に見えない殺人光線を初めて発明したと報道した。２００８年３月24日科学雑誌ニュー・サイエンティストは、機密解除されたアメリカ陸軍報告書の詳細な記事を発表した。それは、非殺傷兵器に関して、そして生殖障害や癌を含む非殺傷兵器の生物学的影響に関しての報告書である。軍隊、諜報機関、法人、その追随者である民間人部隊が用いる指向性エネルギー兵器や組織的ストーキングから、攻撃対象にされた個人（ＴＩ）や一般市民を守るためには、全ての国において政府の監督と法整備が必要なのは明らかである。ラジオ波、マイクロ波、赤外線波、可視光線、紫外線、X線、ガンマ線、宇宙波が、DEW's（指向性エネルギー兵器）が放つ電磁エネルギーである。そしてそれらが、同意や認知のないまま何らかの理由で攻撃対象に選ばれた、何も知らない一般市民を拷問すること、内臓損傷を負わせること、聴覚効果を誘発することなどに軍事利用されていると思われる。マイクロ波は中枢神経系に作用し、心臓機能障害や代謝機能障害を引き起こす。サブリミナルによるストレス行動、高次機能抑制によって覚醒暗示にかかりやすくなること、これらもマイクロ波の影響の一部である（訳者注：サブリミナル〔Subliminal〕効果とは、意識と潜在意識の境界領域より下に刺激を与えることで表れるとされている効果。サブリミナルは「潜在意識の」という意味の言葉である）。ＣＩＡの作戦ピケ（Pique）には、選択地域の人々の精神機能に影響を及ぼすために、電波信号もしくはマイクロ波を電離層に反射させることも含まれていた。このことは、１９７８年には既に明らかにされていた。人工衛星はあちこちへビームを放つのに使われ、現在そのビームは標的に対して１

ミリメートルの精度である。

特別なイベントの際には、ロシアとアメリカ両国の特別精密偵察衛星が使用される。例えば、曇り空の大統領就任式に、突然日が射すことが求められる場合などである。気象制御は宇宙兵器であり、1977年には既に国連によって禁止されている。アメリカは多くの国際協定を無視していることで知られている。軍事行動においては、突然の濃霧は防御をもたらし、予期せぬ豪雨や激しい嵐は事態の成り行きを変化させることは明白である。

2010年2月10日に米下院議員デニス・クシニッチは以下のような新たな法案を提出した。陸上、海上、宇宙を基盤としたシステムを通じて、情報戦争、気分操作、マインド・コントロールの目的で、放射線、精神工学電磁レーザー、音響工学レーザー、その他のエネルギーを個人や集団に対して向けることを禁じる。死亡させたり、危害を加えることを禁じる。個人の生命、生活、肉体的健康、精神的健康、物質的幸福、経済的幸福に損害を与えたり、破壊することを禁じる。「外来兵器システム」という用語は、地球上の標的集団を壊滅させる目的で、電離層や上層大気などの宇宙生態系や自然生態系、気候や天候、地殻変動システムを害するために考案された兵器を含んでいる。地殻変動システムは、地震や津波を誘導する。クシニッチ法案は骨抜きにされた。マインド・コントロールという言葉さえも盛り込まれていないのだ。誰が妨害したのであろうか。もちろんそれは、世界を支配している「ビッグ・ブラザー」と、一般大衆には秘密にされているアジェンダ（行動計画）に従う、米国防総省や世界中の政府にいるビッグ・ブラザーの従僕たちである（訳者注：ビッグ・ブラザー〔Big Brother〕とは、英国のジョージ・オーウェルの小説「１９８４年」に登場する架空の独裁者。転じて、国民を過度に監視しようとする政府や政治家を指す）。

２００８年６月の報道発表ではＦＦＣＨＳ（Freedom from Covert Harassment and Surveillance 秘密のハラスメントと秘密の監視からの解放）が２００６年に設立され、現在それはデリック・ロビンソンが率いる非営利人権組織になっているということが明らかにされた。ＦＣＨＳは、秘密の拷問と市民の自由を危うくする秘密の監視に対する、聴聞会と議会調査を米上院司法委員会に要請しようとした。磁界操作を通じて、人間の感情に影響を及ぼし、思考を妨害し、極度の痛みを与えるような新しい科学技術は、ブラック・バジェット・プロジェクト（闇予算計画）の下で開発されたということを、Project Censored の調査が明らかにした（訳者注：Project Censored とは、民主的自治のための報道の自由の重要性を支持する、メディア研究、教育、権利擁護への取り組みを行うアメリカの非営利組織）。米情報公開法の下で、メリーランド州フォートミード基地にある、アメリカ陸軍情報保全コマンドによってその詳細が明かされた、現在進行中の「秘密のホロコースト（大虐殺）」を暴露し阻止するために、新たな法案を通過させるべきである。自国内テロリズムの攻撃対象にされた個人（ＴＩ）は、実に様々なバックグラウンドから生じていて、ＤＥＷ（指向性エネルギー兵器）やストーキングを利用した組織的拷問により、身体的、精神的、経済的、社会的に被害を受けている。現在では、精神や身体を遠隔操作することは可能である。２００２年にジュネーブの国連軍縮研究所ＵＮＩＤＩＲが、核爆弾とともにマインド・コントロールを大量破壊兵器として認めたことを、私たちは覚えておかなければならない。残念ながら、通常ほとんどの一般医師はマインド・コントロールに全く気づかない。だから西欧諸国では、支配と人口削減計画の目的で、電磁ビームや電磁界を照射され拷問されていると訴える場合には、医師たちは誤って精神障害と診断するのである。

世界の様々な地域において（ヨーロッパ、中国、アメリカ、ロシアなど）、マインド・コントロールや拷問のために被曝させられることに抵抗するような組織は、ほとんど設立されておらず、統一されたリーダーシップも存在しない。しかしながら個々の組織は、多くの人命を破壊し続けている最悪の拷問や、秘密のホロコースト（大虐殺）に対する警告を発するために、全力を尽くしている。特定の家、個人、集団に対して向けられている様々な周波数の放射線に直接影響を受けていない人々は、諜報機関、ステイ・ビハインド部隊、軍隊、法人、悪徳集団によってもたらされる、同胞が受けなければならない、苦痛や「目に見えない」否定可能な拷問を理解することができない。何らかの理由で、もしくは理由なしに、自分自身や子供や孫がターゲットになり、様々な方法で嫌がらせを受けるまで、人々はこのような拷問を理解することができないのだ。今まで存在するとはとても信じることができなかった恐怖に対して、現在人々は十分に目を見開いている。人々の目の前で、『ホロコースト』が繰り広げられている。第二次世界大戦中の強制収容所における大虐殺について、ドイツ人がその全てを知っているわけではないのと同じようなものである。現代の被害者は、電磁ビームを使って、排気管や水道管からのガスを使って、隣人などからによる24時間365日の心理戦争のハラスメント方法を使って、自宅にいながら拷問されているのである。それは、ステイ・ビハインド部隊、軍情報部、警察権力、悪徳集団の命令の下で行われている。今日、私たちの世界はあまりにも病んでいる。市民を守ることを期待されている当局は、真逆に、一般市民に対するテロ行為や残虐行為を行い、地域社会で進行中の犯罪を擁護している。十分な情報が与えられていない一般市民にとっては、全く理解できない状況である。一般市民は既に、目標であるところのマインド・コントロールを、完全にされてしまったのであろうか。

第16章　諜報機関と軍情報部の仕事のやり方

　1975年9月18日のアメリカ上院立法委員会の報告では、以下のようなことが述べられている。あらゆる国々が、他国の政治、経済調査、軍隊に関する情報収集を試みており、デモを支援することにより一部の国に混乱をもたらそうとしている。二重スパイの助けを借りて、虚偽情報を広め、大学生を諜報員にリクルートしている。東欧共産圏の国々の諜報員は、CIA（米中央情報局）、DIA（米国防情報局）、FBI（米連邦捜査局）、NSA（米国家安全保障局）、シークレットサービス、アメリカの主要都市の警察機関のような西側国家の情報機関をターゲットとしている。そしてまた、私立探偵社、難民機関、亡命者、移民もターゲットとしている。

　フィンランドにおいては、西側主要国のために働く諜報員「組織」に第三世代のロシア移民がいると思われる。大使館の職員、運転手、接客係などはたいてい、諜報専門部員、もしくはカウンター・インテリジェンス（防諜）に属している（訳者注：防諜〔Counter intelligence〕とは、外国政府やテロリストによる諜報活動や破壊活動を無力化すること）。大使館で働く外交官、議会や国会の標的議員、省庁、政党、軍関係者、大統領官邸、政府長官、安全保障会議、研究に対する情報収集においては、本命である軍事研究会社、特にデータや化学を研究する会社、これらがターゲットである。宇宙研究、国立科学アカデミーなどはもちろん、大学研究センターとともに諜報活動のターゲットである。経済を担当している大使館付き書記官は、勤務する国で経済スパイを主導することができる。彼ら経済スパイの目的は、商業、農業、国家経済の情勢を観察することである。大使館内部の諜報活動は、電話交換手、ラジオ通信士、守衛、ドアマンによって行われる。彼らは特に大使館内の警備に責任を負っていて、とりわけ重要な会合の際に利用される、いわゆるセキュリティールームの使用に責任を負っている。彼らは、物流管理、監視カメラ、記録保管、車、その他の輸送手段、暗号キー、金銭などに責任を負っている。彼らは、暗号化されたメッセージを受け取り、輸送や空港とのやりとりに気を配り、外交郵便に判を押す。

国連大使館での仕事のやり方も、その他の大使館と同様である。それに加えて、国連職員を諜報員にリクルートする仕事もある。さらに、諜報活動とは反対の、国連の警察部隊に潜入する仕事もある。アメリカには多くの不法移民が存在する。それ故に、アメリカ移民局、沿岸警備隊、税関は、東欧共産圏の国々の諜報活動の対象なのである。諜報員は、パスポート、身分証、出生証明書、出生番号、税関書類、地図、様々な通信手段の予定表など、あらゆる種類の書類を準備して不法移民を手助けする。

これらの不法移民はリクルートされる。そしてリクルートされた不法移民は、様々な公務員のサインの偽造を習得しなければならない。特に、接触した公務員のサインの偽造を、種々の返答文書を通じて習得しなければならない。リクルートされた新人にはペンとハイスクールリングが与えられる。彼はアメリカ市民のふりをしなければならない。そしてアメリカ市民を装うために、あらゆる種類の参考資料や背景情報を手に入れるのである。彼が特定の組織に職を得た時には、様々な方法で周囲に影響を与えることができる。大使館付き武官はもちろん、現地国の軍事情勢、道徳、事実データを調査する。そしてまた、視覚監視を行う。多くの国において、陸軍、空軍、海軍の間では競争心や敵対心が存在する。陸軍、空軍、海軍が一体性を持った状況は、危険な兆候である。

書記、通訳、庭師、若い女性接客係、その他、大使館で働く一人ひとりはスパイ訓練を受けている。大使館の建物の前で働く清掃員でさえも、諜報機関に属している。諜報機関が、外交官、その他の気になる人物に対して諜報活動を行う場合には、スパイ映画と同じように、ナンバーを付け替えられる車を使用する。回転式の車のナンバー、二つ折りを取り外したら色が変えられるプラスチックの屋根、貨物トラックを活用して、もしくはスイス、オーストリア、ドイツなどに国家標識を変えて、追跡車の外観を変えることができる。スクールカー、レスキュー車、その他見慣れないマークの入った車は、たいていは秘密のサインである。それらの車は、ガラス会社、特定の機関、修理会社のように様々な会社のロゴやマークが入っている可能性がある。歩いて諜報活動を行う人々は頻繁に、兵士、郵便配達人、交通員、路上労働者、駐車メーター監視員、それに類似した職業の格好をしている。とりわけ、近隣の建物や教会などで働く清掃員は通常、諜報機関に雇われている。

1960年代には既に、ターゲットを監視する際には、赤外線カメラや赤外線双眼鏡が使用されていた。そしてとっておきは、多くのレストランではテーブルに盗聴器が仕掛けられていたことである。『予約』の表示があれば、灰皿に盗聴器が仕掛けられている可能性がある。『お気に入りの執事』もしくは給仕人が特定の番号に電話すると、盗聴器のスイッチが入れられる。外交官が旅行する際には、四六時中諜報員に取り囲まれるであろう。通常それは女性諜報員である。ターゲットに準備されたホテルは、スパイ活動のための装置だらけで、もちろん見えないようにしてある。彼の車は尾行される。諜報員たちは、彼の行く先々でどのように行動すべきかの命令を受けている。追跡車からターゲットの頭部に、頭痛や病的吐き気を引き起こすような赤外線ビームを照射することもできる。重要な会議の前に、彼を「ハンディキャップ（不利な条件を抱える）」状態にしようとするのだ。

そしてまた、挑発も重要な手段である。このやり方で、ターゲットの身辺を脅威にさらす。大使館に来客中に、国旗を引き裂く、学生デモ、悪臭弾や酸を投げる、スプレーペンキを噴霧するなどは、この挑発作戦の一環である。外交官夫人が、性倒錯者のような醜悪な風貌の人間につきまとわれる可能性がある。夫人を怖がらせるためである。外国に移住した元兵士たちが、虐げられている難民を演じている可能性がある。しかし実のところ、彼らは母国の諜報機関のために働いているのである。彼らの仕事は、難民の集団から多くの人間をリクルートすることなどである。リクルートされる側にも、それを許す動機が多数存在する。リクルートの対象にされる人物の郵便物、手紙、ファックス、郵便小包は、開封されコピーされる。諜報機関に監視されている移民たちは、十分に検査をされているのである。

　母国で政治家、経済人、政府職員であった移民は、継続的に監視される。特に、彼らがジャーナリストとして働いたり、軍や政府に職を得た場合は、継続的な監視が行われる。彼の子供時代は調査される。学生時代からの情報が、特に悪い情報が、捜索される。軍隊経歴からの照会が調査される。過去の恋愛関係、隣人、友人などが探し当てられる。その中から、リクルートされる者もいれば、ターゲットに接触するために外国に派遣される者もいる。このようなことは、特に東欧共産圏の国々で起こる。ターゲットの親類、知人、友人は、諜報機関に協力するようにリクルートされるだろう。この種のリクルートは、圧力をかける方法を使って行われ、ほとんどの場合は達成困難なものではない。チェコスロバキアは、ロケット専門家ウェルナー・ボン・ブラウンと接触するために、アメリカへ女性諜報員を派遣した。第二次世界大戦当時、彼らは恋人同士であった。移民に対する諜報活動は時として、テロや殺人の性質を持つまでになる。いずれにしても、監視対象の移民に対する諜報活動や防諜活動は、対象が死ぬまで続くのである。彼の旅行は完全に監視される。１９７５年の共産主義圏に関するアメリカ上院立法委員会の報告は、公式文書である。この報告書では、１９７１年にチェコスロバキアの防諜機関の将校ムルナクが、カナダで不必要な手術を受けなければならなかったということを読むことができる。手術は、移民のユダヤ人医師によって行われた。そのユダヤ人医師は、第二次世界大戦下でナチス親衛隊に協力していた。言われていた盲腸の感染症は見つからなかった。次にユダヤ人外科医は、ムルナクのかつての同僚であるプラハの軍医に連絡するように命令した。その軍医は、患者を往診するために「偶然に」カナダを訪れていたのだ。軍医が注射し、わずか1時間後にムルナクは突然死亡した。拉致を問いただしたら殺すと、ユダヤ人外科医はムルナクの妻を脅した。この事件は1975年に、ジョセフ・フロリクがアメリカ上院立法委員会に対して明らかにした。フロリクは、17年間チェコスロバキアの諜報機関で働き、その後西側諸国に正体を見破られていた。東欧共産圏の諜報機関では、特に冷戦時代、旅行者が「1回きり」のスパイとして利用された。その仕事は、ターゲットの居場所を探し当てて、家族関係、経済状態、政治姿勢を探ることである。そしてまた、「死体の隠し場所」を空にしたり満たしたり、ターゲットに東欧共産国を訪問させたりすることが、スパイ旅行者の仕事である。

ホテルには、外出中の客の荷物を検査して、諜報機関を手助けする人間が至る所に存在する。ターゲットのレンタカーに、小型探知機を取り付けることができる。同時に、車内に放射性装置を取り付けることができる。ターゲットの政治、道徳、その他の個人的特徴に関する情報、特に女性関係の情報が、求められている。多くの男性が、旅行中に女性の手に落ちる。技術研究スパイは、経済的な価値が極めて高い、発明や技術工程報告書などを見つけ出そうとする。だから諜報員たちは、科学会議に派遣され、そして重要な国際組織に潜入しようとするのである。特に、ウィーンにある国際原子力機関ＩＡＥＡは、そのように諜報員が潜入を試みる重要組織である。そして対象となる分野は、軍事研究、化学研究、ロケット技術、コンピューター技術、医学研究、特に癌研究である。

科学者のリクルートは、他と同様のやり方で行われる。この時に受け取られる物品は、金銭で購入される。そしてまた、イデオロギー的理由や圧力をかけることも利用される可能性がある。浮気、隠れ同性愛、過去の賄賂収受に対しては、圧力をかけることが行われる可能性がある。家族や親類に対して脅威が及ぶということが、多くの人を服従させる。諜報機関は、ジャーナリストや作家などのような文化人層にも潜入している。その目的は、他の国々でも働いてくれる人物、他国にいて世論を形成してくれる人物をリクルートすることである。だから文化部門は、「世界征服」の力添えとなり得るくらい重要なのである。大きな映画祭、音楽祭、博覧会などの全ては、諜報機関のネットワークの支配下にあると言われ続けている。今日ではジャズ・フェスティバルやポップミュージック・フェスティバルも、この部類に入る。冷戦時代には、東欧共産圏国家の映画スター、作家、詩人、画家、ジャーナリスト、建築家の多くが、諜報機関のために働いていた。アメリカ上院立法委員会報告書の公式文書では、1975年にジョセフ・フロリクは以下のように述べていた。チェコスロバキア国立劇場の支配人は諜報員であり、諜報活動には売春婦を、特に外部のスイス人女性を利用していた。後にそのスイス人女性はリクルートされた。チェコスロバキア国立美術館の館長もまた、諜報機関に属していた。ある有名なポップ歌手もこの部類で、もう一人の人気歌手は、犯罪的な警察のために働いていた元売春婦である。アメリカ上院立法委員会報告書で、ジョセフ・フロリクはまた以下のようにも述べていた。チェコスロバキアの作家ジリ・ムーチョは、アメリカやイギリスにおける「空の旅」の最中に、プラリア外交団などに対して彼のアパートでの乱交を手配した。彼は、諜報機関の間では「スター」である。

アメリカの全ての芸術団体に出入りを許されていた、ロシア詩人エフゲニー・エフトゥシェンコは、ＫＧＢの諜報員である。このことは、文化団体やスポーツにも当てはまることである。全ての世界選手権、オリンピック、あらゆる種目におけるスポーツ協定などは、諜報機関が主導している。大会期間中のオリンピック随行員は通常、諜報員である。有名な金メダリストのエミール・ザトペックは、１９５０年以来継続して諜報員であった。彼は、かなりの皮肉屋として知られている。彼は、自分の妻であるダナを監視した。プラハの春では、彼はおとり工作員として使われた。１９７５年11月18日のアメリカ上院立法委員会の共産主義圏に関する報告を読み進めるたびに、私は衝撃を受けた。私たちは本当に、このような世界に生きているのであろうか。かつて生きていたのであろうか、まだ生き続けているのであろうか。

諜報組織の仕事にリクルートされ、実際に犯罪精神を植え付けられた加害者のやり口について、私の親友（Ｅｖｅ）は深い洞察を与えることができた。１９８８年に親友は、子供の世話をしてもらうためにアメリカで雇い、夏季休暇中にノルウェーに連れてきていた子守（Ａ・Ｇ）と、このような会話を交わした。子守はある朝突然、自分の雇い主である育ちの良い美しい女性に話しかけた。

A・G　あなたは、私の正体をわかっていません。
Eve　わかっているわ、あなたはA・Gよ。
A・G　いいえ、私は兵士です。
Eve　そうなのね。
A・G　私は、あなたより多くお金を稼いでいます。
Eve　どうやって。
A・G　私は手数料を貰っています。
Eve　何の手数料なの。
A・G　物品、もしくは情報が、どれくらいの価値があるかによります。あなたは、自分の所有する全てのものが無くなることをわかっているはずです。
Eve　何事も可能なんだけど、でもノルウェーでは誰も私の持ち物に手を出すことはできないわ。私には借金はないもの。
A・G　まあ、考えが足りないことですね。スプーンに至るまで、リストに載っているあなたの財産には、コンピューター上では既に別の所有者がいるのですよ。

この時点で、彼女は奇怪な話をすることを面白がりたいのだと、私は確信した。

Eve　あなたは、わけのわからないことを言っているわ。

A・G　いいえ、見ておいて下さい。2000年以後には、彼らは全てを手に入れてしまうでしょう。

Eve　『彼ら』とは誰なの。

A・G　組織です。麻薬密売組織のボスたち。諜報機関の男たちが買収されて、麻薬密売組織のボスに転身したのです。現在、彼らが世界の大部分を支配しています。でも、誰も気づきません。

Eve　わからないわ、だから何だって言うの、それが私と何の関係があるの。私はただの普通の人よ。

A・G　あなたは、資産と美術品を持っています。

Eve　だからどうしたって言うの。

A・G　ええ、底辺にいる私たちにとっては、意味があるのです。

Eve　あなたは誰かと一緒に働いているの。

A・G　ノルウェー人女性（親友にその子守を推薦した）と本物の専門家である第三の人物。そして、私たちにはボスがいます。あなたが気づかないうちに、すっかりあなたの身に起こっているのです。とてもとても巧妙で、とてもとても上手くやるのです。あなたが気づく頃には、すっかり手遅れです。あなたに関する醜聞が伝えられ、隣人、友人、家族でさえも背を向けるでしょう。

Eve　全くおかしな話だわ。私は一度も罪を犯したことはないわ。私には犯罪者の知り合いもいないし、知人は誰も私を傷つけたいとは思わないでしょう。なぜ私なの。あなたの話はわけがわからないわ。

A・G　あなたは日の当たる人生を歩んできました。あなたは全てを手に入れています。つまり、あなたは美しく、知性があり、人生で苦労したことは一度もない。要するに、そういうことです。あなたが完璧であるということが理由なのです。あなたは自己防衛をして生きてきませんでした。苦難がどのようなものかを知らないのです。まあ、いずれわかるようになるでしょう。それは、苦しんできた私たち全員にとっては不公平なのです。あなたのような人たちを通じて、私たちもあなたのような人生を味わえるようにするのです。皆がそれを求めているので、組織はとても大きいのです。どうしてあなたは15〜16個もマットレスをお持ちなのでしょうか。他の人は、持っていないか1個くらいしか持ちませんよ。私たちは、少数の持てる者に反対する大多数なのです。あなたはチャンスを逃してしまったのです。

ここで私は、A・Gは酷い目に遭ってきたのではないかと確信した。彼女の人生であったことを尋ねながら、私は会話を続けた。彼女は、彼女の夫が新しい生活を始めるために、3万ドルで放り出されたと話した。そして、彼女が恋に落ちた麻薬密輸組織のボスにより、全てが奪われた。彼は、その土地で一番大きな屋敷に住んでいた。彼女はリクルートされ、モサドの教育係が行う訓練キャンプに送られた。ユダヤ組織を通じて彼女は、夜中に盗みを働くために、前述のノルウェー人女性の前夫のもとに子守の代役として派遣された。貴重な国家書類のありかが盗み見られた。彼女たちは、秘密主義という一つのルールの下で、週に一度出されるボスの命令に従い、姉妹として働いた。そのルールとは、自分の任務がどのようなものなのかを、お互いに決して口にしないというものであった。Ａ・Ｇは続けた。

Ａ・Ｇ　肝心なことは、誰も何も証明できないということです。証明できないようにすること、忠誠、これが基本ルールです。秘密を漏らす人間は殺されます。

Ｅｖｅ　あなたはユダヤ人なの。

Ａ・Ｇ　そうです、私はハンブルクで生まれました。一度も定まった住所を持ったことがなく、世界各国で私のようにリクルートされた人間たちとともに生活していました。おわかりのように、誰も私を捕まえることはできません。どこにいても、私を守ってくれる弁護士や判事を利用できるのです。組織の人間は、給料、税控除、中古住宅、医療を保証されています。組織外の人間は、コンピューターシステムから除外され、お金を使うことすらできなくなるでしょう。多くの人間が死にますが、自然死のように見えるので、誰も本当のことを理解しないでしょう。

Eve　どういうことなの。銃を使って殺さないということなの。

A・G　笑ってしまいます。私たちは、銃なんか10年前（1978年）から使っていません。彼らは、自然の病気を利用するのです。

彼女は組織を指す際に、『私たち』と『彼ら』を混同して使い続けた。この時点で私は、最近言われはじめた専門用語である精神テロを、彼女は行っているのだと確信した。

Eve　どうやったら自然の病気で殺すことができるの。

A・G　彼らは、マイクロチップとコンピューターを使って世界を支配するために、一流の精神科医、歯科医、医療従事者、科学者を買収し、ビジネスと金融における専門知識を有しています。おわかりのように、彼らはコンピューター上で、あらゆる資本家たちを狙っています。彼らは妨害して、お金を貸して、奪うのです。

Eve　ええ。でも所有している人間は、所有者のままよ。

A・G　所有者であることを求められている間だけです。彼らは、所有者の資産を増大させます。彼らは合併して、より支配しやすくします。その際、抹殺するために訓練準備された人間を組織から送り込んで、所有者を抹殺します。癌や心臓麻痺が最もよく使われますが、

Ｅｖｅ　他にも多数の方法があり、虫刺され、毒物、精神障害、どんなものでも使います。馬鹿げた話だわ。こんなことは、ノルウェーでは絶対に起こらないわ。

Ａ・Ｇ　ノルウェーもターゲットで、彼らは既に支配下に置いています。まず初めに彼らは、小さな地域社会を取り込み、あらゆる職場に潜入できるようにします。次に、資本が消失します。そうして、全てのことが手遅れになります。私たちは、セキュリティー関連企業を含めて、あらゆる企業に潜入しています。おわかりのように、私たちはあらゆるところに策略を巡らしています。誰もできないようなことを、モサドだけは確実にできるのです。

Ｅｖｅ　ノルウェーの人々は策略を見破るわ。

Ａ・Ｇ　これは、最も卓越した自己資金による戦争です。（Ａ・Ｇは笑った）彼らは、人の行動を全て見ることができます。彼らは、人の心を読むことができます。人は、どこにも隠れることができません。同じことがあなたにも起きるでしょう。小型送信機があなたの家の壁の中に取り付けられ、彼らはあなたを操ることができるのです。

ここで私は、彼女の話に割り込んだ。

Ｅｖｅ　私がどこにいても追跡するためには、私の体内に接続装置がなければならないでしょう。

Ａ・Ｇ　まさにおっしゃるとおりです。あなたはインプラント（埋め込むこと、移植）されるでしょう。決定的な要因は、インプラント、マイクロチップ、コンピューターです。彼らは、至る所で混乱や破壊を作り出し、重要な問題から関心をそらすでしょう。

Ｅｖｅ　ノルウェーの人々はそうはならないでしょう。

Ａ・Ｇ　彼らは、車椅子の障害者、失業者、高齢者施設の老人などの食い詰めた人々を組織化します。計画された金融危機の後に、人々は群れを成して組織に入ろうとするでしょう。しかし基本的に彼らは、家庭や家族の絆を持たない若い受刑者を選び、訓練キャンプに送ります。訓練キャンプに送られた若い受刑者は、ＩＱテストされ、潜在能力に応じて訓練されます。住居侵入や破壊活動の訓練を受けます。そして、マインド・コントロールのためのマイクロチップを埋め込まれます。そうして、ノルウェーに返されるのです。

Ｅｖｅ　人権を守り、平和的な国民のいるノルウェーのような素晴らしい国に対して、何故このようなことをするの。

Ａ・Ｇ　この50年間ノルウェーは戦争をしていません。ノルウェーとフィンランドは。何故でしょうか。

（私は確かに、彼女がフィンランドと言ったと思います。というのも、世界で戦債を返済している国はノルウェーとフィンランドだけだ、という格言を思い出しましたから。）

Ａ・Ｇ　戦争地域は入れ替わらなければなりません。イスラエルがこの長く続く戦争を行わなくてはならないというのは、不公平だと思いませんか。アイルランドとイスラエルには平和が訪れるでしょう。そしてノルウェー人は、資産、会社、家を失うでしょう。それらは、組織に属している他のノルウェー人のものになります。そのため、一時的にだけノルウェーには移民が増えることになります。その移民たちが、ノルウェー全体を引き継ぐでしょう。それが公平です。誰もが、人生の早い時期もしくは遅い時期に、人並みの生活をして生きる機会を得るのですから。

Eve　何が動機でこのようなことをするの。

A・G　世界の航空会社、銀行、企業、一流のコンピューター専門家を手に入れたら、次は何だと思いますか。彼ら米国防総省は、科学者たちを支配していて、２０００年以後はコンピューターから情報の全てを盗みます。２０００年以後は、彼らだけがコンピューターにアクセスできるのです。彼らは、チップ（集積回路の小片）を持っています（彼女は、特別なチップに関して、そして壮大な世界支配が彼らの目的であるということを話し続けた）。

Eve　だってほら、どの国にも軍隊があって、これらの麻薬密売組織のボスたちと戦うでしょう。

A・G　彼らは、その問題は解決済みです。年金や給付金を貰っている年配者たちは、組織に属しているはずです。国家安全保障の名の下の全てのものが、組織の一部なのです。全ての人間は分類されます。資本家たちは、自分たちを王のように感じ、本当に起きていることを一番最後に知ることになります。統一、平和、人類の向上の名の下に、それぞれの政党が話を持ちかけられ、分断状態にされます。全てのことは、法の下で、政府を介して行われます。どの国家も、防衛費を節約するために、世界統一軍隊を迎えるでしょう。

Eve　誰かが反対するわ。テロリストはどうなるの。

A・G　彼らは、テロリストも従えています。赤い旅団、バーンホフシュトラッセ・ギャング、ヘルズ・エンジェルズは、組織の上層部と緊密に協力して動いています（訳者注：赤い旅団〔The Red Brigade〕とは、イタリアの極左テロ組織。バーンホフシュトラッセ〔Bahnhofstrasse〕とは、スイスの都市チューリヒの目抜き通り。ヘルズ・エンジェルズ〔Hells Angels〕とは、アメリカのモーターサイクルギャング〔バイクに乗ったマフィア〕である）。全員が買収されていて、それぞれの国の軍隊の上層部から訓練を受けています。彼らは、知らないうちにマイクロチップを埋め込まれています。あなたが眠っている間に、彼らはガスを使って意識を失わせ、脊椎の後ろを小さく切ります。また怖がらせる目的で、顎を切って、わずかな血の縞模様をつけます。組織は、目的のために必要であれば、あらゆる人間を利用します。人間を集団奴隷化するための秘密活動が、嘘、虚偽情報、隠された残酷な人間搾取や人間操作を利用して行われています。E

Tをテーマにした実験は、莫大な資金援助を受けて行われていて、宇宙の地球外生命体に関する真実の知識を持つ人々を混乱させています。奴隷化、もしくは人間破壊が目的です。彼らの計画や活動は、通常の思考の枠組み概念が及ばないところにあります。全てのことがうまく作り上げられているので、それが捏造だとは誰も思わないのです。それは心理戦争なのです。おわかりのように、反抗する人々にとっては、インターネットの自由が唯一残された道です。インターネットでは全てのことが訴えられているので、後に彼らは逮捕されて、裁かれる可能性があります。全てのポルノや小児性愛などは、そうなる可能性があります。ブリュッセルの高官たちは、ベータ粒子を照射されて、子供に対して興味を持つようにセックス・プログラミングが変化します。このようにして、組織は高官たちの弱みをつかみ、高官たちは組織の言うことには何でも従わなくてはならないのです。

次の仕事はブラジルの子供たちだと、A・GはEveに話しました。

専門は何か、私は彼女に尋ねました。保険だと、彼女は答えました。最新の仕事が何か、私は彼女に尋ねました。彼女は以下のように答えました。水泳の才能が買われて、オーストラリアで新聞社のオーナーのヨットの底にドリルで穴を開けました。彼は保険金を受け取りました。最近のデータによれば、保険会社は密かにヨットに関する情報を知らされました。彼は投獄されました。

Eve　私に何をするつもりなの。

A・G　そのうちわかりますよ。その上あなたは、全ての諜報機関の暗殺対象者リストに載っています。この先20年のあなたの人生を、彼らは計画しています。彼らは国家を破壊します。彼らは法律を広めます。彼らは、２０００年以後に導入される、全く新しい法律システムを準備しています。その法律システムは、国税局ＩＲＳで開始されます。医療行為や遺伝体質も含めたあなたの過去の詳細の全てを、彼らは知ります。

例えば、人が見ている夢に割り込むことにより、その人の過去の全てを拾いあげる手法のテクノロジーに関する資料が存在する。

Eve　それが戦争だと、ノルウェーの人はどのように知るの。

（ここで彼女は二つの異なるバリエーションを示した）

A・G　彼らはそれを、①静かな戦争、または、②人から人への戦争と呼んでいます。ノルウェー人を殺すには、ノルウェー人３人に対して１人の諜報員でいいでしょう。この戦争のいいところは、殺人に繋がることでも、何をしているのかわからないくらいの危害しか加えなくていい点です。数年以上かけて行われるので、反応する人がいないのです。反応するのは、例えば、家族の中で1人が殺された場合などだけです。人間の脳に直接作用し、正気を失わせたり、妄想に陥らせたり、怒らせたりすることが可能なテクノロジーを、彼らは持っています。睡眠中に行われるのです。徐々に破壊するために、午前4時にあなたを目覚めさせて、睡眠パターンを不安定にします。ひとりでにTV、ラジオ、CDのスイッチが入ります。全ての電気器具が、緩やかな殺人者として機能します。彼らは、壁や屋根に磁石を埋め込みます。屋根や家に印をつけ、実際に猛吹雪がはじまったら直撃させます。一晩中どの部屋でも、部屋から部屋へあなたをつけまわしながら音が聞こえるでしょう。これは、彼らがあなたを発狂させるための方法です。精神科医は、あなたが統合失調症を患っていると言うでしょう。コンピュータープログラムによってスプートニクのような人工衛星を作動させ、体内で虫の繊維を結合させます。休息中には、虫が肘や手首に留まり、絶え間ない痛みを与えます。この指関節は一時期、多少麻痺するでしょう。虫が、背中の脊椎にあるツボを下から上へ向かって食い尽くすでしょう。

この時点で私は、これらの悪行を聞いて身がすくんだ。彼女は続けた。

A・G　おわかりのように、悪魔崇拝は最も強力な切り札です。というのも、誰もそれを真剣に受け取らないからです。可能な限りの悪という考え方です。なぜならば、それは普通の人には理解できないことだからです。誰もその意味を飲み込むことができないのです。

Eve　誰がこういうことをはじめたの。

A・G　理解できないようですね。政府の最高レベルで実行されています。アメリカの一番大きな農場にある荒れ地で、私たちは会議をします。そして皆が、人間が他人に為し得る最大の悪事を考え出します。実際にＣＩＡは直接、とても深く関わっています。そしてまた私たちは、自分たちを透明人間にすることができます。しかしそれは、特定業務に選ばれた数人だけで、私たちの全員ができるわけではありません。私たちは交霊会を行い、被害者に対して重力集中を行います〔訳者注：重力集中〔mass concentration〕とは、月などの惑星表面に観測される、他の場所より重力が高くなっている場所〕。ヘルズ・エンジェルズ、ナチズム、悪魔崇拝は同一の起源から広がったものです。

Eve　それで、こういったものがノルウェーにもあるのね。

A・G　そうです。マインド・コントロールを施された、リクルートされた人間を通じて存在します。おわかりのように、政治国家はありません。ただ一つの共産主義だけが、世界を支配するのです。どうしてあなた方は、それほど欲深くて、お金に執着するのですか。

Eve　ええ、共産主義者たちも、資本家たちがお金を欲しがっていることに気づきました。それで、共産主義者たちは資本家たちと仲良くなり、真意を悟られないようにして、資本家たちに仕事をさせます。資本家たちは簡単にお金になびきます。10年後には、彼らは収容所にいるでしょう。その時までには、潜入者がシステム全体を把握しているでしょう。それは、歴史上で最も壮大な乗っ取りなのです。

A・G　人々は、潜入者に気づくわ。

Eve　いいえ、そんなことはありません。私たちが一番初めに学習するのは、マナーです。次に、正しい言葉遣いです。そして、身だしなみです。一番大切なのは、演技です。リー・ストラスバーグ演劇学校のようなところで、演技を学びます。多くの訓練を受けます。最も重要なことは、欺くことです。数年間の交友関係の後、彼らはあなた方を攻撃します。リクルートされた人間、兵士、諜報員などが、慈善団体などの組織の中にいるはずです。彼らは、外では申し分ない振る舞いを見せます。これが重要なのです。信頼性は主要な要素です。

A・G　あなたのような女性は、どうやったらそのような悪徳の偽りの人生を送ることができの。

Eve　全部、自分に返ってくるわ。

A・G　生きるか、死ぬかです。

そのようにして私たちは、この犯罪組織が人々を破壊するのにどのように機能しているのかを理解した。私の母のような罪のない被害者を殺すことも含めて、ハラスメント作戦を実行する際に彼らは、「目に見えない工作員」を含むリクルートされた人間を使う。毎回奇跡的に救われた9回の交通事故に加えて、私をこの世から抹殺しようとするその他の攻撃も企てられた。私は1年前の夏、南フィンランドの美しくのどかな湖畔でこの本の原稿を書いた。仲間のもとを訪ねる際に、突然目に見えない力（目に見えない兵士だろうか？）が私の背中を押した。諜報機関が使う「バナナの皮で滑る技術」のように、私は滑った。そして、湖の中に頭から真っ直ぐ突っ込んだ。水深は1メートルしかなく、水面下には大きな岩があった。岩にぶつかった際に、私はとっさに腕で頭を守った。しかし、溺れなかった。恐らく溺れさせるのが目的だった。私は頸部にむち打ち症を負った。ベッドで寝ている時、目に見えない肯定的な（ポジティブ）エネルギーがやってきて、目に見えない指が私の強張った首をマッサージして治療しているように感じた。目を覚ますと、痛みはなくなり、首はまた正常に戻っていた。窓の外を見ると、驚くことに、UFOがまるで挨拶をしているかのようにとても低く飛んでいた。UFOは一晩中窓の外にいた。その後再び、私は宇宙の肯定的な（ポジティブ）エネルギーに助けられた。2日後、私は室内にいて、突然外に出たい強い衝動に駆られた。はっきりとした理由はなかった。私が外に出た後に、突然巨大な稲妻が屋根のアンテナに直撃して、空中に2メートル近い炎が上がった。もしも室内にいたら、アンテナから1メートルと離れていないところにいたので、私は恐らく死んでいただろう。「彼ら」は、稲妻や天気も操作することができる。

使命を全うし、霊的教訓（スピリチュアル・レッスン）を学ぶまでは、人は死ぬこと、つまり今生の肉体を離れることはできないということを、この出来事は示している。だから、世界を支配する『エリート』は、人間の霊的性質に関する全ての情報を笑いものにして隠そうとするのだ。私たち人間は、不滅の意識として、様々な物質的肉体的形態で生きてきたし、永遠に生きるのだという事実を隠そうとするのだ。私たち人間は、高次元存在とともに、社会水準、教育水準、経済水準を含む人生の全てを自ら選んでいるのである。これを知ることにより、自分が不幸であるからといって、他人を妬んだり非難したりしなくなるだろう。そしてまた、寛容、許し、無条件の愛などを教えてくれる、永遠に続く人生の学校の一つの学級である今世において、私たち人間が学ぶべき霊的教訓（スピリチュアル・レッスン）が理解できるだろう。全ての霊的教訓を学ぶためには、私たち皆が、貧乏、裕福、無教育、様々な人種、様々な宗教信仰、様々な職業などの人生を、違う人生において経験しなければならない。

学びのために予定されている人生のあらゆる局面において、自分で選んだことの全てを精神的に経験するのである。人間の全ての感情や知性が存在している、人間の中核であるライト・ボディを理解すれば、ライト・ボディとは物質的肉体のようなものではなく、体内器官も生殖器官も持たないということがわかるだろう（訳者注：ライト・ボディ〔Light Body〕とは、周波数の異なる見えない身体のこと。高次エネルギー体）。別の見方をすれば、ライト・ボディとは、不利な条件を持たない物質的肉体の複製のようなものである。全ての細胞は振動している。そしてそのことによって、私たち人間のエネルギーであるライト・ボディが、医者が言うところの精神や意識が、宗教家が言うところの魂が、生じている。調和のために学ばなければならない教訓に応じて、ライト・ボディである意識が、私たちが自分で選んだ物質的肉体である男性もしくは女性に転生するのだ。私たちがある特定の性別に転生することを自ら選んだということを忘れるのであれば、時として困難が生じるだろう。女性の肉体で幾度の人生を生きた後に、今回男性の肉体で人生を生きるようになったのであれば、同性愛が生じるということは理解できる。催眠退行において約10％の人が、性別を変えたと主張している。そして、同性愛者は人口の約10％である。同様に、幾度の人生で男性だった人が、教訓や学びのために今回女性の肉体を持って生まれたとしたならば、未だに関心は女性に向いている可能性がある。実際には私たち人間は皆、中核部分では両性具有であり中性である。前世と性別を変えることで、その人は新しい肉体の性別に対応することができないと強く感じるかもしれない。情緒的に最も強く感じる性別の外見を望んでいるのだ。彼らは、均衡と調和という教訓のために、自ら新しい性別を選んだということを忘れてしまっているのだ。彼らは、たいていは彼らの決心を理解できない同胞に対して、寛容を教えてもいるのである。人間は、肉体ではなく精神です。私たち人間は皆、両方の性別の間を揺れ動かなければならない。エネルギーが最も大切である。生命は、様々な物理的形態をとりながら、不滅である。

組織

世界的な「秘密政府」組織が、舞台裏で世界を支配している。多くの物事がユダヤ起源である。世界的な銀行、傀儡政治家、ハリウッド映画、ＴＶ、ラジオ、報道機関の所有権。軍隊や諜報機関は部分的に、国家上層部から巨大産業に至る高度に政治的な人物の多くとともに、「秘密政府」にリクルートされている。彼ら組織は、世界中にいる何万人ものリクルートされた使い走りとともに、世界を仕切っている。高官、判事、政治家、議員、幾つかのＥＵ加盟国の諜報機関、警察、商業、省庁は、自らの日常業務に従って、この組織のために働いている。マフィアはとても深く関与していて、それが南アメリカの、そして北アメリカもそうであるが、麻薬産業が存在する理由である。このようにして彼ら組織は、事を仕切るための資金を手に入れているのである。武器販売や骨董品・美術品産業は、彼らの別の金儲けビジネスの一部である。彼らは決して資金不足に陥ることはない。現在、組織犯罪はとても儲かるのである。買収した司法組織を利用するので、彼らに有罪判決が下ることはほとんどない。そしてメディアが彼らの事件に関心を失うと、いつも素早く逃げ出すのだ。組織は同盟を結んでいて、日常的に核の武器を使うことができ、驚異的なレーザー信号技術を使って、試験的に航空機を狙うことができ、一般大衆や普通の学者に全く知られていない科学技術を使って月や火星や他の惑星に宇宙旅行をすることができる。彼らは、

1950年には既に月に行っていた。証拠も存在する。しかし一般大衆は、1990年代には既に世界には驚くべき科学技術が存在していたということを、知らされないままである。時には、1940年代1950年代から秘密裏に使用され続けている科学技術が、情報漏洩で表に出てくることもある。

人工のUFO、光ファイバー、レーザー銃、毎週の月旅行、ホログラフィック映写、電磁兵器、バイオテレメトリー手法などは、一般大衆や何も知らされていない学者にとっては、訳のわからない言葉である（訳者注：ホログラフィ〔holography〕とは、レーザー光線を利用する立体写真術。バイオテレメトリー〔biotelemetry〕とは、生物に小型の発信機を取り付け、行動・生理・環境についてのデータを遠隔測定し、行動や生態を調査する研究手法）。宇宙極秘機密情報取り扱い許可を持つ人々は、人間のクローン作成のような、目下の科学技術情報を手に入れることができる。1977年には人間をクローン作成するのに14か月を要したが、現在ではもっとずっと早い。しかしスカンジナビア諸国の科学者たちは、人間のクローン作成は不可能で、実現にあと20年かかると信じている。

情報の隠匿は、人道に対する罪である。ビルダーバーグ会議、三極委員会、外交問題評議会、ローマクラブ、三百人委員会などの偽装組織は、真の世界支配者たちの隠れ蓑である（訳者注：ビルダーバーグ会議〔The Bilderberg Group〕とは、1954年から毎年1回、世界的影響力を持つ政治家や官僚、多国籍企業・金融機関の代表やヨーロッパ王族、貴族の代表者など約130

人が、北米や欧州の各地で会合を開き、政治経済や環境問題等の多様な国際問題について討議する完全非公開の会議である。三極委員会〔Trilateral Commission〕とは、日本・北米・ヨーロッパなどからの参加者が会談する私的組織であり、民間における非営利の政策協議グループである。外交問題評議会〔Council on Foreign Relation〕とは、アメリカ合衆国のシンクタンクを含む超党派組織。ローマクラブ〔Club of Rome〕とは、スイスのヴィンタートゥールに本部を置く民間のシンクタンク。三百人委員会〔Committee of 300〕とは、陰謀論のひとつ。論者によると、イギリスに本部を置く影の世界政府の最高上層部とされる組織)。それら組織のメンバーは、少数の例外を除いて、世界を牛耳ることに関与しているという、犯罪を行っている意識はない。しかしもちろん秘密にされていることだが、組織のメンバーの中には、諜報機関やマフィアを通じた麻薬取引を行い、世界最大の犯罪者と目される者たちもいる。マフィアは決して、国際的な政治変革の対象にはならないだろう。なぜならばマフィアの活動は、策略に基づいていて、ずっと疑惑の域を出ないようにしているからである。マフィアの国際協力は、麻薬取引においてのみ存在し、活動が人目につかないことを望んでいる。しかしながらもちろんのこと、この国際協力に圧力をかけることができる政治家個人には関心を持っている。真の「秘密政府」である組織は、マスメディア、様々な政治権力、種々の組織犯罪とともに、社会のあらゆるレベルで機能している。組織の人間は、あらゆる政党、重要産業、地域社会、役所、保険会社、病院、郵便局、銀行、教会、商店、消防署、タクシー会社、そして言うまでもなく軍隊、諜報機関、法曹界に存在している。

小店主は顧客を、近所の人は近所仲間を、学生は先生や同級生を監視するためにリクルートされる。フィンランドでは、東ドイツの諜報組織シュタージ（ＳＴＡＳＳＩ）が大学教授を諜報員にリクルートしていたということが公表された。リクルートは、ごみ収集作業員から政府の最も高いレベルまで、社会のあらゆるレベルに及んでいる。財源不足になることは絶対にない。麻薬取引で得た巨額の利益が充てられているからである。

諜報機関は麻薬取引に関与しており、いくつかの情報筋によれば、ＣＩＡは世界最大の麻薬密売組織である。諜報機関は、右派から左派にいたるまで、女性団体からＵＦＯ団体やカルトにいたるまで、あらゆるところに潜入している。彼らは、テロ行為、悪魔崇拝、破壊活動、虚偽情報、マスコミを利用する。彼らは、近隣を監視するために、現場作業員、年金生活老人、病人、障害者、車椅子患者、10代の若者、主婦などをリクルートする。手遅れになるまで、誰もそれらの人たちを疑わない。失業者、精神病院の通院患者、釈放された受刑者、暴走族、移民、有色人種がリクルートされる。彼らは、「組織」のために働く兵士になり、点数を稼いで昇進するために破壊活動、脅迫、窃盗、心理戦争に手を染める。

指1本をこめかみのところに上げる彼らの階級挨拶は、兵士を表している。指2本、指3本、指4本など、上げる指の本数は階級を表している。彼らは軍隊の階級を使用している。高い階級は、フリーメーソンのように指を上げて挨拶をする。女性兵士が多用されている。新人のリクルルートは、たいていは非常に簡単である。ほとんどの新人はお金で買われる。脅迫は使われない。彼らは、ターゲットの子供時代、学生時代、友人、隣人などの全ての事柄を洗い出す。探り出した事柄が、酷い噂を広めるのに役立たなければ、嘘を使って、ターゲットを精神病者や悪人に仕立てようとする。ターゲットの子供、年老いた両親、親族にも脅威が及ぶ。「国家安全保障」に関わる問題だと言われて、リクルートされる人たちもいる。最終的に真実が明らかになり、国家安全保障の保護の下で、罪のない人々に対して妨害行為をやらされたということがわかった時には、彼らは最も不幸であろう。

このような国家安全保障の保護の下で、ますます多くの人道に反する罪が犯されている。組織にリクルートされた人間はもしかしたら、マフィアよりも犯罪知識が豊富かもしれない。しかし、勇気を出して公にする人はほとんどいない。組織が効果的に黙らせているからである。時には、事故、「自殺」、毒殺などを通じて永久に口封じしているからである。欺くことが最も重要なのである。リクルートされた貧しい人々は全員、騙され続けている。組織のために働くことを受け入れると、知らないうちに、自由が奪われ、マインド・コントロールの対象になり、電磁界、ガス、化学物質を使用した人体実験の対象になるのである。最終的に健康を損なうが、彼らにはその理由がわからない。組織に対する忠誠が最も重要なことであり、リクルートされた貧しい人々は逃げ出したり、生きて出ることは決してできないのである。もともと彼らは犯罪的思考の持ち主に違いない。国家安全保障のためだとしても、最初にどんな嘘をつかれて引っ張り込まれたのだとしても、誠実な人間は決して、罪もない人々を恐怖に陥れることによって生きていくことはできない。

リクルートされた人間や兵士は、ターゲットになってしまったかつての友人や隣人を、何故自分たちが妨害しなければならないのかを、全く考えもしないのだ。彼らは盲目的に従うに違いない。そして、自分以外の10人いや20人のリクルートされた人間たちが、四六時中様々な方法で、ターゲットである同じ人物を恐怖に陥れていることを知らないのである。だから彼らは罪の意識を感じないのだ。彼らは、実のところ自分たちが、人を自殺に追い込んだり、人を殺人に駆り立てるような、人間破壊を伴う心理戦争に手を染めているのだということをわかっていない。彼らは、小さな自分の役割を果たすだけなので、全体像がわからないのだ。しかし彼らは、潜在的殺人集団の一員である。彼らは夜に、ターゲットに電話やFAXをし、家の呼び鈴を鳴らし、応答すると切って怖がらせるのだ。彼らはターゲットの郵便物を盗む。郵便局に勤務するリクルートされた人間が、出した郵便物や送られてきた郵便物を盗み、開封し、破壊することができる。以前は仲が良かった隣人が、リクルートされて、卑劣になり、ターゲットを孤立させるのである。

彼らは妨害行為を行い、恐怖に陥れ、あらゆる電気製品、車、草刈り機、バイクなどを破壊する。彼らは電気を盗み、彼らの電話代は、ターゲットの電話代として請求される。だからはじめのうちは、彼らにとって犯罪は利益になるのである。彼らが組織に対する忠誠を示した時、それと同時に彼らは、もはや必要なくなれば「隠れ家」で毎週開かれる会合で、簡単に処分される可能性がある犯罪者になってしまったということを、わかっていないのだ。だから彼らは、必要であればいつでも有罪宣告される可能性がある。彼らは3人のグループで（4人目がリーダーである）、毎週違う家で顔を合わせ、「兄弟姉妹の絆」を強くし、犯罪意識を高め、組織に対する忠誠心を強固にする。

彼ら組織は、監視活動や妨害活動のために年若い女の子を訓練する。また、ターゲットである隣人に対するノイズ・キャンペーン（騒音作戦）のために、リクルートされた人間の子供でさえも訓練する。子供たちは、ターゲットを苦しめるように異常な大声で、遊んだり、笑ったり、音を立てたりするように教えられる。子供たちは、階下にターゲットが住んでいる部屋の床の上を、部屋から部屋へと飛び跳ねるように教えられる。子供たちは、ターゲットに対して酷いことを言うように教えられる。まだ3～4歳にしかならない子供はもちろん、（リクルートされた両親が教えた）その言葉がどれほど侮辱的なのかわからないのだ。

24時間行動を監視されている被害者は、彼女がどのように攻撃されているのかを語った。以前は親しかった隣人たちが次々と、はっきりとした理由もないまま彼女に敵対するようになった。彼らは挨拶をしなくなり、以前のように子供たちが被害者の家の庭に遊びに行くのを禁じた。彼らは酷い噂を広めた。そして、彼女は太陽を崇拝する12人の裸の女性グループのメンバーである、彼女は国家安全保障を脅かすスパイである、というような嘘偽りも広めた。もちろん全てがくだらない嘘偽りである。彼女の友人たちは1人ずつ、買収されるか脅迫されるかして、リクルートされた。ある夫婦は残った。彼女の「親友」でいるようにリクルートされたのだ。それは、あらゆる情報を探り出すため、攻撃している最中の彼女の反応を報告させるためである。そして彼女の意向、旅行、人付き合いを組織へ報告させるためである。

彼女が家の外に出るのを見る時には、隣人たちは黒いサングラスをかけるようになった。リクルート担当者、兵士、諜報員などは全員、冬場や夜間でさえも黒いサングラスをかけている。黒いサングラスは、組織に所属していることを示すサインとして机の上に残される。黒いサングラスは、リクルートされていることを伝えるためにも使用される。同じように、彼らは自転車を使う。組織に所属していることを示すために、玄関、車庫、職場、店、学校の前に古びた黒い男性用自転車（他のタイプの自転車が使われる可能性もある）を置くのだ。彼女の隣人たちはリクルートされた後、突然外に自転車を置きはじめた。突然、「模造品の車」が隣人宅を訪問するようになった。それらの車のナンバーはほとんど同じで、下一桁か下二桁の数字が違うだけだった。その目的はもちろん、混乱させるためである。ノイズ・キャンペーン（騒音作戦）がはじまった。隣人たちは1日に何度も、車庫や自宅のドアをとても激しくバタンと閉めるようになった。そして以前とは異なり、自宅内外の明かりを全部つけた。奇妙な外観の新しい街灯が電柱に設置され、電磁光検出器で計測すると、夜間には非常に高い強度を放っていた。彼女が夜遅くに帰宅する際には、隣人たちは常に窓のところにいた。もしくは外に出てきて、何も言わずに狂人のように彼女をじっと見つめた。彼女が外出すると、誰かが家の中に入ってきて、明かりをつけた。誰かが自宅の鍵を盗み、彼女の外出中に、家の中に出入りした。そして、テロ行為は強まった。書類がしょっちゅう鍵の掛かった引き出しから盗まれた。パスポート、身分証明書、医療記録、FAX用紙、保険証書などが消えた。彼女の科学研究報告書、外国から入手した大切な新書、会議報告書などが消えた。

破壊行為は家具にまで及び、切られたり、ペンキを塗られたり、暖房器具と一緒に破壊された物もあった。冷蔵庫は、冷凍庫の扉が壊された。ストーブは壊され、電気はいじられた。彼女が明かりをつけたら、電気ショックを受けた。誰かが電気コードを配線し直したのだ。彼女が知らないうちに、警報装置の暗証番号が変えられた。後にドアの警報装置が、リクルートされた人間が毎週親睦会を開いている近隣の家から、レーザー銃のようなものを使って撃ち落とされた。そして彼らは、彼女の庭で大きなエネルギーを爆発させた。窓が粉々に砕かれた。その次に彼らは、ガスや毒物を使用するようになった。彼らは、NSA（アメリカ国家安全保障局）の道具一式を使った。排気管や水道管を通じて、吐き気を催したり精神に変化をきたす化学物質を、家中に拡散させた。これが1年以上行われた。未だに続いているが、それほど頻繁にではなくなった。

彼女が暖炉に火をつけると、突然燃え上がり、ガス中毒の匂いが部屋に広がった。同じ時に、近所の子供たちが「バーベキュー」をしていて、彼女の暖炉のガス中毒をごまかすために、巨大な尋常ではない黒煙を上げた。毒ガスは、慣れ親しんだ匂いでごまかされる。朝の濃いコーヒーの香り、パンの焼ける匂い、はちみつの香り、しょうがの香り、古い衣服の匂い、海辺近くのカラスエンドウやベンゼンの匂いなどで、偽装されるのである。周囲の状況が常に考慮されている。見知らぬ人がたむろする、鳥がさえずる、猫が鳴く、犬が吠える。これらが家の周囲ではじまったら、リクルートされた人間が、監視しているというサインを出しているのである。彼女が別の町に行って、友人たちと一晩過ごした時には、ごみ処理車が異常に長い時間あまりにも頻繁に道路を走っていた。それは、彼女は監視下にあるというサインのようである。そして彼女の都会のアパートでは、郵便物が午後10時以降という遅い時間に届いた。彼女がまさに帰宅する5分前に届くのである。それは習慣になっていた。そして、通りの向かい側にあるCIAの「隠れ家」では常に、彼女がいる部屋と反対側のところの明かりをつけた。

妄想的反応を引き出そうと、見知らぬ人間が彼女に声をかけるようになった。異常なまでに無礼で反感を持った見知らぬ人間が、頻繁に彼女に敵対してくるのだ。鉄道の駅では、制服を着た守衛らしき人間が、偶然にも突然彼女を殴った。「そうしておいてから、彼らの」警察犬が、はっきりとした理由もないまま攻撃しようとした。通りでは、彼女は変な男たちに襲われた。男たちは彼女を殴り倒したが、法律制度を通じて罰せられなかった。

彼女の家への住居侵入は習慣になっている。彼女が外出するたびに、誰かが家の中に入って、破壊行為を行う。警察本部長は、「あなたを助けることはできません（上からの命令だろうか）。捜査はしません。ホームレスの仕業です」と言うだけである。路上生活者や放浪者のような風貌の男女が、彼女につきまといはじめる。衣服や顔は汚れて見えるが、近くで見ると、彼らは清潔である。女性はカツラをかぶり、顔には誰かに殴られた黒あざがあるように見えるが、それは化粧である。彼らは精神病者のふりをして、ターゲットである被害者に対して、公衆の面前で大騒ぎを仕掛ける。酔っぱらいを装った人間も、被害者につきまとう。自宅では住居侵入犯が、電球を爆発するものに交換していた。ドアノブやベッドのネジが、他の金属製のものに換えられた。それらのネジは、今までのものより感度の高い電磁ビーム送信機である。家の外側にドリルで複数の穴をあけ、太い針もしくは金属片のような金属製送信機を壁の中に入れた。車への破壊行為はいつものことである。かつて一度、駐車していた車からオイルを漏らされたことがあった。彼らは、ブレーキやクラッチを壊すのを失敗したので、オイルを駄目にしたのである。睡眠妨害は、エレクトロニック・ハラスメント（電子機器を利用した嫌がらせ）もしくは他の従来型の方法によって行われる。突然、家電製品が壊れる。トースター、電気ポットが燃える。わからないやり方で、特に強い電流が送り込まれ、数分でストーブが真っ赤に焼ける。

遠隔操作のビームを使って、真夜中にラジオの上の照明器具を壊す。ハンドバッグを盗むために、ラジオ波を使って彼女を攻撃する。裏地を破って、あらゆるバッグを壊す。衣類もそうされた。隠された書類を探すためにそうしたと、彼女は言われた。何という愚かなことを、何年も何年も何年もこのようなことを、罪のない人々に対して行っていることか。90代の年老いた両親が、若い子供たちと同様に脅迫のターゲットになった。マイクロ波は、極度のストレスを引き起こすハラスメントのために使用される。「走れ、犬、走れ」という特別なメッセージの入ったTシャツを着た見知らぬ人間が、通りで被害者につきまとう。もしくは、彼らが彼女の車のバッテリーを上がらせた場合には、「ほんの少し追加」というTシャツである。彼女がカナダに支援の手紙を書いて、手紙を郵送した15分後には、「カナダ」と書かれたビニール袋を持って、彼女の注意を引くために激しく咳き込んだ見知らぬ女性が、通りで彼女の目に飛び込んできた。その場にふさわしくない、大声の会話、作り笑い、偽の咳は、ハラスメント組織によるものである。

何年にもわたる隠された秘密のハラスメントにより、彼女は彼らの犯罪方法の多くを知ることとなった。悪魔崇拝は、広く行き渡っている。イヤリングや鼻ピアスをした、黒ずくめの服装の若い男女が、監視を行っている。時には、背中に黒いリュックサックを背負い自転車に乗っている。リクルートされた人間は、衣服の色を使ってサインを送っている。リクルートされた新人はピンク色を使うが、彼女にはその理由は不明である。老婦人は白と黒を着用する。ベトナム戦争で毒物と化学物質が使用された際、その計画はオレンジと呼ばれた。今日でもリクルートされた人間が被害者に毒物を使う際には、オレンジ色のシャツ、コート、ブラウス、ショートパンツを着用する。マイクロ波、ラジオ波、その他の電磁波を照射する時には、黄色を使う。黄色のタオルや黄色のTシャツは、被曝危険のサインであり、そしてまた放射能のサインでもある。彼らは、ハラスメントを行う特定の家々に印をつけて、ヘリコプターから放射線や毒物を使用して、庭の茂みや木々や花々を破壊することができる。リクルートされた人間はしばしば、ＮＩＫＥ（ナイキ）の衣類を着用している、ナイキの野球帽、ショートパンツ、テニスシューズ、トレーナーを着用しているのだ。それは恐らく、マインド・コントロール訓練所になったカリフォルニアの軍事基地が、以前はＮＩＫＥと呼ばれていたからである。彼女はしばしば、ＮＩＫＥ（ナイキ）の野球帽や衣類を着用した人たちにつきまとわれた。その際彼らは、カメラ、トランジスターラジオ、バリカンなどに偽装した機器が放つレーザービームにより、彼女にテロ攻撃を行った。レーザービームにより、体調が悪くなり、吐き気を催し、頭痛を伴う昏睡状態になるのである。彼らは、バス内、電車内、飛行機内でさえも、被害者の背後に座って、それらのレーザービーム機器を使用する。リクルートされた人間は、被害者と同じバス停でバスに乗り込む。バス内では、通常は後方に座る。しかしながらしばしば、既に別の「兵士」が前もってバス内にいて、同僚がどのように仕事をしているのかを監視している。次に、彼らのうちの1人が立ち去り、別の1人が、恐らく女性が、リュックサックと釣竿を持って入ってくる。リュックサックと釣竿は、リクルートされた人間が偽装するのによく用いる。

レーザービーム機器は、リュックサックやアタッシュケースの中に隠される。それより大きな電磁パルス兵器は、被害者の座る隣の客室に置かれたスーツケースの中に隠され、壁を通して照射される。組織の「兵士たち」が、話す被害者を混乱させようとする場合には、それらの機器は会議室内でも使用される。それらは健忘症ビームと呼ばれ、1950年代には既に開発されていたが、今日でさえこのテクノロジーについて知る人はほとんどいない。彼女は、これらの機器が入ったスーツケースの一つを主要郵便局内で見たことがある。コピー機の横に、単独で置いてあった。コピー中に、スーツケース内の機器から極度に強力な放射線が放出され、機器が別個に複製をとって保存するのである。このようにして当局は、自動的にあなたの書類のコピーを手に入れているということを知っていましたか。もはやどこにいても絶対の秘密はないのである。

都会のアパートでは、彼女の部屋の上の階、下の階、両隣などの周囲の普通ではない居住形態に、彼女は気づいた。突然、居住者が変わった。部屋は空いているように見えるが、家具が備え付けてあった。電子的方法を用いて、未知の軍事作戦が行われているようである。それらの部屋は、マインド・コントロール実験を行う軍事作戦の基地として使われているようである。この包囲網により、ホログラフィを使った人間遠隔測定法の研究も容易である。使用機器は、壁を「透視する」のだ。被害者の思考信号や意思を、隣の部屋のコンピューター上に探知することができるのである。それは、SFのように聞こえるかもしれないが、既に数十年にわたり普通の学界や一般大衆に秘密にされている、現代の最先端科学技術というだけのものである。この犯罪活動の全てを隠すために、これらの「軍事作戦」について話す人間は偏執症であると、医師たちは前々から医学部で教えられているのである。

このようにして、話を信じて貰えない被害者の苦しみは倍増する。そして諜報機関による犯罪は、これまでのように継続することができるのである。

第17章　軍事研究

アメリカ海軍は、１９８４年に部分的結果が公表されてから少なくとも一世代にわたり、ＥＬＦ（超低周波放射線）の研究を行ってきた。ＥＬＦは、細胞、組織、器官、生命体のホルモン濃度、細胞化学反応を変化させる。ＥＬＦは、時間知覚を変化させ、睡眠を誘発する。ＥＬＦは、免疫系反応、細胞のカルシウム減圧流失を変化させる。ＥＬＦは細胞構造の分解を引き起こし、細胞を破裂させる。ＥＬＦは、脳細胞やＤＮＡ転移課程に同調する。ＥＬＦは、欠陥を引き起こし、胎児死亡率を上昇させ、受精卵の変性や不妊を誘発する。そしてまた、細胞周波数を変化させることにより、病気の治療が可能である。ヒーリング現象は、このことによって説明可能ではないだろうか。何故、人類の利益のために使われないのだろうか。

現在はサンディエゴに住んでいる90代のホセ・デルガド博士は、アメリカ海軍のためにスペインで研究を行った。その結果、超低周波は軍が掌握し、諜報機関は疲労状態、鬱病、白内障、眼疾患を作り出している。そしてまた強迫神経症とともに、気分変化、興奮性、怒りの状態を作り出すこともできる。求められれば、性的攻撃状態や大混乱状態、そしてまた睡眠障害や不眠症も可能である。ＥＬＦは精神拷問兵器である。短期記憶及び長期記憶の喪失、白血病、癌、一過性の緊張性昏迷状態のようなゾンビでさえも作り出すことができる。暴力的状態の創出、そして学校銃乱射、ショッピングセンター銃乱射、大量殺人のような犯罪行動様式は、ＥＬＦの能力の一部である。恐らく、２０１１年ノルウェーのウトヤ島での大量殺人でも使われたであろう。ＥＬＦは、政治目標の達成のために、法改正のために、一般市民から銃を取り上げるために、もしくは純粋な復讐のためにでさえも、罪のない一般市民に対して実験の目的で使用されている。連続殺人をプログラミングされる人間は、通常は若い男性であるが、特務機関や諜報機関の社会の中から選ばれる。

非倫理的な医師、心理学者、諜報員が、通常は数か月か数年にわたりターゲットに憎しみの周波数を照射し、命令で無制限に殺すことを始動させられる、完全にマインド・コントロールされたロボットを作り出すのである。

人間の感情、対応、行動の全てには、特定の電磁周波数がある。その電磁周波数を、活性化したり、コンピューターに蓄積したりすることができる。そして、必要な時にいつでも送り返すことができ、別人に対しても可能である。人間の行動を支配する科学技術は、一般大衆には信じ難いものであり、秘密にされている。ＥＬＦに影響を受ける人間の電磁的性質は、未だに一般の医師たちには知られていない。一般の医師たちは、脳が思考すると誤って教えられている。それは古い情報である。というのも、人間の身体の全ての細胞は振動しているからである。真実だけが、医療従事者の目を覚まし、一般大衆に対して人間の本当の性質についての新たな見識をもたらすのである。

１９８６年には既にアメリカ空軍は、ロンドンのキングズ・カレッジおけるマイクロ波のＤＮＡに対する影響に関する研究に、資金を提供していた。アメリカ海軍もまた、多くの研究に資金を提供した。在イギリス、在スウェーデンアメリカ空軍は、主にこのマイクロ波の研究を行ってきた。スウェーデンはＮＡＴＯに加盟こそしていないが、多くの人々が思っているような中立国ではない。フィンランドもＮＡＴＯに加盟していない。それは国民の大多数が、フィンランドがＮＡＴＯやＮＷＯの統制下に入ることになるため、ＮＡＴＯ加盟を望まなかったからだ。もしそうなれば、恐らく１３００km以上におよぶロシアとの国境地帯に、多数の「防御物」が作られる可能性があるのだ。そしてＮＡＴＯは、中央・東ヨーロッパにおいて「防御物」建造を望んだ際にそう言ったように、防御物は「イランに対抗する」ためのものであると主張するだろう（訳者注：新世界秩序〔New World Order 略ＮＷＯ〕とは、世界政府のパワー・エリートをトップとする、地球レベルでの政治、経済、金融、社会政策の統一、究極的には末端の個人レベルでの思想や行動の統制・制御を目的とする管理社会の実現を目指す国際秩序）。25年間マレーシアの首相を務めているマハティール・ムハマドは、ノルウェー最大の新聞であるアフテンポステン紙で、「ユダヤ人は、代理人を使って世界を動かしている。ユダヤ人は、自分たちのために他人を戦わせて死なせている」と述べた。この声明が発行された後、大騒動となった。そう、誰かがこの世界を動かさなければならない。しかしもしも、人間とは肉体ではなく精神である、つまり人間とは精神的体験をする肉体なのではなく、肉体的体験をする精神なのだということを、世界を動かす人間たちが十分に理解し覚えておくのであれば、世界の多くのものは私たちにとってより良い方向に変化するであろう。人間存在に関するこの根本原理、そして現世における人生の本当の意味を、軍や諜報機関が理解するのにどれくらいかかるのであろうか。既に80代のハルラン・ジラードは、フィラデルフィアにある攻撃的マイクロ波兵器に関する国際委員会の会長である。ジラードは欧州議会においてずっと、大量破壊兵器である電磁兵器に関する専門家であった。

攻撃的マイクロ波兵器に関する国際委員会の声明により、以下のようなことが明らかにされた。核兵器に対する軍拡競争を制限したいとする1975年のソ連の嘆願を、アメリカが如何に横柄に退けたかということ。アメリカは、核兵器よりもさらに邪悪なさらに不道徳な兵器を開発し配備し続けたこと。アメリカは、1984年以来大量破壊兵器に認定されるような新兵器は存在しない、大量破壊兵器の存在は差し迫った問題でもないとさえ主張していること。これらのことが明らかにされた。アメリカ政府による虚偽情報と人道に反する罪は、十分な情報が与えられていない一般大衆を混乱させるために、懐疑論者と諜報機関がいわゆる『陰謀』論呼ばわりをしている。一般大衆は、舞台裏の真実についてはほとんど知らない。重要な情報の全てを隠しておくために、企業支配されたマスメディアが意図的に情報を与えないようにしているのだ。

パーボルトン前首相によれば、NATO加盟国ノルウェーは、ほとんどアメリカの属国であるということである。現在私は、『ほとんど』という言葉を省くつもりだ。私も出席していた、データと人権に関する専門家会議で法務大臣のO・ドーランは、ノルウェー人は専制政治体制に生きていると述べた。新しい戦闘機がその例である。防御用に設計された、より安価なスウェーデン機の提案は却下された。議会は、アメリカの攻撃用（防御用に設計されていない）F35戦闘機の提案を承認した。アメリカの戦闘機には、140億ドルの費用がかかり、絶対上限額は430億ドルになるであろうとのことであった。しかしその値段は、2011年にアメリカによって720億ドルに設定された。支払いの日付は提示されなかった。最新のニュースでは、アメリカは製造する飛行機の数を減らす可能性があるとのことだ。それはつまり、これまでに値上がりした以上の価格になるということである。ノルウェーの女性防衛大臣は、F35戦闘機購入は2016年までに行うべきであると述べた。何故だろうか。2016年までにロシアがスカンジナビア諸国を攻撃する秘密計画でもあるのだろうか。2007年ノルウェー公式年次軍事報告書では、ロシアがノルウェーを攻撃しても、アメリカとNATOは助けに来ないということが述べられている。だからNATO条約の第5条は、単なる口先だけの話にすぎない。

全ての戦争は、前々から計画されている。スカンジナビア半島の北部地域には、鉱物資源、ダイヤモンド、金が埋蔵されている。北部フィンランドにはウランさえも埋蔵されている。アメリカ経済を支える目的で、NATO加盟国ノルウェーに対して圧力がかけられているのは明白である。それとも、攻撃用に設計された戦闘機を必要とする隠されたアジェンダ（行動計画）でも存在するのか。誰に対抗するのであろうか。現在アメリカは、海兵隊をノルウェーのフィヨルドに置くこと、そして「防御物」を建造することを望んでいる。最新のニュースによれば、中央ヨーロッパにおける「防御物」建造は拒絶された。彼らは本当に、第三次世界大戦の準備をしているのだろうか。第三次世界大戦を望む一般市民はいないが、国家の軍隊や政治エリートは必要としているのかもしれない。世界は本当に病んでいる。少なくとも権力者たちは、中東地域ではじまる戦争の準備をしている。

第18章　コインテルプロ・グラディオ作戦における嫌がらせの方法
―秘密裏に行う隣人工作とつきまとい―

1．概要

一般的な工作は「能動的監視」のタイプに分類されます。一方、「受動的監視」は秘密裏に行うターゲットの監視や情報収集です。能動的監視において工作員は、情報収集のほかターゲットが監視下に置かれていることを自覚するよう工作します。能動的監視に加えて工作員は、ターゲットが四六時中不快を感じる行動を行います。秘密工作は当局から暗黙の了解を得ているため、その存在は隠蔽されます。司法制度は道徳心が低い犯罪者のような人々によって運営されています。諜報機関はすべての加害行為の存在を否定できるように気をつけます。そのため、警察やその他当局、友人、隣人、家族、医師などにターゲットが問題を訴えた時、諜報機関が行った加害行為はターゲットの「過剰な妄想」とみなされます。さらには、ターゲットは精神疾患の診断を受けます。こういった状況が長く続いた結果、医療機関は諜報機関の加害行為の存在否定に一役買うことになりました。現在、ターゲットが問題を訴えると、ほとんどの場合即座に精神疾患と診断され抗精神病薬を投与されます。

課報機関が繰り返す加害行為は巧妙であるため、ターゲットが問題を訴えていく相手は誰しも加害行為の存在を否定するでしょう。工作員になるとこのような巧妙な加害行為の与え方を訓練されます。

課報機関は先進テクノロジーを有しており、それを駆使してターゲットが家にいる時、音を立てず壁を貫通させて強烈な加害行為を加えます。この加害行為の存在は、ほぼ間違いなく否定することができるでしょう。工作員は、先進的電磁波攻撃の訓練を受ける前に、地域の安全維持や加害行為の隠蔽工作について初期訓練を受け、相当のレベルまで上達しなければなりません。先進的電磁波攻撃訓練に関してはこのマニュアルの範囲を超えてしまいます。

「組織」は幸運にも、工作員を手助けできる優れた専門家たちを雇い入れることができます。心理学者には重要な役割があります。単独に見れば「ささいな」加害行為を数多く行うことによって、ストレスや絶望感をターゲットに最大限与え、健康を損なわせる方法を見つけるのです。通信、電力、ビルの電気設備、警報システムなどあらゆる分野の技術者や公益企業の従業員たちは、自分の立場を利用し「一見問題とは思われない」問題をターゲットに継続的に与え続けるのです。もちろん、有能な鍵師は貴重な存在となります。地域潜伏工作員としてあなたは、公式の司法システムよりもより「公正な裁き」を行うことができるチームの一員になる特権が得られるのです。

2. 監視

監視はすべての工作の基礎となります。地域潜伏工作員が目視で行う監視と、先進的な電子的監視の両方が行われます。この章では、地域潜伏工作員が目視で行う監視についてのみ述べます。各地域のリーダー工作員は、地域の中で各ターゲットを監視します。すべてのターゲットは家にいる時も眠っている時も、少なくとも1人の工作員にずっと監視されます。諜報機関の監視チームは携帯電話を与えられ、ターゲットの行動や動きを地域のコントロールセンターに報告します。ターゲットの行動には以下のようなものがありますが、この限りではありません。

監視はターゲットが電気をつけ1日を開始するところから始まります。

トイレに行く。シャワーを浴びる。
家を出る。
車で移動する。
仕事場に到着する、あるいは買い物に行く、もしくは他の施設へ行く。
家に帰り、家かレストランで食事する。
性行為をする。

1日の最後に電気を消す。
夜中に電気をつける。
旅行に出かける……etc。

これらの監視のいくつかは電子兵器部隊が行いますが、工作員はターゲットの行動についてできるだけ詳細な報告を行います。

詳細な報告が必要であるのには理由があります。能動的監視の懲罰フェーズ（加害行為のことをターゲットに対する懲罰と表現している）では、監督者はターゲットの性格に合わせて加害行為を修正しないといけません。そして、その加害行為を「人生におけるありふれた不運」に見せなければなりません。

監視に関する重要な加害行為のひとつはターゲットを神経質にさせることです。ターゲットは監視されていることも加害行為を与えられていることも知らされません。一方で、近くで能動的監視や他の加害行為が頻繁に起こるため、ターゲットにとっては「人生におけるありふれた不運」とは捉えられません。その結果、ターゲットは自分が監視され加害行為を与えられていることに気づくわけです。

あなたは地域潜伏工作員として、いつ、どこで、どのように加害行為を行うかに関して明確な指示を受けます。あなたが指示通りに加害行為を行う限り、ターゲットがいくら訴えようとも信用されることはありません。したがって、法的措置をとられるリスクもありません。

懲罰行為が有効に働くかどうかは、いかに正確にそして完璧に多くの状況で、ターゲット情報を報告できるかにかかっています。コントロールセンターは、ターゲットの家やアパートの隣の建物やアパートに入れるよう手配します。電子兵器部隊は、壁を貫通する監視装置や攻撃装置を持っています。そのため、彼らは地域潜伏工作員とともにターゲットの行動を報告することになるでしょう。たとえば、典型的な設定として、地域潜伏工作員は駐車した車に潜み、そこからターゲットの家またはアパートを一晩中監視するかもしれません。

この場合、車の中で監視している地域潜伏工作員は、ターゲットを追跡するため、近くを巡回している他の地域潜伏工作員に携帯電話で連絡するか、もしくは自分自身でターゲットを追跡するよう指示されるでしょう。あなたは、ターゲット追跡について、所属する支部からの指示を受けます。移動中のターゲットを、身を隠したり姿を現したりしながら追跡することになるでしょう。わからないことがありましたら、一旦尾行を中止しコントロールセンターからの指示を受けてください。移動中のターゲットは予期しない行動に出ることがあります。コントロールセンターは、常時ターゲットの位置をモニターしていますから、もし地域潜伏工作員がターゲットを見失った場合、コントロールセンターは別の地域潜伏工作員に指示を出し、都合がつきしだいターゲットを尾行させます。ターゲットを見失った場合、必ずただちに連絡してください。

姿を隠さずターゲットを尾行する場合、ターゲットはあなたの存在に気づき不快感を覚えます。尾行をいつ中止するかについては指示に従ってください。別の地域潜伏工作員またはチームが尾行を始めるでしょう。一旦任務から離れる場合、何もせずに次の仕事の準備をしてください。

3. 妨害

「妨害工作」には、「全くの偶然」を装ってターゲットの進路を歩いて遮ることが含まれます。ターゲットは、監視されていること、嫌がらせされていることに気づく程度にまで神経過敏にされるため、複数の地域潜伏工作員が「偶然」ターゲットの進路を遮るという行為があるだけで、監視に気づき不快になります。

進路妨害を行う合図は、あなたが所属する支部のコントロールセンターが出します。現場監督者があなたを配置につかせ、進路妨害のタイミングを見計らって手で合図を送る場合が多いでしょう。移動中のターゲットは予測できない行動をすることがあるので、進路妨害が成功するか否かは、電子兵器部隊の仕事にかかっています。彼らはターゲットの所在を正確に監視する装置を持っていますので、コンピュータープログラムを使って、ターゲットが地域内を移動する時、ターゲットの移動場所と時間を正確に予測することができます。現場監督者は、コントロールセンターからの指示を即座に音を出さずに受け取る手段を持っています。

① 進路妨害する地域潜伏工作員は、以下のような進路妨害の形をとるよう要請されます。

② シンプルな進路妨害。衝突を避けるためターゲットは回避行動をとらざるを得ない。ターゲットが外出するごとに、複数の地域潜伏工作員が数回の進路妨害をします。

③ ターゲットのお気に入りの場所へ行き、ターゲットが到着する少し前にその場所を占拠すること（レストラン、公園、公共施設のシート、バスの座席など）。普通人が行かないような時間や場所であるのに、そのような場所に地域潜伏工作員は「ぶらりと出かける」ように見せかける。

④ バスの停留所など立っていないといけない場所で、ターゲットに近づきタバコを吸ったり、

チャラチャラと音をさせ硬貨をいじったり、つま先で床をトントン叩いたりします。また、噴水の場所でターゲットのすぐ後ろに立ったりします。

⑤ 10名ほどのグループが指示を受け、買い物しようとするターゲットより少し前に店に到着しレジの前に列を作ります。そして、時間をかけて宝くじを買い、ターゲットの買い物を遅れさせます。ターゲットは疲れて早く家に帰りたくなります。

⑥ 地域潜伏工作員は、ターゲットが家を出ようとする同じタイミングで、隣の家または部屋から出ることを繰り返すよう指示されます。また、他の方法として、地域潜伏工作員がターゲットが帰宅する手前で進路妨害したり、同じタイミングで帰宅したりします。

これらの妨害工作は一見ささいなことに思えますが、ターゲットは毎日この「ささいな」工作を体験していることを考慮してください。進路妨害が繰り返されることにより、ターゲットは常時その行為に注意するようになります。この妨害工作は、ターゲットがまともな1日を送れなくすることにその本質があります。ターゲットに罰を与えることこそが目的です。似たような進路妨害を車で行うこともあります。コントロールセンターは進路妨害工作を毎日ターゲットが通勤で利用する道の途中で仕掛けてきます。朝夕の通勤時に、ターゲットが妨害車列の中に同じ車を見つければ、この妨害工作はとりわけ効果的になります（車による進路妨害は危険なので、この工作を命じられた地域潜伏工作員は、実際に行う前に特別な訓練を修了しなければなりません）。以下に、地域潜伏工作員が命じられる車による進路妨害の例を挙げます。

――ターゲットが自分の車に近づけないよう駐車する。たとえば、ターゲットが車のドアを開けられないよう駐車し、その後姿を消す。

――商用車を頻繁にターゲットの家の近くに駐車する。全く取引のない商用車を停めるなどして何らかの異常性を感じさせる。単に無地の白いワゴン車を頻繁に駐車することで、ワゴン車が監視を行っているとターゲットは考えるようになります。

――単に車間距離を詰めて後ろにピッタリついて走行したり、前でゆっくり走らせたりする。これを毎日繰り返す。ターゲットの通勤時などこの工作を行えば、ターゲットは非常に不快感を覚える。

――ターゲットが脇道に到着するころを見計らって、脇道の停止サインを越え、ターゲットの車が走る車線に入り込み停車する。その結果、ターゲットは急ブレーキをかけざるを得なくなる（この妨害工作にはコントロールセンターの助けが必要であり、携帯型無線機も用いられる）。

――通勤時に地域潜伏工作員の車集団がターゲットを取り囲み、ターゲットが望むより遅いスピードで走行させる。場所によっては、コントロールセンターは、ターゲットにとって重要な意味を持つ言葉を表示したナンバープレートを、地域潜伏工作員の車に装着させることもある。
――通常あまり交通量のない道をターゲットが走行している時、地域潜伏工作員の車集団がやってきて渋滞させ、ターゲットに気づかせることもある。

車による進路妨害で究極のものは偽装交通事故です。これはとても危険な工作なので熟練工作員にのみ命じられます。しかし、交通事故が仕組まれたものだとターゲットだけがわかるようにすることは可能です。これは、ターゲットに対する罰としてはとても有効であり、ターゲットは偽装交通事故の犯罪性を一般人に暴露することによって、特に諜報機関を攻撃してきました。しかし一般的に、偽装交通事故は、警察が工作をサポートする管轄区で行われるので、地域潜伏工作員のドライバーは捕まりません。

4. 所有物の破壊工作

所有物の破壊工作は、警察が事件として扱わないような低価格のものが対象ならば、非常に効果的です。ターゲットの家に放火したり、高価なものを盗むと警察が捜査することになるので行いません。

一般的に安全性を著しく侵す破壊工作は適切ではありません。なぜなら、警察が事件現場を捜査する可能性があるからです。したがって、ターゲットの車のブレーキシステムを破壊することは許されていません。一方で、少量のオイル、トランスミッション液、不凍液を漏出させることは許されています。全量を漏出させてはいけません。目的は、ターゲットがメンテナンスを怠ったため液量が減ってしまったように見せかけることです。また、一般的にターゲット以外の人が破壊工作と感じるような壊滅的な破壊を行ってはいけません。

低価格のものを数多く破壊することによって罰を与えていくことが重要です。こうすることによって、もしターゲットが低価格の所持品の破壊を何度も訴えた場合、ターゲットは、忘れっぽい、または大げさである、あるいは妄想的だとみられるようになります。その結果、ターゲットの関係者は、ターゲット以外の何者かが犯人だとは考えなくなります。破壊工作は次の点で重要です。破壊工作をやめさせることは絶望的であることや、破壊工作の存在を訴えると、精神疾患だとみなされてしまうことにターゲットは気づきます。ターゲットから破壊工作について聞いた人の中には、「注意を引くため」自らが破壊工作をする者も出てきますので、その点「組織」にとって有利といえます。

破壊工作はターゲットの家、職場、車を対象に行われます。この工作には、鍵師や警報システムエンジニアの助けが必要です。あなたの地域のコントロールセンターは彼らを手配してくれますし、もし辺鄙な地域に住んでいるのでしたら、遠くから専門家を派遣してくれます。

以下に、地域潜伏工作員が実行する破壊工作の例を挙げておきます。


――車や家に忍び込みラジオをいじって設定を変える。

――ウィンドウォッシャー液を水に入れ替え、できれば冬のうちにウォッシャー装置を壊す。

――ターゲットの車や家具あるいは貴重品にひっかき傷をつける。

――タイヤのエアーを少し抜いたり、コントロールセンターの許可があれば、タイヤの側面に傷をつけるなどしてタイヤを破壊する。

――ウィンドウヒーターの電熱線が故障したように見せかける。

――ハザードランプボタンの導線を断線する。

――相当量のオイル、トランスミッション液、不凍液などを車から抜く。しかし、壊滅的被害にまで至らないよう注意する。

――車の内部に誰かが侵入したことをターゲットが気づくよう物を移動させる。

――車のカギを開けそのままにしておく。可能ならばドアを開けたままにする。

――ターゲットが外出中、家の玄関もしくは裏口のカギを開けておく。新年の夜中であっても同様にする。

――家具やカーペットを頻繁に移動させ、誰かが家に侵入したことに気づかせる。

――低価格の物品、たとえばハサミのように置き場所を間違えやすい物などを盗み、ターゲットが代わりの物を置くまで隠しておく。その後なくなった物を元の場所に戻す。ターゲットがよくチェックする場所でそれを行う。

――重要な個人的資料（特に同じものを揃えるにはお金がかかるもの）を盗む。

――代わりがない写真を盗む。

――ターゲットが会社にいる時、郵便箱から郵便物を抜き取りその辺に落としておく。壁に掛かっている絵を何度も傾かせておく。

――間違った時間に時計を合わせる。

――繰り返し消耗品（コーヒーなど）を捨て、ターゲットが消耗品を管理できないと思わせる。

――新品の服に最初は小さな裂け目を入れ、徐々に広げていく。

――ターゲットの下着の股間部を裂く。または、上等な下着、水着などを盗む。

――ターゲットの服を似た服に取り換える。似た服ではあるがターゲットにとっては小さすぎ、まるで子供用の服を置いておく。当然ターゲットの所持品ではない。

――シャツのボタンを留めにくくするため、ボタンフラップを内側からアイロンがけし、ひっくり返す。

――ターゲットが所持するエアーマットやクッションの縫い目にナイフの先端を突き刺す。これを毎日繰り返す。

——衣服やバッグのジッパーを少し引くだけで壊れるように細工する。

——防水ブーツの靴底にナイフを押し付け穴を開ける。

——仕事場でターゲットのオフィスチェアーのネジを外す。家では、ディナーテーブルの４本のネジのうち1本を外し、陶磁器が置いてあるテーブルを傾ける。

——仕事場において、前日ターゲットが仕上げた仕事を台無しにする（あまりあからさまではいけない）。たとえば、ターゲットがコンピューターを修理した次の日、コンピューターが故障し前日よりひどくなっていたりする。

——仕事場で、コンピューターファイルの最新コピーを古いコピーに置き換える。もし、ターゲットがプログラマーならば特に被害は深刻です。

——仕事場で、何人かの従業員を地域潜伏工作員として雇える場合、ターゲットのオフィスの邪魔になる重量物を「誤配」するよう仕組む。

——仕事場で、妨害可能な仕事の一部を担当している場合、ターゲットが昼食を食べている時や帰宅しようとする時に仕事の妨害をする。

——カギをかけて保管できない材料をターゲットが管理している職場において、その材料を破壊、もしくはコントロールセンターから許可を得れば盗む。

窃盗は慎重に行わねばならないですし、コントロールセンターの許可を必要とします。もし、許可がないなら盗んではいけません。特に有効な窃盗は、低価格で頻繁に使用される物品をターゲットの家から盗むことです。ターゲットが代わりの物を買ったら、盗んだ品物を元の場所に戻します。こうすることで、ターゲットは自分の正気を疑うだけでなく、無駄なお金を使わざるを得なくなります。その結果、ターゲットは完全な無力感を味わうことになります。

5. ターゲットの評判を貶《おとし》める

ターゲットの評判（およびそれに伴うすべて――たとえば、生活費を稼ぐ能力や仕事上および個人的人間関係）を貶めることは特別な妨害工作カテゴリーです。新人の地域潜伏工作員には割り当てられない任務でしょう。新人は「ウワサ」を広める手伝いをすることになるでしょう。この「ウワサ」がターゲットのパブリックイメージを破壊する主要な手段になります。

「ウワサ」は主として嘘で構成されています。一方で、懲罰フェーズに参加する地域住民の協力を得るため、愛国的あるいは社会奉仕的意識に訴える付加情報も利用されるでしょう。既述のとおり、「組織」は本部あるいは人口が多い地域のコントロールセンターで、えり抜きの心理学者や精神科医を専任スタッフとして雇っています。ターゲットの評判を貶める活動を企画するのが彼らの任務です。

以下にリストアップする人々に接近し、ターゲットとの関係が不愉快となるような情報または、ターゲットとの連絡を絶ちたくなるような情報を彼らに与えることができます。

——仕事の関係者
——上司
——同僚
——ターゲットが所属するクラブの会員やターゲットが行きつけているバーの常連といった気軽につきあっている人々
——友人
——地域の共済組織のような組織の会員は公共奉仕の精神に動機づけられており、ターゲットを監視する際、そして懲罰フェーズに参加する時、とりわけ有用な役割を果たします
——ターゲットが買い物する店の店員
——家主
——隣人
——ターゲットの家、車、会社の補修を行う職人
——ターゲットが利用するバスの運転手

――地域の子供
――救急救命医療スタッフや救急車スタッフを含めた市職員
――ホームレス施設のスタッフや利用者
――家族（驚いたことに、多くの家族はターゲットに関する否定的な情報をたやすく信じてしまいます）
――特に、職業安定所の職員

「ウワサ」が広がっていることをターゲットに悟られないよう、上述の人々への情報提供は厳密に管理されています。この工作の主眼は、情報を受け取った人がターゲットと話さなくなるよう、否定的情報を水面下で地域に浸透させることにあります。ターゲットの友人や家族はすぐターゲットに「ウワサ」のことを知らせ味方になるはずだと思うでしょう。しかし、経験的に言うと、ターゲットの犯罪記録を見せた場合、友人や家族を取り込むことは驚くほど簡単です。本部スタッフは家族や友人がターゲットに知らせないようにするテクニックをすでに開発していますが、そのテクニックについては本マニュアルの範囲を超えてしまいます。ターゲットに最も親しい人でさえ協力させる「インセンティブ」を与えることは可能であると言えます。「インセンティブ」は、地域レベルより高い「組織」所属の専門家が与えます。誰に何をいつどのように伝えるかについてコントロールセンターから指示がありますので、地域潜伏工作員としてターゲットの評判を貶める任務はそれを実行するだけです。

6. ターゲットの信用を貶める

司法制度や精神医学が秘密工作を強力にサポートしていますので、ターゲットの一般市民に対する周知活動は容易に妨害できます。一方、ターゲットの信用失墜工作は継続的な活動です。ターゲットの評判を落とした時と同様に、ターゲットの公的な発言、ウェブサイト、メディアへの出演、編集者への手紙などは、スタッフである心理学者や精神科医の監督のもと、その信頼性が傷つけられます。もし、地域潜伏工作員が任務遂行に関して良好な実績を積んでいるならば、地域コントロールセンターに申し出れば、信用失墜工作の任務につけるかもしれません。この任務には卓越したコミュニケーションスキルが要求されます。監督のもと遂行する任務には以下のものがあります。

――BBS、インディー・メディアのような開かれたメディアでのターゲットの発言を監視。信用失墜工作は、特別な策略のもと、あなたが所属する地域のコントロールセンターより高いレベルで計画および管理がなされます。

――ターゲットの監視には、行動に関する発言を見つけ直ちに警告を出すブログ検索ソフトを用います。この任務を行う地域潜伏工作員は、「薬を飲んでいない者がいる」または、「彼は全く証拠を提出していない」といったコメントで答えるでしょう。その後地域潜伏工作員はターゲットの発言を高いレベルの監督者に報告し、より詳細な答えを求めます。

――あなたが住んでいる地域の新聞をモニタリングし、工作活動に関する編集者への手紙が出されていないか探します。ほとんどの編集者や多くの記者は取り込まれ、ターゲットの発言を監視し無効化するという重要な仕事に率先して協力します。しかし、いつかは編集者への手紙が見落とされるでしょう。その場合、「薬を飲んでいない人がいる」という返答は妥当ではありません。そのような「編集者への手紙」は、あなたが提案する返答を添えて上司に報告しなければなりません。あなたの上司は、その返答を添削し新聞に掲載されるよう協力してくれるでしょう。

――あなたの上司は、ターゲットが出演するトーク番組をスタッフに監視させます。ターゲットにいくぶん同情的な司会者であっても、ターゲットへの中傷的情報を与えられると、ターゲットの出演を見送ることが多くなりますが、出演できる者も出てきます。その場合、あなたの上司はトーク番組に電話を入れるという任務を命じるでしょう。話すことについては指示があります。たとえば、ターゲットの意見を中傷したり、ターゲットが電話をし「UFOが私に嫌がらせをしています」といった奇怪な発言をしているようみせかけます。あるいは、トーク番組中のディスカッションのテーマを実際の工作活動から「メディアによるマインド・コントロール」といった主題へ誘導します。

――説得力がありすぐれたコミュニケーション能力を持つ工作員は、上司による入念なコーチングと訓練を受け、ターゲットが出演することになっているトーク番組に、ターゲットになりすまして出演するといった任務を与えられるかもしれません。これが実現できれば、UFOや尾行する黒いヘリコプター、フォイルビーニー、家の頭上に制止する人工衛星などについて語ったり、超常現象が頻繁に起こることなどを話すことによって、ターゲットの信用を貶めることができます。上記のような話題は、番組が進行し始めたのち唐突に切り出せば、司会者をかなり驚かせるにちがいありません。

――地域潜伏工作員が行う四六時中の監視活動によって引き起こされる、ターゲットの「奇妙な行動」を、ターゲットの隣人たちに吹聴します。隣人の注意をターゲットの行動に向けさせ、ターゲットが精神疾患を患っていると思わせるのが狙いです。「すべての人が自分をやっつけようとしている」という疑念をターゲットが持てばあとは簡単です。この任務を担当することは、地域潜伏工作員にとって特別の名誉となります。

7. 商行為にからむ懲罰

この章では、特定の業界で働いている、もしくは地域において特別の立場にいる地域潜伏工作員が、ターゲットに懲罰（工作員が行う加害行為のこと）を与える方法についての参考例をいくつか提示します。

――経営陣が取り込まれている公益企業の地下作業員は、ターゲットの家の下で迷惑で騒々しいメンテナンス作業を計画します（もしターゲットが個人事業主ならば、迷惑となる事業を計画します）。たとえば、長期間にわたりあるいは何回も道路に亀裂を入れることができます。この不必要な工事への資金提供は本部が行います。ターゲットがタクシーを呼ぶ時には到着を遅らせます。特にターゲットが空港に行く場合は遅れて到着します。

――バスの運転手は自由裁量の余地があります。たとえば、天気が悪い時、ターゲットが待つ停留所の一つ前で5分ほど乗客を待ち、表面上運行スケジュールの帳尻を合わせているよう見せかけることができます。バスの到着が遅れることにより、ターゲットは次のバスや電車への乗り換えも遅れます。天気が悪い時、バスがこれといった理由もなく前の停留所で乗客を待ち、ターゲットが待つ停留所を飛ばしたりすると効果的でしょう。

――整備工の人々は勘違いを繰り返すことを装い、多くのリコールを引き起こすことが可能です。さらに、修理を遅らせたり、不十分な整備を行ったり、ターゲットに超過請求したり、問題ない部分に損傷を与えたりもできます。このやり方は、自動車整備業界で特に有効です。

――臨床検査技師は血液検体を取り換えることができます。また、別のやり方で検査結果を改ざんしターゲットが苦情を言う理由をなくさせます。

――警察官は取るに足らない理由で頻繁にターゲットを停車させることができます。

――電話やケーブルテレビの技術者は、正当にかけられた多数の電話のルートを変更し、ターゲットにかかるようにすることも可能です。その結果、ターゲットは全く何も知らない通話者に対して非常に憤ることになるでしょう。

――ターゲットがよく買い物に行く店舗のスタッフはターゲットが店に来ることを知らされた時、ターゲットが必要とする商品を隠すことができます。店舗の経営者はターゲットが気に入っている商品の注文を中止します。

――レストランや食品宅配サービスのスタッフは、ターゲットのお気に入りだと知っている商品について、品切れであると嘘をつくことができます。商業関係者が行う懲罰を成功させるカギは、ターゲットは懲罰を受けていることに気づきそうになりますが、この懲罰行為がまわりの人々にとっては「日常的に起こる失敗」にしか見えないようにすることです。

第19章　ターゲットとしての個人的なハラスメント体験

隣人たち、ならびに「組織」のために働く人々による、窃盗、住居侵入、破壊工作、24時間365日の監視といったハラスメントが何年も続いた。その後、私はようやく地元警察に多くの訴えを行った。未だに私につきまとい続けている、その主犯格の破壊工作員の名前を情報提供しても、警察は全く犯人たちを「見つけ出す」ことはできないのであった。明らかに、警察は犯人たちを庇護していた。写真、切り裂かれた衣類、記録といった物的証拠が揃った訴えでさえも、警察官は受理を拒んだのだ。オスロで法務省や警察庁による倫理に関する会議が開催された際、私はインジェリン・キレングレンという、ノルウェーの警察長官を務めている女性に会った。私ができることは何か、彼女に尋ねた。その地域の警察本部長に訴えるべきだと彼女は言ったが、私はもうすでにやっていたのである。その警察本部長は回答すらよこさなかった。州司法検事に訴えのコピーを送ったが、万事適正に対処されていますと検事は回答したのであった。だから私は、ノルウェーでは、犯罪行為の記録をとっていても警察の介入を求められない、ハラスメントを許容する状況にあると書いたのだ。

例えば、針金、磁石、電気技術、その他の方法で鍵を開けるプロにより、私の家のドアはしょっちゅう開けられることを訴えた。ドアや窓に押し入った形跡が見当たらなかったために、保険会社は常に損害を補償しなかった。保険会社は私との連絡を絶ちさえした。なぜなら、一つの家にたった数年間で、こんなにも多くの住居侵入や凶行が行われるのを、一度も聞いたことがなかったからだ。10か国に住んだことがある私でさえ経験がなかった。恐らく、CIAが深く介入しているせいであろうか、この点においてもノルウェーは全くもって最悪である。盗難や破壊行為が続いた。新しく買った物や衣類も、盗まれ、壊され、引き裂かれた。特に、上等の衣類や毛皮のコートは引き裂かれ、洋服や下着の縫い目は切られていた。ペルシャ絨毯は縁飾りが切り落とされて、別の場所に移動されていた。家具が並べ変えられ、トラの毛皮は床に接着され、暖炉の前にあった毛皮は切られたり粉々に引き裂かれたりした。

毛糸のセーターや手袋は引き裂かれて、洋服は引っ張り出されるか切られるかした。衣類の前ボタンは引きちぎられた。そのようにされると、TIは自分の身の回りや服装を全く気にしない、だらしない人間に見えることであろう。毛皮のコートと同じように、衣類の裏地は切られていた。ハンドバッグも同じことだ。衣類やバッグについているジッパーは必ず壊されていた。彼らは、ジェームズ・ボンドのように秘密書類でも探しているのだろうか。年を追うごとに増す、実に愚かな行為は、彼らの水準を示している。

結婚祝いの贈り物に（80歳の）母や祖母から貰った、手縫いで装飾を施したアンティークのシーツが盗まれた。数年後にそのうちの幾つかは戻され、それからまた盗まれた。こうすることで、その人物は本当に忘れっぽいのだと思われて、誰もターゲットのことを信じようとしなくなるのだ。この犯罪の一番の犠牲者は、独身女性だということを覚えておいて下さい。彼女たちはとても脆弱なのです。子供や孫がいる人も、同じように脆弱です。子供や孫に脅威が及ぶので、多くの人が『組織』に協力するようになるのだ。このようにして、犯罪やハラスメントは継続するのである。私は個人的に、様々な国でそのような例を多く知っている。銀製のフォーク、ナイフ、スプーンが盗まれることが続いた。数年後に戻された物もあれば、二度と戻ってこない銀製品もあった。例えば、結婚祝いの贈り物、洗礼式の記念品、亡くなった家族の思い出のつまった相続品など、特に情緒的に大切にしている品は戻ってこない。通常、金銭的にとても高価な物は盗られない。しかしここ数年のうちに、一度に1万5０００クラウンをバッグから盗まれた。そして別の機会に、もっと少額の数百クラウンが数度にわたって盗まれた。それは地元の銀行に行った際に、数年にわたり私にハラスメントを行っている組織にリクルートされた人間が、私を監視している時のことだった。一番最近は、バッグから2万ノルウェー・クラウン以上が盗まれた。警察は何もしない。書斎から大切な本が盗まれる。数か月後か数年後に戻ってきた物もある。それらは、使っていない旅行鞄やリュックサック、地下貯蔵室、台所用具といった最も馴染みのないところに戻されているのであった。一度は、家の外にある薪の束の下に戻されていた。何も知らない人にはＴＩの言うことは狂っているように聞こえる。ここでもそう思われるように仕向けているのだ。そして、何も知らない人が大多数なのである。

ノルウェーで盗まれた物のうちの幾つかは、1年間留守にしていたフィンランドの家で見つかった。結婚祝いの贈り物の大きな銀製品は、何とノルウェーから、フィンランドの家のサウナに持っていかれたのだ。このことは、ハラスメントという心理戦争において、諜報機関が国際的に協力して活動している証拠となるように思える。諜報機関はデータのハッキングを専門にしていて、それはカルト関連、心理操作、心理戦争のために行っていることが知られている。そして常に、ターゲットの家族の誰かがハラスメントにリクルートされる。悲しいことに、ターゲットの友人たちも同じことになる。リクルートされた彼らの『仕事』は、ターゲットがその残虐性をいかに訴えようとも、常に重要視しないことである。このようにして、被害者の苦痛は2倍になるのだ。

これは当に、虚偽の噂や誹謗中傷を組み合わせた心理戦争の一部なのである。全ての反応を記録することを彼らは「リサーチ」と称し、それはターゲットの心身を崩壊させるために実行される。彼らは、ノルウェーでは高価な電気までも盗む。私が旅行する際には、電気は最小限に落とす。しかしかつて一度、夏に旅行して2週間後に帰宅した時には、電気計数機が2万キロワットになっていたことがあった。両側の隣人が工事をしているという偶然の一致があり、しかも電気接点が私の家の外側だったのだ。電力会社に苦情を言うと、家を離れる時には自分たちに知らせなければならないと言った。面白いことに、電気メーターがとても速く回転するように遠くから操作することができる様を、この目で見ることができた。電話の嫌がらせは日常的なことで、数々の奇妙なことが起きる。ＦＡＸは正常に機能せず、私は未だにほぼ毎朝ＦＡＸに嫌がらせをされる。誰かが遠隔から操作できるのだ。呼ばれた電話技術者は、電話はある特定の他の番号に繋がるようにされていると言ったが、彼はどこに繋がるのか見つけ出すことはできなかった。きっと諜報機関の電話番号だった違いない、恐らく軍諜報部だろう。なぜなら私はノルウェー人ではなくフィンランド人だからだ。ノルウェー人外交官と結婚したが、私は外交上のパスポートでさえも自分の国籍を変えたくなかった。私たちフィンランド人は少し変わっているのだ。電話に対するテロ行為の一部は、電話を妨害することだ。私の携帯電話はどれも正常に機能しない。ノルウェーとフィンランドでは、携帯電話は妨害される。自宅の固定電話は、誰かが電話をかけてきても常にベルが鳴らない。そして、そのメッセージは消去されるか、かなり遅れて届くか、決して届かないということがある。３・２００３（数字の３は諜報機関の犯罪のための主要暗号である）と、私はオスロに電話した。友人が私に電話をかけてきてすぐに言った。彼女が電話に出ると私の声がして、私が彼女とその婚約者を非難している。彼女が何か言おうとしても、テープに録音された私の偽造音声が続くだけだった。もし私が電話をしたのであれば、彼女の電話に私の番号を確認できるが、電話には何も表示されなかった、と。そしてもちろん、私はそんなことは決して言わないし、彼女に電話もしていなかったのだ。声を偽造できるのは誰か。手書きの手紙、文書、書類を偽造し、貸金庫に行って、私の名前で書類や宝石を盗んだのは誰か。これは、マジョルスタのクレジットカッサ銀行の貸金庫である、貸金庫番号123（彼らは私に諜報機関の暗号である番号を与えた。だから彼らは中に入れたのか）で実行された一例である。同じことがノルウェーの他の銀行でも起き、フィンランドでも一度起きた。フィンランドでは警察に訴えた後で、宝石は戻された。私は訴えることに価値があると気づいた。そうしたら、時々彼らは盗んだ品を返すのだ。

保険会社は賠償しない。保険会社は銀行に責任があると言い、そして銀行は保険会社に責任があると言う。被害者は常に、十分に犯罪を申し立てることができないのだ。

銀行、保険会社、税務署ではどれだけ多くの人間が、ハラスメントや犯罪行為にリクルートされているのだろうか。訓練されてお金を貰っているのだろうか。リクルートされた人自身も人格が壊れ、それと同時に、やるように教えられた行為はその人を残忍にするのだ。1年で五つの異なる地域から納税告知書を受け取ったが、私はそれまでにそこに住んだこともそこで働いたこともなかった。自分の地域の税務署に苦情を言うと、そこの職員は私がこれらの地域で一度も働いたことがないのに驚いていた。彼は、どうして私がそのような書類を受け取ったのかわからなかった。またもや諜報機関の工作で、明らかに純粋なハラスメントのための工作である。今現在でも、ヴェスビーからの納税告知書が北部のモ・イ・ラナに行っている。そのモ・イ・ラナでは税務署が、１９７５年に建てた私の小さな家を１９９７年に建てたと主張していて、それで税金がより高くなっているのだ。１９９７年に私は、屋根を金属装飾した。ここヴェスビーには１９９４年に引っ越してきた。何でもありだ。リクルートされた人間は新しいハラスメント方法を創作すると、給料が上がるか、報酬を得るのだ。

驚いたことに２０１１年に私は、一度も働いたことがないアメリカのＩＲＦから納税告知書を受け取るようになった。そこには、私が十分な情報を与えなかったので、納税告知書を受け取ることができないのだと記載していた。またもやＣＩＡだと私は推測している。その次に私はアメリカのニューヨークの警察署から、時速55マイルの速度超過の違反切符を三度も受け取った。私は、生涯アメリカで運転したこともなければ、何年も訪れていなかった。恐らくこれもまたＣＩＡの仕業で、明らかにノルウェーの諜報機関と協力して行っているのだ。最近、私の地区で水道管を使った作戦が実行された際に、私はナンバープレートが６６６の車に気づいた。それで、何かが起きているのだと思った。数日後に、２台の車とともにとてつもなく巨大なトラクターがやってきた。トラクターのナンバープレートは66、ニュー・ホランドという名前で、それはアメリカ（原文のまま）を思い出させる。作業をしている東欧風の若い男性に何をしているのか尋ねると、突然トランシーバーでメッセージを送った。しかし、何を伝えたのか私にはわからなかった。奇妙なことに彼らは、私の区画の芝生に、縞模様のオレンジ色のペンキの隆起を残したままで立ち去った。警告だろか。私はノートに詳細にメモをとった。そして次に確認した時には、その文章（それらの車の身元を識別するもの）は消され、私の手書き（偽造されたもの）が加えられていた。細部が変更されていたのだ。台所やトイレなどの水道管は、エア・ダクトのようにガスの供給にも使われている。

1年前、水が汚染された。新しい水道メーターと研究機関での分析により、重金属とヒ素に毒されていることがわかった。コップ2杯の水を飲んだだけで、口や舌が痺れた。その後、私も猫も嘔吐する病になった。彼らは常に象徴記号を使う。巨大なトラクターは何もせず、ただ注意を引くためだけにそこにあったのだ。私はオランダで秘密宇宙計画の会議に出席した。そこでは、私は以前から知っていたことではあるが、アメリカ人が何と土星に飛行したことが明らかにされた。そして、アナトリー・マルツェフが地球外生命体とともに別の惑星に連れていかれて、そこで元気な「死んだ」はずの友人や親戚に会ったことを、１９９０年代初頭には既にロシアは明らかにしていた。諜報機関は現在でも人々に真実を聞かせたくなくて、当に私につきまとっているようである。そういうわけでこれは、既に二世代もしくはそれ以上にわたり、一般大衆を欺いている圧倒的な敵と戦う私の「冬戦争」なのだ。

隣人たちは常に様々な方法で、監視やハラスメントにリクルートされている。隣の住人が突然、成人してからずっと住み続けていた家を3（！）億クラウンで「売った」。彼はもう家の手入れができないので、アパートに引っ越すのだと言われていた。いやいや、彼はアパートではなく、2㎞離れたところの新しい黄色（！）の家に引っ越したのだ。そうして、隣に入居してくる人間は一時的に住んでいるだけらしく、ハラスメントは継続したのである。例えば、新たに入居した男は、50ｍ上った大通りから雪をすくってきて、私の区画へおろすことを三度行った。そうして突然、命令でもされたのか（？）ポストに名前を残したままで一時的な住まいから引っ越した。2011年春のその時以来、様々な若い男が、時には女が、その家にやってきては去っていくことを続けている。そしてその家は明らかに、様々な活動のための「隠れ家」になっている。偶然の一致なのか（？）彼らが雨や雪の中でもベランダに黒い布をつるしたら、その日には私に対する目立った犯罪行為があるのだ。彼らが黒い布をつるす時はいつも、何か良くないことが起きる。彼らは「シギント」のようだ（訳者注：ＳＩＧＩＮＴ〔signals intelligence〕とは、通信、電磁波、信号等の、主として傍受を利用した諜報活動のこと）。オスロの友人が深刻な病気で、私が看病の手助けをしていた時には、いつも黒い布がつるされていた。そして友人が亡くなった次の日には、彼らは黒い布を取り除いた。これは心理戦争なのだ。夜に自宅が襲撃され、物が盗まれ、壊された時には、黒い布がそこにつるされていた。日中、家の中に猫を残して外出して、戻った時には猫はいなかった。またもや黒い布がつるされていた。誰かが私の家に入ったのだ。誰なのかわからないが、私は疑いを抱いている。それは、生姜色の髪の1人の若い男だ。とりわけその男は、時に両耳まである作り物の黒いあごひげをつけていた。興味深いことに、彼は身元を隠そうとしていた。それはなぜだろうか。私にはわかっている。クリスマスには彼らは間違いなく襲撃をする。家具を壊し、ステンドグラスを叩き壊し、銀器を盗み、冷凍庫からアイスクリームまでも盗み、高級なクリスタルガラスや特別なアンティークのコーヒーカップを粉々に壊した。家はすっかり破壊された。クリスマスに襲撃されたのは、これで既に三度目になる。2人の女性警察官がやってきた。私も後になって確認した。私が報告書のコピーを請求した際、若い警察官は本名で名乗ることを拒否した。そして007と名乗ったのだ。実際にはそのようにして、誰が背後にいるのかを私に示しているのだ。これは諜報機関の犯罪である。

ステイ・ビハインド作戦の活動に対する訴えには一切対応せず、抑圧せよという二つの命令が出される背後には、権力の内部に隠れた権力が存在するのだ。私は最近になってようやく、そのことに気づいた（訳者注：ステイ・ビハインド作戦とは、その領土を占領する事案において使用するための、秘密工作員や秘密組織を敵国の領土内に置くオペレーションである）。それで私は、どうして世界がこれほどまでに腐敗しているのかがよくわかった。多くの「汚れ仕事」をするリクルートされた一般市民は、付き合う相手を許可されたり、許可されなかったりといった命令も受けている。そうやって『組織』が、付き合うことのできる相手を決めているのだ。信じられないことに。彼らは仲間内でパーティーをするが、『部外者』は決して招かれない。そういうわけで彼らは、何らかの理由で攻撃リストに載ってしまった、無辜の一般市民に、ハラスメントをする人間とだけ付き合うのだ。

隣人が15歳から20歳の若い男女のためにパーティーをした数年前のある夜のことを、私は思い出した。彼らは皆、ビニール袋を提げてやってきた。私はどういうわけだか、ある種の学校行事を見ているような気分になった。実際にその通りであった。パーティーの音はしなかった。翌朝、頭痛で目が覚めた。私はバスルームに行き、そして誰かが私の下顎をナイフで切って、下顎から下方に両胸の間にまで達する1㎝幅の流血があるのを見て衝撃を受けた。そう、誰かが私の寝室に来て、ビームか催眠ガスで私の気を失わせて、顎先を切ったのだ。どうして喉ではなかったのか。実に容易にできたであろうに。このことさえも、警察にとっては捜査する価値のないことで、それは州検事にも受け入れられたのだ。

私は、彼らの犯罪行為を恐れてはいない。ただ私は、彼らが若者を犯罪のために訓練していること、そしてまた悪魔崇拝をさせていることが、少しだけ悲しいのだ。またCIAは様々な国々で、若者に訓練課程を設けている。私は数人の参加者に会ったことがある。これらの若者は、訓練の一環として同性愛性行為や集団性行為を強制されている。そういうわけで、諜報員になるには、原理主義者は向いていない。情報収集や恐喝のために、同性に売春することを強いられる者もいて、このことは正常な異性愛の男性にはトラウマになってしまうのだ。しかし、異性愛や同性愛を利用することは、ある特定の諜報活動の一環なのである。「私は政府に身体を捧げてしまった。悲しいことに」とアメリカ人の看護師が言ったのを、私は覚えている。

18年前にソンに引っ越してくる以前には、私は悪魔崇拝や心理戦争を経験したことはなかった。しかしここでは、3匹のぺちゃんこになった燕の死骸がテラスに置かれていた。別の折には、凍ったネズミが玄関にあった。その次には、頭を撃たれて血だらけの黒い鳥が、手持ちの紫水晶にくっつけられていた。それは居間の床の上に置いてあり、私が食料品店から帰宅した時には、母は寝室で気を失っていた。それから一度、居間がクモでいっぱいだったことがあった。クモは典型的な諜報機関の象徴である。彼らはハラスメント活動のために、どこかに動物農場を持っているに違いない。去年の私の誕生日の夜に、彼らは玄関に頭のないカモメの死骸を置いた。羽毛がその死骸の周りに1／2メートルの円形に置かれていた。象徴で表したのだ、皮を剝ぐ脅威を。そしてある朝、私が餌をやっていたカラスが、寝室の窓の外に頭部がない状態で置かれていた。

以前彼らは、庭に置いていた女性像の頭や右腕を切った。それで、彼らは私の書いた本や記事を好きではないのだと思った。去年の夏に再び彼らは、装飾を施した陶器像の頭部を切り落とした。幼稚なハラスメントは、彼らの低い精神状態と愚かさを表している。かつて一度、先端が10ヤードもの高さのある庭の大きな木々の皮が剝がれていたことがあった。皮が剝がれるのを隣人が見ていないのはあり得ないのだ。バラの木々やアンズの木々は、引っ越してきた最初の夏に破壊された。それは、私がそれらの木々のことを電話で幸せそうに話した後の、１９９４年のことであった。

かつて一度、旅行から帰宅すると、煙突が『組織』の色である黄色とオレンジ色の縞模様にペンキで塗られていたことがあった。そうしてその次には、かなりの頻度でヘリコプターや飛行機が通常より低く自宅の上を飛びはじめた。時には、ケミカル・トレイルを伴っていた（訳者注：ケミカル・トレイル〔chemical trail〕略ケム・トレイルとは、航空機が化学物質などを空中噴霧すること。公害などの副次的被害ではなく、有害物質が意図的に散布されているという見解である）。彼らは、今後の自分たちの犯罪に利用するために、私の小さな家に印でもつけたのだろうか。２００５年にアンナ・ファビニ博士が出した、優れたイタリアの書籍『それは虐待である。サイエンス・フィクションなどではない』の中では、私も自宅で経験した妨害工作を伝えた。私がマインド・コントロールの講義をするために外国に行っている間に、洗濯機、食器洗浄機、ＦＡＸ、冷凍庫、その他の家電品の内側では、文字通りの電気燃焼が起きていた。庭の照明設備は水と泥でいっぱいにされた。突然、家の半分が停電し、そして「自力で回復する」ことが何度もあった。明かりをつけたら強力な電気ショックが生じるように、家の配線が変えられていた。絶え間ないブンブン音が家の中で聞こえた（家材疲労を伴う）。発生源のわからない強烈な熱により、突然、ドアや塗装面がひび割れした。外出中に『やることリスト』が切られた。ドアの塗装は鋭くとがった道具で何度も刺され、家具は裂かれ、花かごはナイフで切られた。絵画の枠は、切られるか、塗料の染みがつけられた。台所家具は塗料で染みをつけられ、裂かれ、解体された。複数のテレビ、ラジオ、スピーカー、テープレコーダーも破壊された。最新のＴＶは３（！）日間だけもった。

留守番電話機への妨害工作があった。来客がありそうな時には、敷地にゴミが投げ込まれた。ゴミ箱には雪がぎっしり詰められていた。一番上等な陶器皿やグラスには三角形に欠けた跡が残され、壊されるものもあった。シーツや枕カバー、テーブルクロス、ランプシェードは汚されるか、塗料で染みがつけられた。浴室の大理石の床は、酸や接着剤で駄目にされた。居間の石敷きの床は、酸で傷められた。何らかの形でリンゴの木が攻撃され（飛行機からか）病気のリンゴが実った。ベッドの下に直径１ｍの円が描かれた。外出中に家にゴキブリがまかれた。郵便受けは23回壊された。郵便物は、郵便受けに入れる代わりに雪の中に落とされ、時には隣の庭へ投げられていた。公共料金にも「誤り」が現れ、高価な書籍（１６００‐１７００年代）は引き裂かれた。

枕、シーツ、下着に有害物質が噴霧された。衣類棚にも有害物質が噴霧された。送電線から漏れた微量の電力、そして電話が、私の家へ接続する前に、まず初めに隣の家に行く。妨害行為や写真の窃盗などが続いた。これは、諜報機関の従僕たちによる、絶え間ないハラスメントの大量リストである。しかも、それは心理戦争を伴って続いている。

かつて一度、母と自宅にいた時に、台所で突然大きな爆発の音がしたことがあった。確認しに行くと、ストーブの扉が枠から飛び出し、金属が酷く歪んでいた。ストーブは電源を入れていなかった。恐らくレーザー攻撃だ。電源を入れていたら、私たちは死んでいただろう。しかし『彼ら』は、ターゲットにどのようにすべきか正確にわかっている。私たちは新しいストーブを買わなければならなかった。それでもなお、ストーブのプレートはとても早く非常に熱くなる。毎日できる限り電気を節約している72㎡の小さな家でも、全ての電気料金がずっと極端に高いままだ。電気は、様々な方法で諜報機関による日常的なハラスメントに利用されている。特に、軍諜報部による電子戦の実地演習のために利用されている（訳者注：電子戦は、電磁波にまつわる軍事活動を意味する）。

私が冷凍冷蔵庫の前を通り過ぎている時に、自宅でもう一つの『実地演習』が起きた。突然メガネが、目に見えないレーザーのようなもので撃たれて下に落ちた。私の頭から数ミリのところのメガネの右側が、レーザーのようなもので切られているのがわかった。それは再度の恐怖作戦であったのであろうか。彼らは電気伝導のために台所では白色要素を使うと私は知らされた。

またもや突然、閃光が飛んできてティーカップを撃ち、爆発の後のように台所で数十の小さな破片があたりに飛んだ時、母は料理をしていたということがあった。ティーカップは、母の頭上の食器棚に入れてあった。『組織』の中でも、狙撃の名手は最も給料が高い部類に入っている。郵便や郵便物もまた、ハラスメントに利用される。雪の中へ投げられた郵便局の不在連絡票を拾って、その同じ日に、来ていた小包を受け取りに行った時、小包は既に送り主に返送したことを彼らは私に伝えた。そのような告知を受けたのは二度目で、初めてのことではなかった。オスロで政府委員会に、放射線、電極、ＬＳＤに関する医療虐待についての情報を提供した際、私は電子メールを読むために図書館へ行った。図書館員は正面に『復讐』という本を置いた。私が帰宅した時、またしても郵便受けが叩き壊されていた。それは、医療調査のために同意なしで患者をモルモットのように利用することについて、正しい情報を提供したことに対しての復讐だった。

書斎の本は頻繁に押されて「波状」になり、余りにも多くの珍しい本が盗まれた。外出中に食器洗浄器や冷凍冷蔵庫が燃やされ、興味深いことに、冷蔵庫のドアを密着させておくためのゴムが部分的に『溶け』た。私はそれら燃やされた物を取り換えなければならなかった。これは電磁波ビームを使った金銭上の妨害行為であった。

ＦＡＸがまだ機能していた時、突然、手動で送信された、送り主のない、日付が2か月古い１５０枚のＦＡＸを受け取った。かつて一度、ベッドの枕の下で１／６ページ目のＦＡＸを見つけたことがあった。そのＦＡＸは以前一度も見たことがなかった。メッセージを直ちに『広める』というためだけではなく、家に来てもてあそぶために私へのメッセージを面白がって盗む、そのようなことを『誰か』が考えているのだ。そしてまた郵便物は常に、私に届けられる前に開封されているのである。

常に私の電子メールは改ざんされている。一度、８０００通の未読メッセージが消去され、私の電子メールアドレスが完全にブロックされたことがあった。30（！）日後に突然、三（！）つの新しいアドレスの中から選ぶようにとの提案を受け取った。彼らは私の名前をもてあそんでいるのだ。そしてまた彼らは、私が送ったメールや受け取るメールの内容を変えている。私が確認する際には、以前のものとは内容が完全に違っているのだ。彼らが望む時にはいつでも、メールの送受信をブロックし、どんな手書きのノートでも偽造する。それらは、コンピューター処理で行われている。彼らはあなたの思考に反応する。もちろん、このことは信じられていない。そして、患者が敢えてそのことを話すなら、医者は精神病のレッテルを張るだろう。それはただ単に、普通の医者や一般大衆には全く知られていない、コンピューターを使った『新しい』軍事技術というだけのことなのだ。コンピューターや人工衛星が、脳信号と呼ばれる人間の脳細胞の振動周波数を拾うことができ、そしてそれを解読するのだ。私たちの細胞は、気分、感情、思考によって、特定の周波数で振動する。思考信号の解読は、既に数十年にわたり重要な軍事手段として百の言語において極秘に続けられてきた。もっと悪いことに彼らは、ターゲットに全く知られずに、様々な電磁周波数を使って、思考、夢、行動に影響を与えることもできる。映画「ビューティフル・マインド」は、傑出した科学者に対してこのことがどのように行われたのかを、明確に示している。私もまた、かつて一度、この技術の犠牲になったことがある。そして教訓を学んだ。それは彼らが、あなたの知覚を偽ってミスリードしようとする時には、確認して、そして二重に確認しなければならない。遠隔からあなたの脳波が影響を受けている時には、そうしなければならない。

私は、大学の物理学者がフィンランドで作成した特別に高価な放射線探知機を持っていた。それは、飛来する放射線量だけではなく方向も示すことができた。それが盗まれた。そうしたら3（!）年後に、決してあるはずのない食品貯蔵庫へ戻されていた。それは壊されていて、そしてまた盗まれた。

かつて一度、帰宅して再び身体に強力な放射線を感じた時、もう一つのマイクロ波漏れ探知機が反応しなかったことがある。だから私は、家の中で聞こえる絶え間ないブンブン音（電磁界の兆候）を伴う17年以上にわたる電磁照射によって、過敏にされてしまったのだと思った。しかし私は、マイクロ波漏れ探知機の計器を開けて、私が明確に身体に感じる放射線をなぜ探知しないのかがわかった。計器内部の回路が、接着剤で覆われて壊されていたのだ。ところで、その探知機も完全に消えてしまった。諜報機関は常に、自らの犯罪の全ての証拠を破壊しようとしている。最近外出した際に、彼らは6台の伝達装置（金属）を屋根に取り付けた。それらの伝達装置は、煙突の中に隠している近隣の送信機から送られる放射線を、より多く補足するためのものである。彼らは、教会の塔、木の先端、ヨットの先端、煙突などの一般大衆が全く気づかないところに、送信機を隠す。彼らの目的は、できる限り多くの人々の健康を破壊することであり、それは『エリート』による人口削減計画である。マイクロ波は人間の健康を害するのである。夜には電波照射はより酷くなる。かつて一度、電波照射が本当に強烈だった時、真夜中には私の顔は赤く焼け、その後茶色になったことがある。しかしそれは、『真夜中の太陽』がしたことではない。同じ夜、母は軽い心臓発作に襲われた。奇妙なことに、自宅から30ヤード離れたところを、救急車が行ったり来たりしていた。彼らが攻撃する時は、常に「病気の救済を用意する」。それ以前もそれ以後も、私は一度も村で救急車を見たことがない。『組織』のために私的に働く救急車もいるのだ。まず最初に彼らは致命的ですらあるような攻撃をしておいて、それから「救済を用意する」のだ。

また別の折、講演旅行からの帰りに自宅への道を歩いていた時、最後の1／2㎞を配管工の車が私についてくるのがわかった。だから、彼らが水道管に何かしたのだと、私はすぐに『わかった』。案の定、玄関ドアを開けると、水がバスルームの床から流れ出していた。シャワーのパイプが激しく壊されていた。配管工は諜報機関の犯罪に従事するプロである。そしてまたもや、テロ行為の後の『救済』は手近にあったのである。

私が、国民のお祭りで森の中を散歩していた時、妨害行為における彼らの組織的な行動様式を表す出来事が起きた。諜報機関の行う「バナナの皮で滑る技術」を使ったらしく、レーザーのような目に見えないもので撃たれた後、突然私の左足首がねじれた。私は倒れて、足首が腫れた。私は歩けなかった。悲しいかな、ほんの数ヤード離れたところに空のタクシーがいた。それで家までタクシーで帰った。2か月間、松葉杖を使った。その後の足のレントゲン検査で、第五中足骨に奇妙な嚢胞が三つできているのがわかった。恐らく、レーザー（?）で足を撃たれた結果だろうか。

そしてまたマイクロ波照射は、家具、絵画、衣服、織物などを破壊する。人間では、歯肉や体細胞の減少を引き起こす。歯が緩くなり、突然抜け落ちる可能性がある。このことは、私自身を含む、知り合いの数人の女性に対して為されたことである。

ベッドや家具に元々付いていたネジが、ひそかにアルミニウム製のものに変えられた。そうすることにより、放射線とともに有害な電子が増加する。ダイニング・テーブルの太いネジ３本が外され、たった1本で支えているだけだった。もちろん、テーブルは落ちて強打した。再度、留守中に彼らはソファーの脚の一つを切り、私が座るとソファーは潰れた。寝室の外側の壁に小さな穴が開けられ、私はそこに金属片を発見した。これらは小型磁石だと教えてもらった。そしてまた、放射線を増加させるために、お気に入りのソファー、椅子、ベッドの内側に伝達装置が取り付けられた。私の家へ直接接続するために、すぐ近くの家のてっぺんに偽装した丸いアンテナが設置された。そしてそれは特に、私がまだ取り除いていない、最近取り付けられた屋根の新しい伝達装置に直接接続するためであった。

ある夜母が、電磁ビームで気を失って眠っている間に、腰に巻かれたウェストポーチが空っぽにされた。支払い済みの領収書が全部盗まれた。その次にはもちろん、その既に支払った分の新たな請求書が送られてきた。一度などは、すぐに支払わなければ強制的に財産かお金を差し押さえるという「徴収」警告がついていた。私は一度この「徴収」会社に電話して、状況を説明した。かなり多くの別の人たちも電話してきて既に支払ったと言っている、とその会社の人間は言ったのである。従って、盗難は組織的なもので、「徴収」の脅迫は組織的ハラスメントなのである。

彼は、（再度）支払ってから、その後警察に行くことなどを助言してくれた。もしかして、彼らは協調して動いているのだろうか。私がフィンランドにいる間に、夫の兄が電話してきて、私に「徴収」警告が来ていることを伝えた。しかしその請求書は、ほんの1週間前に受け取ったばかりのものだった。またしても、人を脅したりトラブルを引き起こす、純粋なハラスメント犯罪である。請求書の偽造、特に電気料金や電話料金の請求額の偽造は、ごくありふれたことである。事実を突き付けると、彼らは常に「コンピューター・エラー」のせいにする。それに加えて、問題に対応する人間がいつも変わっているのだ。これでもう3回目になる。食料品店でお金を払っている間に、コーラやビール瓶といった小さな品物がなくなり、帰宅した時に気づくのである。リクルートされたレジ係が、品物を「机の下に」置くのだ。そして、愛用している品物を買いたい時には、そこに行くと『売り切れ』になっている。これが計画的なハラスメントであると証明できる方法はない。否定が働くのである。

オスロのシュコーエンで小道を歩いて下っていた時、後ろから来て私を追い越そうとした車に、私は突然轢かれた。私は脇に跳び退き、手が車の後ろ側に当たった。運転者が飛び出してきて、拳で私を殴り倒した。幸運なことに私の頭部は、最後は道路ではなく茂みの中に行き着いた。制服を着た電車の運転士である目撃者がこの出来事を見ていて、その目撃者によると、私が車を叩いた（！）と彼は主張した。彼は、その電車の運転士を名前で呼んで脅しているように見えた。

そのことも奇妙なのだ。なぜならその電車の運転士は彼を知らないと言っていたからだ。そして駅に行くつもりだとも言っていたが、私もまたそこに向かっていたのだ。偶然の一致なのか、それとも私を轢く企ての監視者なのか。というのも、工作員は単独では活動しないからだ。駅に着くと、警察署の正面に2人の警察官がいた。コンピューターがないので、私の訴えは受け付けられないと警察官は主張した。しかし、私は窓越しにコンピューターを見たのだ。このようなことは事件ではないと警察官は主張した。それで、私は警察本部に行った。しかし、彼らは私の訴えを受け付ける時間がないと言ったのである。人影のない玄関ホールで、私は唯一の利用者であった。私は、数時間後には帰宅しなければならなかった。車もなく、50㎞離れたところにいた。三番目の警察署に行って、ついに彼らは私の訴えを受理した。その警察署に行った時、私を襲った車と同じ型で、私を襲った車のナンバーとは最後の数字だけが違う車が、私をつけてきた。諜報機関のやる典型である。混乱させるために、ナンバーや電話番号では最後の数字だけが違うのだ。この事件では何も明らかにならなかった。警察の擁護が常に、諜報機関の犯罪の保証となっているのである。

また別の時であるが、オスロの国立劇場のタクシー乗り場に走っていった時、タクシーがやってきていたが、私が手を振っても最初は止まらなかった。私が待っていたタクシー乗り場のある通りで、そのタクシーがUターンをした。タクシーは止まり、私は英語で言った。「あなたがもっと早く止まっていたら、私はもっと早く電車に乗れたのに」彼は何も言わずに車から降りて、私が乗車したばかりの車の前の座席から、私の身体を引っ張り出し始めた。彼は、車の枠に私の頭を打ち付けた。「お前ら、あばずれアメリカ人め」と彼は私に言った。私はアメリカ先住民の特別なコートを着ていたのだ。身を守るために、そして銀行からおろしたばかりの7000クラウンの入ったバッグを守るために、私はもっと車の内側に移動した。私は助けを呼んだ。1人の若い男がそばを通り、運転手に何か言った。衝撃を受けたことに、この金髪（青い目だったか）の若い男は、運転手が私の脚を引っ張り出すのを手伝いはじめたのだ。そうして最後には、大勢の目撃者に取り囲まれて、私はタクシー乗り場のアスファルトの上に横たわっていた。起き上がろうとすると、そこにいたその2人の男が私を持ち上げて、小麦袋のように揺らして、再び私をアスファルトの上へ5～6m投げた。私は頭を打って、気を失った。その後目を開けた時、顔が濡れていた。血だと思ったが、水であった。気を失って通りに倒れている間に雨が降り始めたのだ。1人の若い女性がそのタクシーのナンバーを控えていて、私に教えてくれた。彼女は、たった200ヤードしか離れていないすぐ近くの警察署まで、足を引きずって歩く私を助けてくれた。衣服は濡れ、ストッキングは破れ、酷い頭痛がした。警察でタクシー運転手の身元が判明するのに10分もかからなかった。私は何も盗られていなかった。運転手は私の後にタクシー乗り場へ来た男性客を乗せて、運転してそこを離れていた。それでおしまい。彼は処罰されず、何らお咎めなしだった。彼はマインド・コントロールされていたか、薬物でもやっていたのであろうか。私は決して知ることはないだろう。しかし、この犯罪に対する警察の擁護は、またしても明らかである。今日の私の体験によれば、警察は何もしなかったので、私は本当に運転手がマインド・コントロールされていたのだと思っている。そして確かに、彼の行動は完全に異常であった。彼は私を殺すこともできたのだ。それは実に立派な企てだ。私は2か月間具合が悪く、医療費の請求額は10000クラウンであった。家でのハラスメントは続いた。ゴミ収集人は、3週間私のゴミ缶を空にせずに置きっぱなしにした。そして5週間たった時には、既にもう白い虫が缶の中を這っていた。一度、缶が水でいっぱいだったことがあった。缶のふたはしてあった。毎日小さなハラスメントが起きるが、蓄積した影響は小さくはない。諜報機関が苦しみをもたらすこと、そして一般市民を「少しリクルートした」部隊が被害者に向けられていることを、（まだ）影響を受けていない人々は全くわかっていない。しかし幸いにも今日、多くの秘密が暴露され、ますます犯罪行為の影に潜む「大物」が白日の下に曝されてきている。そして大物が暴かれるに伴い、草の根レベルの「小物」たちも、彼らがしてきたことを暴露されるだろう。かくして、トンネルの奥には既に光が射している。かつて一度、オスロで徹夜した時のことだった。朝食の後には、その日は何も食べていなかった。睡眠中に、電磁界をかなり酷く照射され、そしてまた化学物質も使われ、私は具合が悪くなり半ば意識を失った。救急車が呼ばれた。しかし、特別ナンバーを付けた「組織」に属する救急車がやってきた。男たちは、私を心身ともに拷問し始めた。彼らは、手の裏の指関節で胸骨や肋骨を押したりこすったりする、極度に痛みを伴う方法を使っていた。

なぜなら、こうすると神経が骨とこすり合わされるからだ。彼らはまた、私を精神病院へ連れていくと笑っていた。最後には、私の顔にマスクを投げた。私は主任麻酔医としても働いていたので、彼らが私に酸素を吸引させたのではなく、まどろんだ見当識障害に見えるようにするために、催眠ガスを吸引させたのだとすぐにわかった。私は、これまでにないくらい精一杯息を止めようとした。ついに病院に到着して、地獄から天国に来た気分だった。彼らは中毒だと診断し、回復のために私を病室へ連れていきたがった。私の望みは帰宅することだけであった。しかし、私はパジャマを着ていて、裸足だった。冬で雪が降っていた。お金も家の鍵も持っていなかった。それで私は、保険機関で支払いができるタクシーを待った。私がやってきた場所に戻るために。しかし、そこは諜報機関がエア・ダクトを通じて私を中毒にした場所だった。翌日私は電車に乗って家へ帰った。後に私は、幾人かの患者が体験した、加虐的なオスロの救急車運転手たちによる、余りにも酷い、手を使った処置について読んだ。諜報機関のために働いている救急車運転手もいるのかもしれない。救急車運転手を含む、ほとんどの医療従事者はまともな人たちだが、腐ったリンゴは確かに存在する。彼らは医療分野で働くことを許されるべきではない。しかし、「組織」は全ての生活分野に浸透している。病院や在宅医療にも。しかしながらこのことは、無知な人々には信じ難く聞こえるのだ。ほぼ13年間、私は北部フィンランドで救急車サービスの監督もしていたが、決していかなる苦情も起きなかった。だから私は、ＮＡＴＯ諸国では密かに『ステイ・ビハインド作戦』が強制されている一方で、フィンランドはＮＡＴＯに加盟していないので、私たち住民に対する多くの「草の根犯罪」を免れているのだという結論に達した（訳者注：NATO〔北大西洋条約機構〕は、北大西洋条約に基づき、アメリカ合衆国を中心とした北アメリカ〔＝アメリカとカナダ〕およびヨーロッパ諸国によって結成された軍事同盟である）。数十年にわたり全ての民主的管理を逃れ、そして諜報機関と共同で運営されてきた『ステイ・ビハインド作戦』組織は、EUを除き、1990年には既に禁止されている。NATOや特定の加盟国とともに、軍諜報部（または、その中の制御されていない部門）はテロや犯罪の重大事件に関与し、そのことは様々な司法審査で明らかにされている。これらの組織は法の外で活動を続け、いかなる議会の管理にも従わない。そして行政上や憲法上の最も高い地位に就く人たちは頻繁に、これらの事柄に関しては何も情報を知らされない状態にされている。ヨーロッパの議会は、思い通りに操ることのできる作戦上のネットワークによる秘密の産物を糾弾している。恐らくそれゆえに、フィンランドの新任の軍司令官アリ・プヘロイネンは最近公式に、新たな組織を作るには「我々には財源がない」と言ったのだ。確かに私たちは、平時に一般大衆を攻撃する、ノルウェーのような草の根犯罪を必要とはしていない。彼らは、記録文書、研究論文、会議報告書、本や記事を書くための参考資料を盗み、1万ページ分が消えた。職業上のものや私的なもの新旧全ての往復書簡、私のロゴ入りの便箋、個人電話帳、オスロやヘルシンキからの通話一覧（より連絡をとりにくくするため。そして、その中の手書きの電話番号や情報を読むため）までも、パスポート、新旧の写真、カメラから取り出した現像していない写真までも盗まれたのだ。

母や3人の友人と休暇でスペインのランザローテに行った際に、私が一行のお金全部をバッグに入れて持っていた。そのバッグは、他のもっと大きなバッグに入れていた。オスロの税関はおかしな行動をとった。彼らが私たちの正面に大きな木製の仕切りを置いたので、彼らがお金の入ったバッグを開けるのを見ることができなかった。本当に少しの間にやってしまったようだった。そして突然、女性の税関職員が腕を伸ばして、頭上にバッグを持ち上げた。それはまるで勝利の合図のようであった。私は何も理解しておらず、私たちは飛行機に急がなければならなかった。機内でバッグを開けると、2万8000クラウンが無くなっているのがわかった。後に、オスロ空港警察や地元警察署に訴えたが、回答はなかった。日付、時間、税関電話番号、税関職員が手を伸ばして本が入った重いバッグを持ち上げたことも明記したにも関わらず。明らかにまた、前々から計画されていた諜報機関の作戦である。母のために空港から車椅子を手配していたのだが、ランザローテリゾート赤十字で働く女性が私たちの名前を尋ねて、ドアのところで待つように言い、私たちが彼女の車椅子を使っていると主張したのもおかしなことだった。そうしてから彼女は、税関を通るように私たちを連れていったのだ。このことから彼女は明らかに、来るべき犯罪行為のための、私たちの身柄の『運び屋』であったのである。私は、(少なくとも幾人かの)税関職員個人は『組織』のために働くのだということを学んだ。

フィンランドでも一度、税関職員の犯罪を経験した。私は6回(！)も金属探知機を通らなければならなかった。純粋なハラスメントである。私は財布さえも開けたが、何も見つからず、しかし女性税関職員はもう一度通らなければならないと主張した。彼らは、汚い策略の時には女性に対しては女性を使うようだ。最後には、宝石箱と財布の両方が無くなっていることに私は気づいた。その時、私が気づいていることを彼らに知らせた。そして再びバッグを機械に通した後で、突然彼らは宝石箱を置いて返した。しかし、財布はまだ行方不明のままで、私は飛行機へ走らなければならなかった。税関のハラスメントのために、早く来なければならない、少なくとも1時間は余裕を見なければならないということを私は学んだ。３（！）週間後に自宅に戻り、買い物に行って帰宅すると、玄関の机に財布が置いてあった。フィンランドの税関で盗まれた物が、身分証明書も入れてないのに、ノルウェーに返されたのだ。そして小銭は入ったままだった。それは、ルルドのプリントが入ったとても特別な財布だった。私と一緒にルルドに行った、亡くなった友人からのお土産の財布だった。それは情緒的に大切な物であったので、案の定、再び盗まれた。

第20章　カトリック教会と小児性愛者

何世紀もの間カトリック教会は、科学知識をバチカン図書館に隠してきた。教会の二重の道徳が蔓延している今日ほど、不快極まることはない。今日でさえ数十年にわたり聖職者が若者を犯すのを、特に倒錯した性的欲望のために若い男性を犯すのを、教皇や司祭はどうやって擁護することができるのだろうか。答えは簡単だ。このところノルウェーを含む多くの国々で暴露されているように、彼ら自身も多くの場合、小児性愛者であるからだ。もちろんカトリック教会が、聖職者と修道女の性的関係を禁じるのは不自然である。正常な人間の性行動が抑圧されると、当然、抑圧を解放するための望ましくない行為に繋がる。無防備な聖歌隊の少年、聖職者に罪を告白する女性、そして修道女でさえも、容易に聖職者の性的欲望の犠牲者になり得る。何世紀も前に修道院が見捨てた場所に、実に多くの新生児の頭蓋骨が見つかった。禁じられた性行為の「果実」はたやすく殺害されたのだ。インターネットは、何世紀にもわたる倒錯した教皇の行為に関する情報を、詳細に公表している。教皇シクストゥス３世（４３２‐４０）は修道女を誘惑した罪で裁判にかけられた。教皇セルギウス３世（９０４‐１１）は前任者を殺害した後、権力の座に就いた。彼には、自分より30歳年下の売春婦である、10代の愛人との間に息子がいた。その私生児の息子は次の教皇になった。16歳の教皇ヨハネス12世（９５５‐６４）は、自分の２人の姉妹と寝ていることで非難された。彼は27歳で殺された。彼の愛人たちの中の１人の夫が、寝室に乱入し、芳香の中に彼を見つけ、ハンマーでめった打ちにしたのだ。

ベネディクト９世（１０３２‐４８）はラテラノ宮殿で年若い少年たちを誘惑して、枢機卿ですら衝撃を受けた。彼は「地獄から来た悪魔」と言われた。教皇ボニファティウス８世（１２９４‐１３０３）は、イタリアの町に住むパレスチナ人の全住民を大虐殺した後に、既婚女性とその娘とともに家庭を持った。彼はローマでは周知の小児性愛者で、年若い少年と性行為をすることは、人と手をこすり合わせることと同じぐらい罪のないことだと述べた。恐らくこれが、小児性愛者の聖職者を擁護する際に、教皇や司祭が今日でも使っている指針である。教皇制度は75年間、南フランスのアヴィニョンに移された。教皇クレメンス６世（１３４２‐５２）は、多くの愛人と酷い淋病で知られていた。再びローマに戻って、次の世紀には華麗な天井画や壁画が施されることになる、有名なシスティーナ礼拝堂の資金を提供した教皇シクストゥス４世（１４７１‐８４）は、私生児である６人の息子がいて、売春婦から税金を徴収した。彼は聖職者が愛人を持つことを非難した。このことはただ単に、聖職者の間で同性愛を広めることになっただけである。

その後継者である教皇インノケンティウス８世（１４８４‐９２）は、８人の私生児の息子を認知し、さらに多くの子供がいたことが知られている。彼は異端審問をはじめた。臨終の床で彼は、母乳を出す美しい看護婦を要求し、その胸から新鮮な母乳が彼に与えられた。教皇アレクサンデル6世（1493‐次期皇帝の1503まで）は以前は、ロドリゴ・ボルジアとして知られていた。彼は「売春婦の馬上槍試合」のような乱交を主催した。栗が床に投げられると、50人の踊り子が服を脱ぐ。女たちは栗を食べるイノシシのように這わなければならない。そのほとんどの女たちと姦淫することができる男に、綺麗な衣服や宝石の値段が提示される。教皇は売春婦たちが性交するのを眺めて楽しんだ。彼は、病的異常者の息子チェーザレ・ボルジアに毒殺された可能性がかなり高いが、その死後、余りにも邪悪すぎて神聖な土に埋葬することはできないという理由で、教皇の遺体はサン・ピエトロ大聖堂から追放された。教皇の宮殿にいた者皆が、非倫理的で犯罪的な行為に心底関与しているわけではない。教皇ユリウス2世（1503‐13）は、システィーナ礼拝堂の天井に絵を描くようにミケランジェロに依頼した。また彼は「フランス人の病気」である梅毒に罹った最初の教皇で、それはローマの男性売春婦からもらったものであった。1508年の聖金曜日に、彼は信者に自分の足に口づけを許すことができなかった。足は梅毒のただれに完全に覆われていたからだ。

教皇ユリウス3世（1550‐55）は、通りの露店市場にサルと一緒にいた、焼き印の斑点があるハンサムな年若い男色の少年と恋に落ちた。教皇は、この17歳の読み書きのできない悪ガキを枢機卿に任命した。そしてそのことは、不満を抱いている大司教が敬意を表して書いた可能性がある叙事詩『ソドムを称えて』に着想を与えた。トニー・ペロテットは、カトリック教会やその指導者たちの信者に対する異様なまやかしを扱った「恥のバチカンホール」という1冊の本を書いた。教会の偽りのうわべの背後にある真実を、人々が知る時が来たのだ。

教皇は自分自身を、地上における神の代理人だと考えている。何世紀もの間、読み書きできない人々は愚かであったことだろう。現在人々に甚大な苦しみをもたらしているカトリック教会の堕落や崩壊を見ることができる。同じことが、その他の「人間が作った」宗教についても言える。二重の道徳は彼らの防御なのだ。宗教や人間の作った規則の本当の目的は、「地獄」の恐怖で脅して、人々を支配することである。人間が作った宗教が壊れ、イスラム教の国々でさえも男女の平等が認められる時がきたのだ。科学者のステファン・ホーキンスは、神はいないと主張している。諜報機関がやっていること、彼らが犯罪行為で見せているもの、全ては人間が作ったものなのだ。もちろん、世界を操る「雲の上に座っている、白い顎髭の白人の男性」はいない。しかし現代になっても、バチカン周辺では犯罪が続いている。バチカン銀行の頭取がロンドン橋の下で首を吊っているのが見つかり、バチカンのスイス「陸軍」兵士の本部長が殺された。なぜバチカンはまだ犯罪の中心にいるのだろうか。それは金と権力が全てだからだ、そのように思える。

神についての議論は永遠に続けることができる。皆自分の意見があり、異なる宗教を信じている。しかし神聖な書物は全て、天にいる神ではなく人間自身によって書かれている。

ところで、聖書でさえノルウェーでは書き変えられている。今では、聖処女マリアは若い女性であり、処女などではない。イギリスの教会では、「父なる神」は「父なる母なる神」に置き換えられていることを、最近私は知らされた。十戒は、それが聖書に取り入れられる以前の、５０

00年前に既に仏教経典に書かれていた。それは、人々が地上でどのように生きるべきかの良いアドバイスである。しかし、どれだけの人がそれに従うだろうか。

恐らく私たち全ての人にとって本当に良いのは、エネルギーを結合させることである。神と呼ぶことができる世界共通のエネルギーを形作ることはできるだろうか。どこかで読んだ最も良い定義は、次のように述べている。「神とは、全ての創造の根底にある、知性の母体である」。この原理は、全ての創造物は結晶化したものであるということに、振動の枠組みをもたらす。この神の原理は、男性的表現や女性的表現のどちらの表現でもあるように、全ての可能性や生命を表現している。この観点からすると、神の力とは生きている振動なのである。その振動は虚無空間を生きていて、世界で私たちが経験する全てに本来備わっているものである。宇宙や世界における全てのものは、振動であり、周波数であり、エネルギーなのだ。そうなのである。不幸なことに組織化された宗教機関や宗教は、精神性の中核や、果てしない宇宙において、この惑星や他の惑星で、人間であるとはどのようなことであるのかを忘れてしまっているのだ。ブッダが言ったように、私は宇宙がいつ終わるのか知らない。恐らく全ての人に受け入れられる、もう一つの単純な定義は、神は愛である。

第21章　ヒーリング―嘘か真か

手を使ったヒーリングとエネルギー交換は、何年にもわたりヒーラーと懐疑論者の間で議論されていて、論争にもなっている（訳者注：ヒーリング〔healing〕は、治療する、癒す、回復すると訳される。日本では特にヒーリングというと、手当療法、エネルギー療法、霊能力者による治療を指すことが多い。ヒーラー〔healer〕は、ヒーリングによる治療を行う者を指す）。しかしながら最新の研究では、人間の生組織が発する電磁界は、他の人間に明白な臨床上の変化をもたらす能力があることが明らかにされたようだ。手を使ったヒーリング技術は、歴史上では数千年にわたり知られていることである。パピルスに記録された古代エジプトにおいては、紀元前1552年から『ヒーリング・ハンド』は医学療法として利用されていたことが記されている。紀元前の何世紀もの間ギリシャ人は、寺院で病気の治療をする際にはセラピューティック・タッチを使ったのである（訳者注：セラピューティック・タッチ〔Therapeutic Touch〕は、訓練を受けた治療者が患者に手をかざすことで、患者のヒューマン・エネルギー・フィールド〔生命エネルギー〕を調えて治療するエネルギー療法〔心霊治療〕・手当療法〔手かざし療法〕の一種である）。アリストテレスの著作では、手を使ったヒーリングは盲人の視力を取り戻すために、そしてまた女性の不妊症を治療するために使われていたことが記されている（付録Ch.Ⅴ-1）。聖書には、手を使ったヒーリングの医学的処置や精神的処置が40以上も記述されている。古代のキリスト教教会では、手を使ったヒーリングは聖水や聖油とともに宗教儀式に使われた。中世、多くのヨーロッパの王たちはヒーリング能力のある「キングズ・タッチ」で知られていて、中でも特にフランスの聖ルイ9世、イギリスのエドワード3世、チャールズ1世が有名である。パラクルスス(1493-1530)という名前の方がよく知れ渡っている、医師のセオフラスタス・ボンバスタス・ヴォン・オエンハイムは、医学の専門家として初めて自然界の磁気力が持つ能力に言及した1人であった。生命力は人間の内側にあるのではなく、人間から放射され、遠くからでも感応され得る光パワーのように人間の周囲に存在するものであると彼は主張した(付録Ch.V-2)。1774年フランツ・アントン・ミュゼールは、この生命力は磁気であると考え、それを動物磁気と称した。1784年フランス王は、ヒーリングに関するミュゼールの主張を研究する委員会を設けた。追ってその結果は、流動性のある普遍的なエネルギーは発見されなかったというものであった。しかしながら委員会は、動物磁気のもつ医学的な意味合いを研究しなかったのだ。1831年フランス科学アカデミーの医学委員会は、再び動物磁気を研究し、今度はミュゼールの主張は認められたのである。流動性のある磁気には治療を成功させるようなヒーリング能力があるとミュゼールは主張した。最新の『手の上に置く』技術の生理学上の研究では、ヒーリング・エネルギーには磁気的な性質があることが結論づけられている。ヒーリング・エネルギーに対する考えでは、ミュゼールは、同時代の大学と比べて何世紀も先を行っていたということがわかる。今日でさえ、通常の探知機でこれらのヒーリング・エネルギーを測定することは、ミュゼールの時代と同じように困難なことである。そしてまたミュゼールは、水には磁気を帯びさせることができ、この方法で水に保持されたエネルギーを瓶に入れて病人に伝達することができると主張した。その水の瓶からは、鉄製の棒を使ってエネルギーを患者に伝導させるのだ。驚くべきことに今日の現代的な研究でも、同種のエネルギー伝達が指摘されている。ミュゼールはもっぱら催眠術師だとみなされていて、磁気エネルギーのもつ治癒的側面の特性に関する、先駆的な研究には注意が払われなかった。アメリカ国立衛生研究所は、エイズや白血病患者に対してセラピューティック・タッチがどのような影響を与えるのかを、そしてカリフォルニア大学ではそれらの患者に対して、接触なしのセラピューティック・タッチがどのような影響を与えるのかを、3年にわたり研究する許可を出した。マクギル大学のバーナード・グラッドによれば、白血病を発症するように遺伝子配列したネズミは、セラピューティック・タッチによる磁気界に良い反応を示した。動物のリンパ性白血病の発症率を減少させたのだ。

ヒーラーが集中し患者の身体に手をかざすと、電磁気界は広がり、カルシウムイオンとマグネシウムイオンの細胞への浸透率を変化させる。トロント大学の物理学者アイガー・シャーマンの研究によれば、電磁気界は神経組織のカルシウム伝達にも影響を与える（付録Ch.Ｖ－３）。この種の電磁気界は、細胞の分裂指数を変化させることは疑いようもない。弱い磁界でさえも強い影響を与えるのだ（付録Ch.Ｖ－４）。１９７２年、ジャスタ・スミス（付録Ch.Ｖ－５）は、セラピューティック・タッチによるヒーリングの影響に関わるトリプシン酵素の研究で、二重盲検法を採用した（訳者注：二重盲検法とは、特に医学の試験・研究で、実施している薬や治療法などの性質を、医師〔観察者〕からも患者からも不明にして行う方法である。プラセボ効果や観察者のバイアスの影響を防ぐ意味がある）。トリプシンは四つに分割され、第一のものは有害な紫外線で処理した。その後、検査期間中は毎日75分間、トリプシンを入れた第一の瓶にヒーラーがヒーリング処置を行う。第二のトリプシンの瓶には紫外線処理をせず、ヒーラーが日常的に処置を行った。第三のトリプシンは磁気界（トリプシンの消化活動を増進させることで知られている）に曝す処置を行った。第四のグループは何の処置もしない対照区とした。ヒーラーが処置したグループ（紫外線で害されていないグループ）と、電磁界に曝す処置をしたグループは、類似した結果を示した。紫外線放射に曝す処理をしてから、ヒーラーが処置したトリプシンは、同様のヒーリング効果はあるものの、その効果は劇的に減少していた。この実験に採用されたヒーラーは、コロネル・オスカー・エステバニーであった。

1972年の別の実験でスミスは、ニコチン酸アミド・アデニン（ヒーリング過程において重要である）とアミラーゼ酵素（ヒーリング過程において重要ではない）を研究した。手の上に置くヒーリング技術を行った際に、ニコチン酸アミド・アデニンの活性は明らかに変化したが、アミラーゼ酵素の活性は変化しなかった。ニコチン酸アミド・アデニンの変化は、トリプシンの実験における変化と類似していた。スミスの研究でヒーラー・エステバニーが引き起こした変化を、

1980年にエッジが再現した。1968年にバーニーは、1・5メートル離れたところから、ヒーラーがリオエトニア・イオラニ・マッシュルームの成長を抑制する研究を報告した。対照区は全く何もしないままにした。39の実験のうち33で、対照区よりも成長が劣っていた。それはマッシュルームの重さを記録しての結果であった。1973年にハラルドソンとトーステンソンは、カンジタ菌で同様の実験を行った（付録Ch.Ⅴ－6）。1965年にグラッドは、300匹のネズミの背中の皮膚に卵型の傷を入れる実験を行った。傷の大きさを計測し、三つのグループに分けた。第一のグループを、15分間を4時間の間隔を入れて1日に2回16日間にわたって、ヒーラー・オスカー・エステバニーが両手で持つ処置を行った。第二のグループは医学生に処置され、第三のグループは対照区とした。傷の大きさを計測したところ、最後の二つのグループにはほとんど違いがなく、傷は大きいままだった。しかしヒーラーに治療されたグループは、小さなカサブタだけが見られ、傷はかなり縮小した。そしてまた1965年にグラッドは、植物を使った研究も行った。24個の瓶それぞれに、20粒のライ麦の種子を入れた。それらに塩類溶液をまき、48時間乾燥させ、1日おきに13日にわたって水をまく部屋に入れた。半数の瓶には通常の塩類溶液をまき、残りの半数の瓶には、ヒーラー・エステバニーが手の上に置く技術で処置した塩類溶液をまいた。実験後、それぞれのグループの発芽した種子の数量、長さ、重量において結果は明白であった。

グラッドやベリーの研究の両方において、物理的な計測を行った人間は、どちらのグループにヒーリング処置が行われたのか知らなかった（付録Ch.Ⅴ－7）。

１９７５年にドロレス・クリンガー（看護学の教授）は、良好なヘモグロビン生成において、手を使ったヒーリングが与える影響についての三つの実験を行った。エステバニーがヒーリングを施した実験の全部で、対照区と比べて、ヘモグロビン値の良好な上昇が見られた。

またクリンガー教授は、ある看護師たちにセラピューティック・タッチの講座を履修させ、ヒーラーになる訓練をして、実験を行った。そこでもまた、対照区と比べて、ヘモグロビン生成値のかなりの上昇が見られた。人間が被験対象であるので、セラピューティック・タッチによりもたらされた結果がどれ程で、例えば患者に注意を払うなどの他の要因による結果がどれ程なのか、評価するのは難しい（付録Ch.Ⅴ－9）。１９７９年にブランドは、赤血球が塩類溶液に希釈する速度の研究を行った。五つの対照実験では、ヒーラー・マシュウ・マニングは血液細胞に意識を集中しなかった。五つの検査実験では、彼女は意識を集中し、塩類溶液に希釈しないよう血液細胞が保護されているということを心に思い描いた。その結果は、予想していた見込みよりも、赤血球の希釈はかなり少ないというものであった。他の研究機関の研究でヒーラーが引き起こした変化としては、ネズミの癌組織における変化（エルギン、アネット・バクラー１９６７年）（付録Ch.Ⅴ－10）、硫酸銅結晶における変化、水分子の結合における変化（ディーン１９７５年）（付録Ch.Ⅴ－11、12）を挙げることができる。アメリカ、ロシア、そして１９８８年9月に報じられた中国の研究では、ヒーラーは水の表面を圧縮して、Ｈ２Ｏ分子の水素結合を壊すことができることが確認されている。ロシアや東欧諸国でヒーリングは、念力作用である生体エネルギーの伝達と呼ばれている。英語圏では、サイキック・ヒーリング（心霊療法）、スピリチュアル・ヒーリング（霊的療法）、フェイス・ヒーリング（信仰療法）、ライト・エナジー・セラピー（光エネルギー療法）、アカデミック・セラピューティック・タッチ（学術的タッチ療法）というような論文用語が使用されている。中央ヨーロッパでは、磁気医学やエネルギー医学と言っている。フィンランドの医学には、セラピューティック・タッチか生体エネルギーが適しているであろう。患者はずっと、医師の接触はとても重要だと考えてきた。しかし不幸にも多くの医師は、病院の日常業務の中でこの事実を忘れてしまっている。ヒーリング効果やプラセボ効果には、何らかのメカニズムが存在しているのであろうか（訳者注：プラセボ効果とは、偽薬を処方しても、薬だと信じ込むことによって何らかの改善がみられることを言う。偽手術〔プラセボ手術〕もある）。催眠術に関してはどうだろうか。その答えは簡単ではない。「学校の医学」では、肉体的な病気において思考、感情、行動が与える影響にほとんど注目してこなかったことは否定できない（付録Ch.V－13、14）。生体エネルギーは水分子の破壊に影響を及ぼす。私たち皆がよく忘れていることだが、人間の身体の約2／3は水である。

プラセボの研究（F・エバンズ1959‐74）で、二重盲検法を用いて比較したところ、プラセボ効果はアスピリン、モルヒネ、向精神薬（リチウムなど）の55％の効果があることが解明された。プラセボ手術は、客観的測定と主観的測定の両方において、実際の手術と同じぐらい効果がある（レオナルド・コブその他1959年）。単に皮膚を切っただけで、狭心症の患者の43%が回復した。一方で、狭心症の乳房動脈結紮手術で回復した患者は32%であった。プラセボ手術は、患者に対するニトログリセリンの必要性を減少させ、痛みなく身体訓練する能力を増加させ、労働に耐える能力を増加させる（付録Ch.V－16）。コンゲニタル・イキョーシホルム・エリスロダルマ・ブロックは形成外科を含む従来の治療に失敗して、たった一度の催眠回帰による催眠治療を受けた後に回復した。人間の精神が身体に強い影響を及ぼすことが、糖尿病患者に塩水を注射して、注射したのはインスリンだと催眠術で暗示をかける検査においても実証された。正常なインスリン注射をした時のように、血糖が正常時の状態まで下がったのだ。患者の手に硬貨を握らせ、その硬貨は熱いと催眠術で暗示をかけると、患者の皮膚には水ぶくれができる（付録Ch.V－17）。オルガ・ウォレス博士の心霊療法能力についてのミラーとレインハードの研究（付録Ch.V－2）では、ヒーラーの手を流れる類似電流は、研究所の器材で観測できる、ある特定の場所に向かって送られているということが明らかにされている。使用された器材はウィルソンの霧箱で、それは1927年にノーベル賞を受賞したチャールズ・ウィルソンが、素粒子とその動きを研究し、飽和空気とアルコール蒸気を使って素粒子の動きを見えるようにした時に開発した器材である。ウォレス博士が霧箱に手を密着させて集中すると、波状形成が手の方向へ動き始める。彼女が手の位置を90度変えると、その波状は方向を変え始めて、平角で移動する。最後に、遠隔からのヒーリングを研究するために、600マイル離れたところから実験が再現された。ある特定の時間に、ボルチモアにいるウォレス博士が、アトランタの研究所にある霧箱に対して意識を集中した。3分以内に霧箱の中では、脈動波が始まった。そしてまた遠隔からのヒーリングは、ライ麦の成長を観察することによっても研究された。600マイル離れたところから、ウォレス博士は夫のアンブロシャス・ウォレスとともに、840％のライ麦の成長増加を引き起こした。彼らの技術としては、生体エネルギーを送ることに意識を集中させる際に、光やエネルギーで満たされた設備を心に思い描くというものであった。E・グリーンとN・シャーリーは、遠隔から患者の生体リズムに影響を与えるウォレス博士の能力を検査した。患者は別の部屋で、脳波、心電図、CSRの機器を接続され、ヒーラーも自分の部屋で機器を接続された。ヒーラーが喉の部分に生体エネルギーを送ることに意識を集中すると、患者はその部分に熱さや痛みを感じたと報告した。ヒーリング過程で、患者の脳波リズムや生体電気リズムは、ヒーラーのリズムと同期したという驚くべき発見があった。イギリスのマクスウェル・コードは、患者とヒーラーの間での脳波検査において同一の変化を報告している。ローレンス・ル・シャーン教授は数十年にわたりヒーリングを研究し、ヒーリング過程自体は、通常の時空間軸の外側で、いわゆる感覚上の現実といわれるものの中で起きていると結論づけた（付録Ch.Ⅴ－18、19）。最近になってようやく、超電導量子干渉計であるSquidという機器が開発され、ヒーリング過程でのヒーラーの手の磁気界に対するわずかな付加を変化として計測できるようになった。通常の機器でヒーリング・エネルギーを計測するのはとても難しいことである。ウクライナ科学協会の植物生理学の研究機関では、例を挙げると小麦で、手を使ったエネルギー伝達の研究が行われた。生体エネルギーで処理した小麦に見られた変化は、分子や原子の構造における変化であった。それに加え、処理後、小麦の寒冷に対する耐性が増していた（付録Ch.Ⅴ－20）。他の研究では、有害な昆虫が45匹ずつ三つのグループに分けられ、第一のグループは対照区とされ、第二のグループは生体エネルギー伝達で40秒間処理され、第三のグループは同じ方法で80秒間処理された。24時間後、対照区と比較して、第二のグループの繁殖能力は10％低下し、第三のグループは25％低下した。イワン・デクトヤルの念力能力が研究され、次のようなことが言及された。彼は意識を集中するのに6～8分かかる。意識を集中すると、彼は自分の両手が「肥大した」ように感じ、そして両手の間に或る種の弾力性のある「空気の枕」が生じたように感じた。彼の両手の間にテニスボールのような小さな物体を持ってくると、両手もテニスボールも両方とも「肥大した」ような感覚が生じ、デクトヤルはトランス状態に入る。彼が手を放すと、物体は8～10秒間自力で空気中に留まる。手のひら同士は12～15㎝の間隔のままであった。肥大した弾力性の感覚が消失すると、物体は下に落ちる。

検査後ヒーラーは、疲労、脈拍が１３０／時まで上がり身体が震える、呼吸困難、食欲増加、眠気といった精神的生理的な状態を体験する。ソビエト科学協会会員のヨリ・コブザレフは、現象の科学的研究は非常に興味深く、量子力学における相対性理論に勝るとも劣らない、根本的な発見を導く可能性があると述べた（付録Ch.Ⅴ－21、22）。１９８３年アメリカ議会は、プリンストン大学で行われた研究に基づく超常現象の研究報告を受けた。ヒーリングを学校の医学に付け加えることが研究、促進されているということが明らかにされた。心に思い描く技術や、その他の全体論的医学のヒーリング方法を用いて、癌患者を治療することに対する最新の研究では、それらのヒーリングは癌治療に非常に適している可能性があることが示された（付録Ch.Ⅴ－22）。カロリンスカ協会の放射線診断学の学長であるビョーン・ノルデンストルムは、癌治療において電気流動を利用することに成功した。ノルデンストルムによると、私たちの身体には未知の生体電気システムがある。この生体電気の流動システムにおける障害が、癌や他の病気の一因となっている（付録Ch.Ⅴ－26）。病気を解明するための水力発電のモデルのような新たな認識によって、初期の思いがけない細胞レベルでの病気の進行を防ぐ、新たな治療が生み出されるかもしれない。このことが周知されると、細胞レベルの病気に対しては、純粋なエネルギー療法が用いられるようになるかもしれない。骨折を治癒する電磁界は、本来備わっているその生体電気の防御規制により、腫瘍細胞や細胞レベルで影響を与える、変節した組織を殺すことが可能である（付録Ch.Ⅴ－26）。興味深いことに、エネルギーの振動周波数は、治療を成功させるための重大な要素であるということが注目されている。周波数のわずかな変化でさえも、新たなカルシウム基盤を形成する骨増殖体の能力や、吸収に関する能力に影響を与える。ポーランドではリウマチや変形性関節症に対して、高周波数の電磁気界を当てることは効果的な磁気界治療のようだ。１９７８年にＷＨＯは、従来の医療に代替医療を盛り込むように推奨した。医師が伝統的な医学訓練を受けていないヒーラーに患者を送ること、ヒーラーに相談すること、ヒーラーからの患者を受け入れることを許可して、1980年に米国医師会は医師とヒーラーが協力することを認めた。いかなる「代替医療」もグローバリストや「巨大製薬会社」によって抑圧されている今日に、もはや誰がこれらの決定を覚えているだろうか。以前は数十年にわたり、イギリス、オランダ、中国では医師とヒーラーの協力が行われていた。中国には6000万人のヒーラーがいて、軍病院で働いている者もいる。ニューヨーク市立大学の看護師は、看護学の修士号を取得するために、セラピューティック・タッチの講座を履修することが義務づけられている。ニューヨークのある病院ではセラピューティック・タッチは、早産の新生児の治療に利用され、そして別の診察室では薬物の過剰摂取の患者を落ち着かせるために利用されている。この技術は、患者の鎮静剤使用の必要性を減らすということが認められている。代替療法の博士号を持つピルコ・メリライネンによると、フィンランドの成人の約半数が年間を通じてある一定の代替療法を利用し、大多数の人が役に立つと感じているということだ。他の国々の調査でも、同様の結果が得られている（E・ハラルドソン　1980年）（付録Ch.V－28）。どうして医師たちは、人々の病気の救済となっているヒーリング治療に反対するのだろうか。フィンランド医学協会は1988年に世論調査を行い、医師のうちの62％がヒーリングを禁止したいと思い、54％が代替療法に興味がなく、13％が代替療法を利用した患者の治療を拒否するだろう、ということが明らかにされた。この結果は、ヒーリングに対しての、そして基本的に人間とはどのようなものであるのかということに対しての、医学の専門家の無知を表していて衝撃であった。

否定的な考え方をする理由は、医学の権威欲のためだろうか。収入の低下のためだろうか。医師がその訓練を受けておらず、わざわざその科学的研究をよく知ろうとも思わないような療法に対する、単なる無知や偏見のためだろうか。医学が、人間の物理的機構から人間の科学的性質に、変化しなければならないことに対する恐れがあるためだろうか。その後の世論調査では、否定的な考え方にわずかな改善が見られたが、まだ十分ではない。ヒーリングは医療過誤を起こすと、間違って考えられている可能性がある。そして、宗教的な理由で働いているヒーラーもいますので、医師は不快に感じているのかもしれない。1912年に医学でノーベル賞を受賞したアクセル・キャレルでさえも、人間の精神や肉体に対して祈りの力が存在することは、リンパ腺の存在と同じように明白であると述べた（付録Ch.V－32、33、34）。真面目なヒーラーを、詐欺を行う金の亡者と決して混同するべきではない。とりわけ、同意のない人体実験や拷問を行って、諜報機関で働くような不道徳な医師も存在するのだ。

ルルドの奇跡の研究を行った国際医学委員会は、これまでのところ主張された5000のヒーリングのうちの67の事例を認めた。彼らの基準はとてもはっきりしている。

① 患者はヒーリングの前後の診断書を持っていなければならない。
② 患者の病気は、器質的にまたは医学的に不治のものでなければならない。
③ 治癒は直ちに起きなければならず、病理学的な兆候が消失しなければならない。

④　治癒は永続しなければならない。

最後に認められた治癒は、3年間麻痺したままであったフランス人の婦人に起きたもので、突如ルルドで歩けるようになった。フィンランドの保険社会省では、『2000年までに皆を健康に』という宣言がされた。それは、多くの問題を前にして医学が無力であるので、効果があって害のないそのような代替療法に向けられた、偏見のない科学的なアプローチの一部である。このように、これらの代替療法に肯定的な考え方を持ち、そしてまたその研究を支援するべきである。

どうすれば、医療分野の目標に適合するように医師たちの考え方を変えることができるだろうか。キーワードは教育である。人間の多次元性を理解し、現在の専門技術的な医学の考え方に人間性を取り戻すために、費用のかからない簡単な生体エネルギーの伝達は、学校の医学と代替療法のいい架け橋になる可能性があるだろう。この記事は、私が1989年に既に書いたもので、ヒーリングの講義の基礎としてずっと利用しているものだ。フィンランド社会保健省はコピーも持っている。とりわけ、フィンランド国立保健研究所（委員会）は1988年に既に、代替医療に関する専門家会議を整え、そこではもちろんヒーリングもテーマであった。

グローバリストやNWOが、人々の健康に良い代替療法に反対するということを、深く理解するまでに長い時間がかかった（訳者注：新世界秩序〔New World Order 略NWO〕とは、世界政府のパワー・エリートをトップとする、地球レベルでの政治、経済、金融、社会政策の統一、究極的には末端個人レベルでの思想や行動の統制・統合を目的とする管理社会の実現を指す国際秩序)。代替療法は、巨大製薬会社にお金をもたらさず、人間のもつエネルギーの側面を見せてくれる。そしてこのことを一般大衆に知られないように、彼らは全力で隠そうとしているのだ。今のところ、彼らは巨大な「公的な」外観を引き継いでいるが、「地下では」ますます多くの人々が彼らの暴政に反対している。そして健康のために代替的なヒーリング方法を利用している。世界的な医学機関紙は「ビッグ・ブラザー」の管理下にあり、ヒーリングは人間の健康に良い影響を与えるという正しい情報を公表しない(訳者注：英国のジョージ・オーウェルの小説「1984年」に登場する架空の独裁者。転じて、国民を過度に監視しようとする政府や政治家を指す)。本当に変化が必要とされている。

第22章　愛が解決のかぎである

　将来、世界で何が起きるか予期できるだろうか。エリートの計画は既に準備されているようだ。近年のワクチン接種による人口削減計画に失敗したので、何か別のことが計画されているに違いない。２０００年問題は、大いなる期待を伴った『打ち破る（ブレークスルー）』年として計画された。しかし、全て失敗した。世界的規模でのコンピューターの機能停止は起きず、銀行や経済の劇的な変化も起きなかった。普段の状況のままで、恐怖はおさまった。２０１２年には再び、大いなる期待と計画が持ち上がるだろう。マヤ暦は２０１２年で終わり、その時に世界は終末を迎えるのではないかと多くの人々が恐れている。エリートは再び、私たちの期待と恐怖心をもてあそぶのだ。これまで以上に人々の恐怖心を煽り、支配下に置くために、大災害が準備されている。もう既に２０１１年の秋には、タイの3分の1が洪水に遭っている。そしてより多くの『準備された自然大災害』が、1か月ごとに起きることが予期される。そしてまた、アメリカ、南ヨーロッパ、西ヨーロッパにおいて、ＨＡＡＲＰテクノロジーが、地震、津波、嵐、大雨洪水、干ばつ、火事、その他大災害を引き起こす可能性もある（訳者注：高周波活性オーロラプログラム〔HAARP High Frequency Active Aurora Research Program〕とは、アメリカ合衆国で行われている高層大気と太陽地球系物理学、電波科学に関する共同研究プロジェクトである）。これは人為的大災害であり、再度の人口削減計画のために、通常はインドのような人口の多い国や経済の弱い国に対して、大災害活動は仕向けられるだろう。今日では、多くのテロ行為もまた「偽旗作戦」である〔訳者注：偽旗作戦〔false flag〕とは、あたかも他の存在によって実施されているように見せかける、政府、法人、あるいは他の団体が行う秘密作戦である。平たく言えば、敵になりすまして行動し、結果の責任を相手側になすりつける行為である〕。世界中の宗教を一つにするという意図のもとで、ホログラフィック・レーザーを使い、キリスト、ブッダ、モハメッドといった宗教家の姿を、空に映して見せるといったことを準備している可能性もある〔訳者注：ホログラフィ〔holography〕とは、レーザー光線を利用する立体写真術〕。しかしそこでも人々は、それが人為的なものだとは知らされないのだ。

著名な世界的人物が死ぬ可能性もある。それはオバマ大統領かローマ法王であろうか。時がたてばわかるだろう。全てはエリートによって、周到に計画されている。計画の裏にいる者たちを覆い隠すために、常に『身代わり』が殺人者として糾弾される。いつも同じ構図が使われている。そのようにして、謀略と虚偽が世界を支配している。

経済破綻は、世界中に広がる差し迫った問題である。またもやエリートにより、前もって周到に計画されているのだ。ドルを崩壊させる計画により、事前にＡＭＥＲＯ通貨が創出され、早くも新たに造幣されている。もう既に写真で公開されているその硬貨は美しい。ＥＵ様式で、アメリカ、カナダ、メキシコを統一することが周到に計画されているようだ。しかし、ユーロ崩壊の可能性が、EU全体の将来を変えることになるかもしれない。上位レベルでの政治腐敗が明らかになり、EUに対する不満が高まっている。そのような中でEUは、新たな経済政策で、加盟国に対してさらにいっそう力を持とうと懸命である。

エリートの計画が進むと、中流階級は根絶されるべきであるとされている。エリート階級と、全員がマイクロチップを埋め込まれた下流奴隷階級だけの世界が目的なのだ。世界全体を、社会主義を通り越して共産主義にすることが目的なのだ（訳者注：社会主義は、労働に応じて財を受け取る、私財を認める、大きな政府。共産主義は、必要に応じて財を受け取る、私財を認めない、無政府。イルミナティが画策するNWO社会とは、共産主義社会である）。70年に及ぶソビエトの試みは失敗した。しかしエリートは、1995年以来イルミナティ・カードを使い将来の計画を示していて、一部はもう既にツイン・タワーの崩壊で実現させたのだ（訳者注：イルミナティ・カードゲームとは、近世の秘密組織イルミナティをゲーム化したものである。このゲームのカードに描かれたイラストが、後の重大事件を予言しているとして話題になった）。イルミナティ・カードの中では、ペンタゴン攻撃や社会民主主義も表されている。世界で起きる全ての出来事は、20年前には計画されていて、そのことを一般大衆が知ることはない。

「公式な」第三次世界大戦は回避することができるだろうか。ずっと昔に透視能力者が透視したように、フィンランド、スウェーデン、ノルウェーを、第三次世界大戦でロシアは奪いかねないのであろうか。第三次世界大戦は2016年に起きるのだろうか。時が経てばわかることだ。全ての戦争は、ＮＷＯの手札によってずっと以前から計画されていて、中東が一番はじめであった（訳者注：新世界秩序〔New World Order 略ＮＯＷ〕とは、世界政府のパワー・エリートをトップとする、地球レベルでの政治、経済、金融、社会政策の統一、究極的には末端の個人レベルでの思想や行動の統制・制御を目的とする管理社会の実現を目指す国際秩序）。すい星か小惑星が、地球に衝突するように準備されている可能性もある。やはり既に、月、火星、土星などに、人類に背徳した者たちの文明があるのだ。ＨＡＡＲＰは、電離層に世界最強の電磁気パルスを照射することにより、天体さえも操ることができると言われている。そしてまた、偽の宇宙人が地球を攻撃するというブルー・ビーム計画は、ＮＡＳＡで何年間も「凍結」されていて、世界の一般大衆を震え上がらせるのに絶好のタイミングを待っているのだ。全ては人為的なものであり、人口削減と世界政府が目的なのである。

しかし、エリートが計画するようには、事は運ばないかもしれない。実際に今までのところ、計画の多くは失敗に終わった。なぜならば、世界の一般大衆は以前よりも目覚めているからだ。１９９１年ドイツのバーデンバーデンで、デヴィッド・ロックフェラーは述べた。「我々は、ワシントン・マガジン、ＮＹタイムズ、タイム・マガジン、その他の出版物に感謝しています。ほぼ40年にわたり、その編集責任者たちは我々の会議に出席し、裁量権に関する誓約をずっと守ってくれました。この間に、我々の存在が白日の下に曝され知れ渡ってしまっていたら、世界に対する我々の計画を進展させることはできなかったでしょう。そして今現在、世界はより一層洗練され、世界政府の実現へ向けて準備ができている。知性あるエリートや世界銀行家たちが超国家的に統治することは、過去何世紀もの間に実在したどんな国家よりも、下されたどんな決断よりも、確実に好ましいものである」。今日の若い世代は、特にインターネットやソーシャル・メディアから情報を得ている。ワシントン・ポスト、NYタイムズ、タイム・マガジンは、もはや国際世論を先導していない。だから、エリートがまだまだ大衆から隠しておきたいような情報が、インターネットでいきなり世界中の何百万もの人々のもとに届くのである。彼らが私たちに隠しておきたいこととは何であろうか。秘密の盟約「我々は常に、彼らに神聖な真理を隠している。我々は皆まったく同じであるという真理だ。このことを、彼らは決して知るべきではない。皮膚の色は幻想にすぎないということを彼らは知るべきではない。自分たちは平等ではないと彼らは常に考えるべきなのだ。彼らがその真理を見出してしまったら、ともに行動を起こし、我々を負かすことができる」。大衆の覚醒は既にはじまっている。若者が、ウォール街で銀行家や経済エリートに数千人で抗議した。同じことが他の都市でも起きた。私たちは99％のほうだ、とロンドンでは標識が掲げられた。正確には、82か国でその標識が掲げられた。アラブ社会の大変動は、たとえそれがずっと以前にＣＩＡによって計画された可能性があるとしても、何か大衆の思想のようなものを変化させるだろう。

そしてまたエリートの目的は、大衆が自分の身を守ることができないようにするために、武器を取り上げることである。そういうわけで、マインド・コントロールされた連続殺人犯が計画されるのだ。若い男性が、荒々しく殺戮してまわる生体ロボットになるのだ。武器に関する法律は変えられ、プライバシーは制限され、人々は全てにおいて厳しい管理下に置かれるだろう。しかし、そんなことが成功するはずはない。

大衆に対する彼らの計画は、既にインターネットで暴露されているので、出来事の原因が変わるかもしれない。この肉体のある生存期間において、裕福であろうが貧しかろうが、肌が黒かろうが白かろうが茶色だろうが黄色だろうが、全ての人間の本質を深く理解することは、現在人類が生き延びるうえで極めて重要である。

愛が解決のかぎである。そして世界全体は愛を必要としている。宗教間憎悪、民族間憎悪、戦争、誘発された疾病、人為的大災害、人類史上かつてないほどの自然と人間の不均衡を見ると、どうしたら速やかに地球規模でこの目標を達成できるだろうか。スーパー・テクノロジーは我々の精神性を超えてしまった。それは多大な変化をもたらし、そしてまた人間性を総動員して対処しなければならないような、倫理上の課題や法律上の課題をもたらした。倫理、道徳、忘れ去られたかつての規範を理解することが求められる。私たちの脳では、情報処理は量子力学の過程を通して起きていて、意識自体は別の量子場の一部分だとみなされている。実に量子力学は、物質波と粒子の二元性を受け入れている。量子は両方の性質を有するのだ。情報はホログラムだとみなすことができ、『非局所』に存在し、そしてまた局所の各部分に存在する。かつての規範では、『脳が思考する』と考えられていた。記憶は私たちの物理的な脳細胞に蓄積されるのではなく、波動場として存在し得るのである。脳は情報を受け取る、このことは人間がどのように機能するかを理解するうえで重要である。脳は情報を生み出すのではない。情報と脳は、フィルムと映写機のようなものなのだ。脳は、映し出すフィルムを必要としている映写機である。映写機が壊れたら、フィルムは新しい映写機に移され、見続けられる。

夢幻状態の中にいるような、同時に複数の側面で人生を体験するといった、私たちの多次元性とはどのようになっているのだろうか。アインシュタインの言葉を忘れてはならない。「人間に関する知識は、（その水準を人間の成長に例えるなら）未だ幼年期にすぎない」。私たちは皆、独力で精神的教訓を学ぶために、そして集合意識を学ぶためにここにいるのだ。それは、自分自身や私たちの惑星の振動準位の水準を上げることである。そして、それらの振動準位は、全ての人の思考や行動に影響されている。これを深く理解している人はほとんどいない。私たちの地球の状況は、私たちそれぞれにかかっているのである。つまり、全ての人の思考過程が合わさって、私たちが生きている世界の、この生存期間における集合意識となっているのだ。私たちは皆まったく異なっていて、精神的に異なる水準にある。それは、人生という学校において、異なる学校の授業を受けている子供たちのようなものである。当に地上の学校と同じように、私たちには様々に異なった教育課程があり、その一部には強制的なものや、また一部には自ら選んだものがある。人生の学校において、強制的に学ばなければならない科目とは何であろうか。それは、人を助けることを学び、共感することを学び、許すことを学び、非難しないことを学び、寛容を学ぶことである。そしてまた、悪いことをした後の苦悩や痛みを学び、癒しを学ぶことなどである。そして、最終的な目標は、地上での人生を卒業するのに最も難しい科目である、普遍的な愛を学ぶことである。私たちのほとんどは、その段階に到達するのに何千年もかかるだろう。私たちとは、別の周波数や別の次元に存在する私たちのエネルギーのことであり、私たちは完全に一つなのである。合わさって海を作る大洋の水滴のように、完全にともにあるもので、切り離すことはできない。今日、普遍的な愛を最終的な目標だと考える人はほとんどいない。それは、全ての生物を含んでいて、見返りの愛を求めない、無私の愛である。無私の愛は全てを、助け、勇気づけ、連れていき、理解し、許すものである。

私たちは皆、自分の中に神のようなきらめきを持っている。それは太陽光線のようなものであり、「愛を抱く万物」である私たち自身の一部を体現している。人が愛を学びたい時には、愛する能力が試される状況に置かれるだろう。それには、その人が望まないような愛の形もあるだろう。

悪事を働く人間を愛することはできるだろうか。自分たちとは異なる人間を愛することはできるだろうか。社会規範に適合しない人間を愛することはできるだろうか。障壁なしに愛することはできるだろうか。愛に悪いところは何もない。男性、女性、子供、動物を愛の対象としなさい。性行動はとても狭い愛の領域にすぎない。それは、人間という形をとったエネルギーが、すなわち人間の姿をした意識が、再生するために必要としていることである。愛を与え、愛を受けることは、人間の精神を成熟させる美しい体験である。愛の対象を変え、愛を別の人に向けることは、それまでの愛を損なうものではない。愛が傍らに移動するだけのことである。愛は決して消えない。外形だけが変わるのだ。

愛は、いかなる外部の規則にも支配されない。この生涯で、愛の授業を受けることをどのように決定するかは、その本人だけがわかるのだ。自分で作り出す以上の愛の足かせはないということを理解しながら、常に人は自分自身の道を歩まなければならない。精神的には、男か女かどちらかとしてではなく、男であり女であるものとして私たちは創造されている。

この生涯で自分の「魂の教育課程」を歩み、他人が理解しない方法で愛を学ぶことを決めた人々には、どんなに多くの苦痛や不安そして悪い感情がもたらされることだろうか。本物の、永遠の深い愛は、愛のためには何も欲しがらず、愛の全てを与える。今日、この段階に到達することができるのはほんのわずかだ。私たちは皆、いつの日かこのような愛の段階を習得するであろう。人々の異なる生活様式を糾弾することは、教会に端を発している。教会は皆を、ある特定の信仰を持った、A4判の型にはめようとしている。そうすれば、一般大衆を支配しやすくなるからだ。しかし人生の意味は、違う表現をするなら、私たちが為すこと全てにおける愛の力を高めることである。それは、他人に最善を尽くすことを考える無私の愛の力を高めることであり、誰も教えることのできない普遍的な愛の力を高めることである。その愛は、自分自身の人生経験を通して習得し理解しなければならないものである。精神的な成熟は、生命の完全性を学ぶ領域のはじまりである。エネルギーは決して消失しない、ただ形と次元を変えるだけなのである。私たちは学ぶためにここにいて、また時には逆境を通して学ばなければならない。寛容という学科は、肉体的または精神的な痛みを通して習得させられる可能性もある。もしあなたが車椅子に座っているとすれば、自然に寛容を習得し、そしてより精神面を重んじるようになるだろう。盲目の人についても同じことが言える。もはや外界を見ることができなくなったら、意識である「内なる目」を使い、周囲の全ての生命が発するエネルギーを体感するようになるだろう。私たちに起きる全てのことには教訓があるのだ。精神の成長が目的なのだ。

誕生から寿命に至るまで私たちが体験する全てのことは、別の量子場の一環としての「意識コンピューター」の中に既に存在することである。時には、痛み、自動車事故、離婚などを通して、私たちが自分で、将来、課題、学びを計画しているのだ。科目を習得するためには、均衡、調和、私たちのエネルギーである魂の振動準位の上昇を学ぶ必要がある。私たちが本当に必要とすれば、プログラムされたコンピューターのように、意識コンピューターも変更することができる。透視能力者は時に、私たちのプログラミングである、私たちの将来を見通すことができる。そのプログラミングとは、実現の可能性のことであり、石に刻まれたようなものではないのだ。あらゆる物事は、変更可能な波動場にあるのだ。エネルギーの振動準位を上げるためには、私たちは憎しみ、嫉妬、嫌がらせ、非難を取り除かなければならない。それには時間がかかるが、より高い領域に到達するための人類共通の使命であることを深く理解し、実行しなければならない。私たちはともにエネルギーの海を形成している。私たちの良い行動や思考は、地球の振動準位を上昇させる。そして当然実在はしないが、私たちが作り出した悪い物事全てをまとめて「悪魔」と呼ぶことができる。それは、私たち全員が作り出した、自分たちを衰退させる負の力である。

私たち自身には、自分たちの世界の現状をともに作り出している者としての責任がある。私たちは、自分たちで世界の現状を変えなければならない。外部の力がやってくれるわけではないのだ。私たちに必要なのは、人々に自分たちの内なる力に気づかせ、清く好ましい変化が起きるようにともに集中することである。自己の内なる中心である意識には、世界の現状を変える偉大で創造的な力があるということを、余りにも多くの人たちはわかっていない。

もし大部分の人々が、平和を重視し、平和を深く考え、ともに平和を祈るのであれば、銃は物理的に役に立たなくなるだろう。エネルギーとは、そのように強力なものなのだ。物理的な大変動を経ないで、平和が実現するだろう。選ぶのは私たちだ。

１９１２年に医学でノーベル賞を受賞したアレクシス・キャレル博士は、１００年前に既に述べている。「祈りの力が存在することは、分泌腺の存在と同じくらい明白である」。そのとおりである。変化を起こそう。

先進国と第三諸国で生活水準が大きく異なる最大の原因は、私たちが、飢餓の瀬戸際で生きる人々が必要とするものに目を閉じていることである。アメリカで小麦は、貧しい人々に送られるよりむしろ焼却されている。

大量破壊兵器を買うお金で、貧しい人々全員の食料をたやすく手に入れることができるであろう。対立、強欲、憎しみ、思いやりのなさが私たちの国家を支配しているので、こういったことは行われない。権力の乱用は大きな罪である。他人を援助し、最善を尽くすことで失うものなど何もないだろう。援助し、分かち合うことで、人間は内面の調和を獲得することができるだろう。しかし人々は家族や自分の利益のみを考え、小さな世界でものを考えることに慣れてしまっている。

最大の罪は、愛さずに恐れることだ。多くの人々は、人生が如何なるものであるのかを理解してさえもいない。新しい物事で内面の空虚さを満たそうとして、結局は期待していたほど満足できない時には、より一層人生は空虚で意味のないものに感じられるだろう。名声や物質主義は、期待していたような満足感、喜び、平安をもたらさないのだ。

普遍的な愛は、恐怖、生きる意味がわからないという感情、虚無感を退ける。人間の細胞の振動準位が上昇する時に、人間の精神は成長するのだ。このように、自分たちの思考を変えることによって、周囲を取り巻く環境の振動数を変えることができるのだ。世界を変えようとする時には、常に自分自身からはじめなければならないのだ。

私たちは皆、まず初めに身辺を浄化しなければならない。私たちには皆、我慢できない人間、嫌いな人間、悩ましい人間が周囲にいるはずだ。そのような人たちからはじめましょう。

そのような人たちのことを考える時は常に、憎しみのナイフの代わりに花束を贈るかのように、清浄で癒されるエネルギーを伴った思考で彼らを包み込む、そのような光を送ることを決心するのだ。ほどなくして私たちは、彼らの中の、そして私たち自身の中の驚くべき変化に気づくだろう。彼らはもはや、私たちに横柄な態度はとらないだろう。

彼らは、許容できる感じになり、最後には本当に快い人間になるだろう。愛の力が影響を与えはじめて、そして好ましい変化をもたらすのだ。このように世界を変化させる思考エネルギーを送ることにより、私たちは悪事を退け、惑星の振動を上昇させることができるのだ。男性は肉体的な力に支配されているので、性行為に対して意志が弱い。男性は頻繁に、肉体的な性行動以外にないといった感情を体験して苦労している。男性は頻繁に、創造性を有し第二に「柔軟性」を尊重する右脳を置き去りにて、左脳の方を発達させているようだ。絶対にバランスが必要である。幸いなことに今日の多くの若い男性は、男女の平等に対して父親たちとは違った考え方をしている。当然ながら私たちの目標は、他人に愛のみを発するバランスのとれた完璧な人間になることである。世界はこの目標からかなりかけ離れていることを、私たちは皆わかっている。今日のマッチョな男性は、次に肉体を持って生まれる時には、女性の権利や平等のために戦う女性の肉体や、もしくは実に女性聖職者の肉体を与えられるだろう。コインの両面を生きることによってのみ、人は全体像を摑むことができるようになるのだ。意識は地球という惑星にとどまらないということも、私たちは覚えておかなければならない。宇宙は私たちが想像するより遥かに大きいのだ。今日の人類は、今までで最も酷い暗黒時代を生きている。少数の支配階級のエリートが権力と支配の座に留まるために、情報は彼らによって一般大衆に隠されている。現代社会を操る人工衛星やスーパーコンピューターを使用したスーパー・テクノロジーで、個人の感情や思考や行動を支配し、一般大衆の行動を支配し、気象を操作することにより、彼らは当に「神を演じようとしている」。何も知らない科学者や一般大衆にとっては、もちろんそれはSFのように聞こえるだろう。

彼らは人間の感情を操作し、性行動を変え、結婚を壊し、友情や家族の絆を破壊することができるのだ。彼らは、電子工学技術で記憶を消滅させるEDOMで人の記憶を消すことができ、そして脳内部の催眠術的コントロール電波RHICで偽りの記憶を生じさせることができる。全ては、スーパー・テクノロジーを利用した、特殊な電磁周波数で行われている。人工衛星から脳波を刺激してある特定のリズムに変え、気分を変化させる特許品が存在する。監視衛星とどのように戦えばいいのだろうか。不可能である。目的は総合管理であり、それは、TIを孤立させTIの支援システムを破壊し、脳—人工衛星をコンピューターに繋げることによって、全世界の人間を管理することなのだ。それは、普通の学者や一般大衆にはその使用が完全に隠されている、極めて最先端のテクノロジーである。

ヘルシンキ近郊で行われた2000年の国際軍事医学会議では、そのテクノロジーが明らかにされ、ポスター・プレゼンテーションで発表された。科学会議で何かが公式に認められる時には、それはたいていてい、軍隊では数十年にわたり秘密裏に市民に使用されている技術であるのだ。だから、そのテクノロジーの陰に隠れた軍事産業と諜報機関の複合体に対して、愛や光の思考を送ることは容易ではないのだ。自分たちの標的となった一般大衆の苦痛や犠牲を気に懸けず、科学や軍事の発展を重んじるような、彼らの無知とどのように戦えばいいだろうか。軍諜報部による承諾のない人体実験で、女性、子供、年長者を含めた無辜の一般市民を拷問している、このような人間たちを私は軽蔑するとかつて著作の中で言ったことがある。

私の無意識に書いた記述を訂正する。『軽蔑する』という言葉を使ってはならない。彼らは宇宙の法則を理解してない、と言おう。だから皆のために、愛や光や調和の思考を私たち全員で彼らに送るようにしましょう。もしかしたら私たちは、自分たちの美しい惑星やその住民たちを救い、後世にわたり普遍的な愛に向かって精神的な生き方を続けることができるかもしれない。

人間とは肉体ではなく、精神であるということを常に覚えておいて下さい。宇宙において、死は存在せず、一人ぼっちになることもないのだ。アインシュタインが言ったように、人間に関する知識は（水準を人間の成長に例えると）未だ幼年期にすぎない。愛が、私たちの存在と、普遍的意識へと向かう私たちの進歩に対しての答えである。以上。

BRIGHT LIGHT ON BLACK SHADOWS（黒い陰に輝く光）―付属書

ラウニ・リーナ・ルーカネン・キルデ著

内　容

I　ラウニ・リーナ・ルーカネン・キルデ博士の経歴

（1939年11月15日〜2015年２月８日）

１９３９年フィンランド生まれ。10代の時、５か国の学校に通う。現在はノルウェー在住（２０１５年２月８日死去）。１９６４年、トゥルク大学医学士修了。１９６７年、フィンランド・トゥルク大学医学博士号取得。１９７０年、カロリンスカ研究所（スウェーデン、ストックホルム）熱帯医学部卒業。１９７２年、スウェーデンのヨーテボリ北欧公衆衛生スクールにて社会医学を修了。１９７４年、フィンランドにて一般診療の専門家に、１９８１年には、フィンランドにて衛生管理スペシャリストとなった。１９７５年、ジュネーブ赤十字社連盟にて災害対策課程修了。1976年、フィンランド国家民間防衛課程修了。1978年～79年、WHO（世界保健機関）にて熱帯医学と健康教育の分野においてフィンランド政府の代表兼首席代表を務める。1979年、マレーシアとインドネシアの国際赤十字社の主席医師代表となり、ベトナムのボートピープル難民プログラムに携わる。1975年～1987年、ラップランド最高医務責任者。1978年、ヘルシンキにあるフィンランド国立衛生研究所にて環境保健・健康教育部長を務める。

その後すぐに、代理でフィンランド最高医務責任者（アメリカ英語では軍医総監と呼ぶ）を務める。フィンランドおよびパキスタンのさまざまな病院で22年間勤務する。1981年～1983年、ラップランド民間防衛協会秘書。1973年、フィンランドの一般開業医委員会メンバー、1975年～76年、フィンランド主席医務局長協会秘書。

1976～1979年、ラップランド赤十字取締役、1976～1984年、健康委員会委員長、1978～1987年、ラップランド看護大学会長、1980～1984年、北極医療研究、北欧評議委員会メンバー、1975～1987年、ラップランド安全保障理事会メンバー、6か月の市民軍事コース、1990年、フィンランド民間防衛において女性初の金ブローチ賞を受賞、1981年、ロバニエミ青年商工会議所所長。1979年、フィンランドの女性誌『エバ』のウーマンオブザイヤー、1992年、国連超心理学協会特派員として銀メダル受賞、1981～1986年、ラップランド超心理学協会の創設者および2002年より名誉会長、1983年北欧諸国最大の出版社WSOYより文学賞受賞、1975～1976年、ラップランドヨットクラブ会長（世界で初の女性会長！）。

１９９９年、不本意の神経電磁波人体実験による残虐行為を公にして止めさせる必要性を訴えた勇気ある主張を讃えられ、ＣＡＨＲＡ（人権侵害に反対する市民）より表賞される。作品（人間のコア、超心理学、宇宙との交信、マインドコントロールなど）を6か国語で執筆する世界的ベストセラー作家。１９９９年、医学雑誌（１２７年の歴史を誇るフィンランドの医療研究ジャーナルである『Duodecim（デュオデシム）』、フィンランド）において、体外離脱および臨死体験、マインドコントロール、人工頭脳学に関する世界初の論文を発表した（雑誌名：『Spekula（スペキュラ）』、オウル大学医師学生協会による）。

１９９９年および２０００年のマインドコントロールに関する国際医療会議（一般開業医のための世界神経学会議）でポスタープレゼンテーションを行う。ヘルシンキでの第33回国際軍事医療会議では、遠隔神経通信、宇宙飛行士のマイクロチップ埋め込みと宇宙滞在中の身体および精神機能の地球からの監視について、ポスタープレゼンテーションが行われた。

また、１９７３年には『Successful telepathic contacts from moon to earth（月から地球へのテレパシー接触の成功）』が出版された。世界中に視聴者を持ち、アラビア語、中国語、日本語、韓国語、タイ語、ロシア語、ヨーロッパ語で、講義と60回のインタビューを10分間の動画でインターネット配信し、豚インフルエンザワクチンには人口削減のためにマイクロチップと滅菌剤が入れられていることを警鐘し、４００万回視聴された。

１９９２～１９９４年には、ニューヨーク科学アカデミーのメンバーとなる。アメリカの紳士録『Who is who ワールド編（１９９７年）、Who is who 科学者編』、『Who is who 技術者編（１９９７年）』、『Who is who 医療とヘルスケア編（１９９９年）』に名を連ねている。

http://www.youtube.com/watch?feature = player_embedded6v = DezPt9olap8

私は、情報を公開しようとするのを妨害しようとする諜報機関などから悪質な誹謗中傷、極度の嫌がらせやデマの被害を受けた経験を持つ。私自身、フィンランドの保健大臣を自称したことは一度もないし、政治に携わったこともなく、今後もその予定はない。

Ⅱ　２００１年３月17日～18日、サーリセルカ、フィンランドにて記憶および記憶障害のメカニズムに関する北極圏シンポジウムで行ったポスタープレゼンテーションの抄録

題名：神経電磁電気通信

著者：ラウニ・リーナ・ルーカネン・キルデ博士、ソン、ノルウェー

神経学的コミュニケーションおよび制御方法であるバイオテレメトリー（生体遠隔測定）は、数十年にわたって使用されており、最新技術による１０００年後の精神および身体の健康への影

響が議論されている。コンピューター衛星接続を介し、リモートおよびワイヤレスにて行動修正、身体と脳の機能、身体機能に伴う精神および感情プロセスに影響を与えるという目的は、成功裏に達成されている。方法は、文献調査および実験を使用する。宇宙飛行士にはマイクロチップが埋め込まれていたため、彼らのすべての身体機能、感情、思考、夢、さらには潜在意識さえも地球から継続的に観察かつ監視することができた。２０００億ビット／秒を超えるスーパーコンピューター画面は、５０００ビット／秒の人間の思考に優越する。直径１５２マイクロミリメートルのチップは、ユーザーの要求に基づいてコンピューター生成の視覚化も実現する。チップは通常、蝸牛または視神経、つまり神経または側頭葉、前頭葉に（内視鏡による経鼻的下垂体手術または皮下手術によって）埋め込まれる。ディスカバリーでのレーザー機器の点検中に、人間の脳のアルファ波の周波数範囲内である毎秒10回のパルスを除去することを始めた。マイクロチップは、衛星を介して低周波の電波を照射されることで動作し、チップが埋め込まれた人をどの場所であっても位置探査することが可能で、双方向無線通信が対象物をコントロールする。結論：神経電磁無線制御という技術は成功を収め、マイクロ波は健康な人に頭の中で声が聞こえる状態を引き起こしたり、動きや感情、行動を電気的な力で誘導したりできることを実証している。欧州議会は１９９９年1月28日、環境、安全保障および外交政策に関する決議で、人間に対するあらゆる形態の操作を可能にするすべての開発と実施の世界的な禁止を導入することを提案した。ＲＨＩＣ－ＥＤＯＭシステム（無線催眠脳コントロールおよび記憶の電子的消去）は、今日ＮＡ

TO諸国の軍事および諜報活動での使用において最も重要度が高い。
文献：『意識を改変する方法およびシステム』DS特許NR5123899、ジェームズ・ゴール、1992年6月23日
人間の特定の精神活動を含む、意識の精神的、感情的、身体的な意識状態を誘発する方法。米国特許NR5213567ロバート・モワロー、29.5.93サイレント・サブリミナル・プレゼンテーション・システム、'na'27 1992年、オリワー・ローリー、米国特許NR5159703
ラウニ・キルデ博士、フィンランド

Ⅲ 軍事医学に関する第33回国際会議における神経電磁電気通信およびサイバネティクス ヘルシンキ、2000年6月25日〜30日

1952年、追跡、行動制御およびマインドコントロール、条件付け、プログラミングや秘密工作を目的として、脳と歯に電子インプラントを行った。強制的な医療的人体実験を行うことを禁止しているニュルンベルク・コードにより、脳の電気刺激（ESB）、手術中あるいは誘拐してのインプラントは、市民から隠匿することが必要となった。精神医学のためのDSM「精神疾患の診断・統計マニュアル」が作成された。そのマニュアルは現在20か国語で出版されており、電子的、化学的、または細菌学的な兵器実験や心理戦の対象にされたという疑いを持たない標的

において、妄想型精神分裂病の兆候を診断する四つの方法を掲載している。すべての医療学校では、頭の中で声が聞こえる、監視されているように感じる、マイクロ波の害やビーム照射を受けているように感じる、ラジオや電話、ラウドスピーカー、テレビを通して盗聴や盗撮されていると感じたり、自分の考えが他人に読まれているような気がしたりする人は、精神病と診断するように教えている。

そして、死者エネルギーとの交信といった超常現象を長期間にわたって経験している人はマインドコントロールの犠牲者であるとする鑑別診断は行わないし、そうした技術が世間に知られることなく既に50年もの間実在しているという事実は教えないのである。リモート・ニューラル・モニタリング（遠隔神経監視）では、対象と一切接触することなく対象の視覚野からの電気活動をマッピングし、対象の脳の画像をビデオモニター上に表示できる。操作者は、監視対象の目が見ているものや、視覚記憶までも見ることができるのだ。視聴覚情報をリモート・モニタリングすることでブレインプログラミングを行い、双方向人工脳接続を確立させたり、または耳をバイパスして音を聴覚野に伝え、視神経と耳をバイパスして視覚野にかすかな画像を送信することによって、レム睡眠中の対象者の脳に画像を植え付けたりすることができる。特定の諜報機関のナノテクノロジーコンピューターは、現在のアカデミックコンピューターテクノロジーの先駆けとなっている。１９４０年以来、米国では信号インテリジェンスネットワークが存在し、１９６０年代にはロシアがアメリカ人に向けたウッドペッカー信号が問題となった。モスクワでは、アメリカ大使館に高周波放射線を照射し、全身倦怠感や刺激、極度の疲労といった症状を引き起こした。その影響は一過性ではなく、白内障、心臓発作を誘発する血液変化、悪性腫瘍、循環障害、および神経系の永続的な悪化をも含む。

今日では、インフルエンザ症状（ウイルスの罹患はなし）の突然の発生やてんかん発作は、電子兵器によって遠隔的に誘発させることができる。あるいは、不眠ビームを使用して健忘症、つまり記憶喪失を突然に引き起こし、周りを驚かせることも可能だ。最新のテクノロジーにより、ＥＥＧのクローニングと感情クラスターシグネチャの分離が可能となった。また、周波数／振幅クラスターを合成し、別のコンピューターに格納できる。様々な負の感情（恐れ、恥ずかしさ、羨望、恐怖、憎悪、無関心、絶望、フラストレーション、怒り、ねたみ、哀れみ、苦悩、困惑、反省、心配、憤慨、罪悪感、立腹、悲しみなど）を適切にタグ付けし、サイレントサウンドキャリアの周波数に配置することで、別の人物に同様の基本的感情を静かに誘発することができる。

国防情報局レポート――「制御された攻撃行動」――１９７２年によると、最も奇抜な脅威とは、「エネルギー体」を遠隔地にトランスポートし、オブジェクトを非物質化してから再トランスポートし、サイコトロニクス兵器として物質化するというアストラル射影の形式のアポート技術である。１９９０年以降に発生した「プロジェクトタワー」において、電磁界や物体オブジェクトが固体の壁を通過したことを報告したＤＩＡレポートが支持するアポート現象が、一般市民全体の心理的能力を、マイクロ電磁波を使用して抑制する神経共鳴が起こった原因である可能性がある。神経退化やＤＮＡ共鳴修飾は、携帯電話システムとＥＬＦ変調によって達成できる。生物学的に重要な二つのタイプの変調はパルス変調と振幅変調がある。変調は、電磁界で情報送信する鍵となる。テレビやラジオ通信とともに、携帯電話やモール、公園、主道路、駅に設置されているマイクロプロセッサ搭載の新型街路灯などを利用することで、一般市民に好ましい行動をトリガーし、プログラムすることが可能だ。湾岸戦争で使用されたサイレントサウンドテクノロジーは大きな成功を収めた。人間の脳は、各自発的行動に対して準備セットと呼ばれる特定の周波数を持っている。マイクロ波に特定の周波数をコード化することで麻痺を引き起こし、RHTC-EDONシステム、無線脳波による脳内通信、記憶の電気的消去によって時間の喪失を誘発できる。

この方法は、電子兵器またはプログラムされた暗殺者をテストするときにＵＦＯの質問をする場合に用いられる。ロス・アデイ医師は、強度０・７５㎽／㎠のパルスを使用すれば、人間の行動のあらゆる側面をコントロールできることを発見した。

イギリスでは、警察に４５０㎒マイクロ波照射範囲の排他的使用を許可している。マイクロ波電話は、カルシウムイオンを放出するようにニューロンに働きかけることで、ユーザーを疲れさせ、苛立たせ、ストレスがかかると感情の爆発をおこしやすくする。ＥＬＦ信号は、ＲＮＡトランスフェラーゼの機能を変更することによって癌を引き起こし、アミノ酸配列がスクランブルされて非天然タンパク質が生成する。遠距離からのメーザービームで人間の脳をスキャンして心を読み取る能力を持つ合成テレパシーは、プライバシーに対する最大の脅威である。合成テレパシーは、サブボーカライズされた思考に関連する脳の興奮電位に関連付けられている15Hz５ミリワットの聴覚野放出を検知する。低周波マイクロ波およびＲＰを使用する新技術では、人体をスキャンして体内を見ることが可能となる。

この技術を使えば、被験者が家の中を歩き回っている時でも、その被験者の特定の脳中枢をコンピューター制御ターゲティングすることができる。マイクロ波照射は、細胞内の水素結合を励起し、減数分裂を妨害することが可能だ。これが細胞分裂の異常を引き起こし、がん細胞が発生して腫瘍となる。特定のグループ（戦地にいる兵士、捕虜、精神科の患者、障害を持つ子供、聴覚障害者、視覚障害者、独身女性、同性愛者など）にインプラントを埋め込むテスト期間は終了した。今日では、誰もがマイクロチップを使った計画の標的となり得る。そして、脳衛星コンピューター接続を介して世界中の人々をコントロールするという計画はかなり斬新である。スウェーデンの州報告書ソウ１９７２：47は多くの情報を開示し、またスウェーデンデータインスペクションの監督官を13年間務めたジャン・フリースは、１９８０年代半ばに老人ホームの入居者にインプラントが行われたと語った。

１９９４年７月21日、米国国防総省は、同省に反対する活動に従事したすべての者に対する「非殺傷」兵器の使用を提唱した。

この対象には、ほぼすべての物および人物が含まれる可能性があった。マインドコントロール技術は、非殺傷兵器に分類される。国防総省が潜在的に敵と見なすものは、反文化的個人、対立する政治見解を持つ者、経済または金融上の競争者、生物学的に望ましくない者などである可能性がある。ある複数の組織が、こうした人々や集団に対して適切な根拠や許可なしに中傷、嫌がらせ、殺害などの攻撃を加えたとする証拠が存在する。

神経電子通信、サイバネティクスおよび電子兵器は、非殺傷兵器を支持する権力者によって秘密裏に濫用される可能性がある。１９９９年以降、北ノルウェーのヴァルドにあるＧＬＯＢＵＳ２とアラスカにあるＨＡＡＲＰ（高周波活性オーロラ調査プログラム）は、地球の気象および人間の心と行動の両方に遠隔的に影響を与える能力を持つことから懸念事項とされている。人間のマインドコントロールを制する者は世界を制するからである。

Ⅳ　特定の集団グループにおけるバイオテレメトリーおよび行動研究
ラウニ・リーナ・ルーカネン・キルデ博士、ソン、ノルウェー

ＥＳＢ、つまり脳の電気的刺激を使用することで神経系に影響を与えることによって生じる動物と人間の身体的および精神的影響については、過去50年にわたって研究が行われてきた。

その目的は、宇宙飛行士を含む特定の集団の身体的、神経学的および感情的機能、そして精神

的プロセスおよび行動に影響を及ぼすことである。

方法：脳、歯または皮下に極小（2～15マイクロミリメートル）の人体インプラントを使用することによって、呼吸、心拍数、ホルモンレベル、思考信号（夢や潜在意識の信号を含む）などの身体機能を確認することができ、コンピューター画面上での解析が可能である。また、インプラントはコンピューター衛星接続を使用し、低周波数の双方向無線通信によってリモートかつコードレスで制御できる。

オスロリクス病院の神経科では、パーキンソン病患者にマイクロチップインプラントを用いている。視覚障害者、聴覚障害者、麻痺患者もこのテクノロジーの恩恵を受けることが可能である。副作用としては、側頭葉・前頭葉の酸素と血流の減少が数人の患者で観察されたとするフィンランドのケーススタディが提示された。

結論
バイオテレメトリーにおける積極的な医学的進歩は、多くの国々で特定の患者グループにおいて達成されている。しかし、特に脳のマイクロチッピングでは深刻な副作用が発生する可能性がある。
身体的および精神的機能が遠隔から影響を受ける可能性があるため、プライバシーの問題が懸念される。さらに、マイクロ波によって筋肉のけいれんや突然のインフルエンザ症状、一時的な麻痺、幻覚による行動の変化が現れ、また知能がバイオテレメトリー手段によっても影響を受ける可能性がある。

バイオテレメトリーは、最近の紛争において軍事ツールとしても使用されている。人間の思考速度は５０００ビット／秒であり、数十億ビット／秒のスーパーコンピューターの速度にはまったく敵わない。そのため、欧州議会は１９９９年、人間に対するあらゆる形態の操作を可能にする技術の世界的な禁止を導入することに関する国際会議の開催を呼びかけた。

２０００年家庭医向けの国際ＷＯＮＣＡ会議で掲載されたポスター。２０００人以上の医師が参加した。

Ｖ　論文『Healing-Fact or Fiction（ヒーリング—事実かフィクションか）』文献目録 —キルデ博士、１９８９年

1. Ｒ・グラッド『Healing by the laying On of Hands（ハンドヒーリング）』
2. 「A review of Experiments" in Ways of Health: Holistic Approaches to Ancient and Contemporary Medicine（健康法：古代および現代医学への全体的なアプローチにおける実験のレビュー）」、Ｄ・ソーベル編（ニューヨーク、ハーコート・ブレイス・ジョヴァノビッチ、２６７頁、１９７４年

３．R・ガーバー『Vibrational Medicine（バイブレーショナル・メディスン：いのちを癒す）』、上野圭一、真鍋太史郎訳、日本教文社、２０００年
４．「The laying of Hands - Energy from Electromagnetic Fields（ハンドヒーリング―電磁エネルギー）」、１９８５年7月22日、『Medical World News』、46～47頁
５．クホルドフＹＡ「Effect of electromagnetic and magnetic fields on the central nervous system（中枢神経系に対する電磁界の影響）」、『NASA Technical Translation TTF』第４６５号、１９６７年6月
６．J・スミス「The influence on Enzyme growth by "Laying - of Hands"（ハンドヒーリングによる酵素増加への影響）」、「The dimensions of Healing（癒しの次元）」、シンポジウム（ロスアルトス、カリフォルニア州、Academy of Parapsychology and Medicine〔超心理学と医学のアカデミー〕）、１９７２年
７．スタンリー・クリップナー『Psychic healing in Psychical Research A guide to its history, principles & practices（心霊研究における心霊ヒーリング―その歴史・原理・実践）』、イヴォール・グラッタン・ギネス編、１３４～１４３頁、Aquarian Press Wellingborough、１９８２年
８．B・グラッド「Some biological effects of the laying-on-of hands" a review of experiments with animals and plants Journal of the American Society for Psychical Research!（ハンドヒーリングの生体効果―米国心霊現象研究会の動植物を使った実験のレビュー）」、92～１２３頁

9．D・クリーガー「Healing by the "laying on hands" as a facilitator of bio energetic change: the response in vivo human hemoglobin（生体エネルギー変化の促進因子としての『ハンドヒーリング』による治癒—ヒトへモグロビンの生体内応答）」、『International journal of Psycho energetic systems（サイコエネルギーシステムの国際ジャーナル）』、121～130頁、1976年
10．D・クリーガー「Therapeutical Touch.The Imprimatur of Nursing（タッチ療法—看護における認可）」、『American Jonrnal of Nursing（アメリカ看護ジャーナル）』第75巻、784～787頁、1975年
11．エルギュイン・G・H、オネット・リヒテル・B共著「An experiment with psychokinesis and tumor producing cancer cells（サイコキネシスおよび腫瘍癌細胞の実験）」、1967年。
『Zeitschrift fire Parapsyohnlopie und Granzgeeblete der Psyoologie』10、18～47刊
12．D・ディーン「The effects of "healers" on biologically significant molecules（生物学的に重要な分子に対する『ヒーラー』の効果）」、『New horizons』第1号、215～219頁、1975年
13．D・ディーン、E・ブレーム共著「Physical changes in Water Laying on of hands（ウォーターハンドヒーリングによる身体的変化）」、『第2回向精神薬国際会議の議事録』（モンテカルロ、1975年）

14．ミラーＦＲ他「The possibility of precipitating the leukemia state by emotional factor（感情要因によって白血病の病状が改善する可能性）」、『Blood』第８号、８８０〜８８４頁、１９４９年

15．パーカーＣＭ他「Broken hearts, a statistical study of increased mortality among widowers（失意―寡夫の死亡率増加の統計的研究）」、『British Medical Journal（ブリティッシュ・メディカル・ジャーナル）』第７４０号、１９６９年

16．Ｆ・エバンズ「Unraveling Placebo effects: Expectations and the placebo response.（プラセボ効果の解明―期待およびプラセボ反応）」、『Advances』第1号（３）、11〜20頁、１９８４年

17．Ｌ・コブ他「Evaluation of Internal mammary artery ligation by double blind technic（二重盲検法による内胸動脈結紮の評価）」、『New England Journal of Medicine（ニューイングランド・ジャーナル・オブ・メディスン）』第２６０号、１１１５〜１１１８頁、１９５９年

18．クラシルネック・ハロルド他「Physiological changes associated with hypnosis: a review of the literature since 1948 Internet J. Clin and Exp. Hypnosis（催眠に関連する生理学的変化―１９４８年以降におけるオンライン日本催眠学会ジャーナルの文献レビュー）」、７：９〜50、１９５９年

19．Ｌ・ルシャン『the Medium, the Mystic and the Physicist ― Toward a general theory of psychic healing（霊媒、霊能者、物理学者―超能力ヒーリングの一般理論）』、ニューヨーク、

Viking Press、１９７４年

20．Ｌ・ルシャン「An emotional history pattern accociated with neoplastic disease, Annals of the New York Academy of Science（腫瘍性疾患に関連する感情変化パターン）」、『Annals of the New York Academy of Science』、１２５、８０７刊、１９６６年

21．ラリッサ・ヴィレンスカヤ「investigation and application of Psychokinesis in the USSR（ソ連におけるサイコキネシスの調査と応用）」、『Psi-Tage Symposium Basel』１～４、１９８４年

22．Ｖ・アダメンコ「Electrodynamics of living systems（生物の電気力学）」、『Journal of Parasychics』第４号、１１３～２１２頁、１９７０年

23．クリストファー・ドッジ「Research in to PSI phenomena, Current Status and trends of Congressional concern.（超常現象に関する調査、議会懸念事項の現状および傾向）」、議会調査局科学政策部、１９９３年７月２日

24．Ｊ・アレンヴァルド「A neurophisiological model of PSI phenomena（超常現象の神経生理学的モデル）」、『Journal of Nervous and Mental Disease』、２２７～２３３頁、１９７２年

25．Ｓ・ディーン「Meta psychiatry! The interface between psychiatry and mysticism（メタ精神医学！――精神医学と神秘主義間の相互作用）」、『American Journal of Psychiatry』第１９７、１３０号、１０３６～１０３８頁

26．Ｓ・スタヴィッチ、Ｎ・ホーウィッチ共著「Pioneering Cancer Electro therapy（先駆的な

癌電気療法)」、『Medical Tribune』、１頁、１９８７年3月11日

27.「Healing Intransigent Fractures（頑固な骨折の治療）」、『Medical World News』、32頁、１９７８年４月

28. Ｒ・ローズ「Magnetic Pulnes in RA:Less pain and Mobility Gain（関節リウマチにおける磁気パルス—痛みの減少と可動性の獲得）」、『Medical Tribune』、１頁、１９８７年6月３日

29. Ｅ・ハラルソン、Ｏ・オラフソン共著「A survey of psychic healing in Iceland（アイスランドにおける超能力ヒーリング調査）」、１９７４年。『The christian parapsychologist』第３、19号、第80巻、２７６～２７９頁

30. Ｒ・ミラー『Methods of defecting and measuring healing, energies in Future Science（未来科学におけるエネルギー：検出・測定・治療方法）』、ホワイト、クリップナー編、４３１～４４４頁、Donbleday & Co. Inc.、ガーデンシティ、ニューヨーク、１９７７年

31.「Kirlian photography finding threshold in US（キルリアン写真が見出す米国基準）」、『Medicine Medical News』、24頁、１９７８年3月6日

32.「Life Energy patterns visible via new technique（新手法で見える生命エネルギーのパターン）」、『Mind Bulletin』第7巻、n:14、１９８２年8月23日

33. カール・サイモントン「Scientific approach to spiritual healing（スピリチュアル・ヒーリングへの科学的アプローチ）」、『Science of Mind』、１９７３年

34.『Medical World News』、13～15頁、「Faith and Prayer cures（信仰および祈りによる療法）」、１９７４年６月７日
35. リュプチャンスキー他「Puerto Rico spiritualists view mental illness: the faith healer as a paraprofessional（プエルトリコのスピリチュアリストの精神疾患に対する見解―助手としての信仰治療者）」、『American Journal of Psychiatry』、１２７、３１２～３２１頁、１９７０年

Ⅵ　電磁波兵器および人権
ウォルター・マドリガー（スイス）、アンドレア・フリードバーガーおよびスウェットラナ・シューニン（ドイツ）**

皆様

まず、第５回シンポジウムで「電磁兵器と人権」に関する論文を発表させて頂く機会にご招待くださったクラウス・ディーター・ティエル博士とシンポジウム委員会の皆様にお礼を申し上げます。（非殺傷兵器に関するシンポジウム、２００９年エーリンゲン、ドイツ）

１．序文および献辞
マーティン・ルーサー・キング博士による序文：「我々の安全を約束し自由の見返りを尋ねる

者たちを警戒しなければならない。自由の（ための）代価は多分に不確実なものであろう部分、それでいて完全な安全のための代償は残酷（非道）であることを我々は認識しなければならない」。この論文はヘレン・ブリニコワ女史に捧げる。このロシアの科学者であり、軍事レーダーと（バイオ）ジェネレーターの専門家は、２００７年8月にモスクワの自宅アパートの台所の床で亡くなっているのが発見された。彼女は専門家証人としてヨーロッパ人権裁判所から召喚されていた。

物理学者でもあった彼女は、２０００年にはロシアの94都市で、指向性エネルギー兵器の市民への影響についての科学的調査も実施していた。彼女が亡くなる少し前に、彼女と自宅アパートに向けられた3～5㎝と20㎝の波長を伴う電磁放射や超音波について苦情を訴えていた。

本論文は、ペーター・ヘルウィッグとその他多くの犠牲者を追悼するものである。ベルリン出身の48歳、ワインダーかつCNC切断工であった彼は、電磁放射と音響放射を訴え、２００８年9月に自宅アパートで自殺に追いやられたのだった。

2. UDHRおよびニュルンベルク・コード

国連の世界人権宣言（UDHR）は60周年を記念した。世界中のすべての人々を対象とすることのマグナカルタは慣習法の一部であり、それを基盤として全世界で約80の法的拘束力のある国際および国内条約が誕生している。その中でも、１９５０年の欧州人権条約（ECHR）は、欧州評議会の全加盟国によって批准された。国際人道法であるIHLは、UDHR、１９４９年のジュネーブ条約および1977年の追加議定書にも触発され、制定されたものである。ジュネーブ条約は194か国によって批准されているが、追加議定書はすべての国が批准しておらず、その中には米国、イスラエル、アフガニスタン、イラン、イラクが含まれる。指向性エネルギー（DE）兵器（主にEMFおよび音響兵器）は、人間とすべての生き物の精神と身体に影響を与える。当該兵器は以下のさまざまな名称を持つ。サイコフィジカル兵器、情報戦争兵器、神経学的手段、情報操作手段、サイコトロニクス兵器、リモート・ニューラル・モニタリング手段、認知兵器、アクティブ・ディナイアル・システム、電子戦争兵器、神経言語プログラミング手段、行動変更手段、精神への侵襲性兵器、マインドコントロールと電子ハラスメント兵器、影響技術の手段、コンピューター化された洗脳機器、人をゾンビ化する装置、精神的および肉体的な病気を誘発する装置、敵対的監視の手段、人間を電気的に撃退する装置、大量破壊兵器など。

ICRCによると、これらの兵器の使用はジュネーブ条約第3条に抵触する可能性があり、ロンドンの著名人サー・ヒュー・ビーチによれば、1977年の第一追加議定書第336条および第35条2項、すなわちSims条項にも違反するという。拷問を禁止する欧州および国連条約は、あらゆる大国によって批准されている。この新しい種類の兵器は自覚のない、知らされていない人間にテストする必要があった。被験者は、ましてやそのような実験に対する同意もしていない。人体実験に関するニュルンベルク行動規範は、慣習法およびUDHRの一部を構成する。行動規範は10項目を列挙しており、ニュルンベルク軍事法廷によって戦争犯罪者のニュルンベルク裁判が実施されたのち、普遍的に採択されたものである。しかし、多くの国家機関は、新兵器の並外れた機能と質に魅了され続けてきた。そうした兵器は絶対的に静かで目に見えず、光速または音速で作動し、生物学的標的に痕跡をほとんど残さない。ほぼすべての障害物を貫通することができ、効果的なシールドを開発するのは困難であることが証明されている。遠隔かつ相手から見えない場所から操作でき、文民的かつ平和的な利用のみの電磁技術に紛れ込ませることが可能なため、最高の総合的監視ツールとしての機能を発揮する。攻撃者にとって理想的な兵器のすべての特性を持ち合わせるが、防衛側にも利点をもたらす。

3. 指向性エネルギー兵器の効果

これらの兵器の殺傷的で物理的に非常に強大な無力化効果については、ここでは考慮しないものとする。もしくは、それらを大量破壊兵器として認定することも行わない。同意のない実験の生存者と実験者自身のみが、こうした兵器の及ぼすその他の影響について語ることができるのだ。被験者たちは、個々の経験がどんなものであったのかに関わらず、こうした兵器実験によって受けた我慢に堪えない恐ろしく野蛮な拷問について、一丸となって語り始めた。彼らはみな、精神的および身体的能力を無効化し、多くの苦痛を引き起こす「電子強制収容所と心の奴隷化」について語っている。モスクワ出身のロシア人科学者兼政治家のJ・J・レオーノフ[1]、ボリス・ラトニコフ[2]、またはティモシー・L・トーマス[3]、M・A・パーシンガー医学博士[4]、ヘレン・ブリニコワ女史[5]、イゴール・スミニコフ医学博士[6]、キャロル・スミス[7]、ジョン・マクマートリー[8]、[9]またはロバート・ベッカー博士[10]によると、この「テクノトロニックで電子的なせん妄」はすべての人間に引き起こすことが可能であるという。突然、他人が自分の領域や心、身体を掌握するのである。これは考え得る最大のプライバシー侵害であり、その人は最も大切で最も価値のあるもの、つまり自分の自由と自由意志をはく奪されたことになる。もはや自分で自分自身の運命を決めることはできないのだ。それは、自分の行動に対してもはや責任を負わないことを意味する。こうした認知兵器はすべての人間の感覚を破壊し（11：4～10を参照）10））、人間を堕落させる。被害者は頭の中の声と音に苦しみ、目を閉じている時も眠っている時も、人工的な写真や映画のような夢（いわゆる鮮明な夢）に耐えなければならない、もしくは新聞のような文章を無限に読まされる。においや香りのせん妄にさいなまれ、味覚がおかしくなり、体を触られている感触に襲われる。身体のさまざまな部位の痛みだけでなく、望ましくない性的興奮、失見当、めまいもよくある症状だ。

1．ユーリー・ユーレヴィッチ・レオーノフ「Angels and Demons-FSB（Armaments of the Future）（天使と悪魔―FSB（ロシア連邦保安局）（未来兵器））」、『Zavatra』第43号、1999年10月26日

2．ボリス・ラトニコフ「Russians have psychotronic weapon to zombie people（ロシア人は人をゾンビ化するサイコトロニクス兵器を所持している）」、プラウダにて、2007年8月14日　http：//english.pravda.ru/science/tech/95965- psychotronic weapon-0

3．ティモシー・Ｌ・トーマス「the Mind has no Firewall（心にファイアウォールはない）」、『Parameters』１９９８年春号、米陸軍戦争大学季刊、84～92頁
4．マイケル・Ａ・パーシンガー『On the Possibility of Directly Accessing Every Human Brain by Electromagnetic Induction of Fundamental Algorithms, Perception and Motor Skills（基本的なアルゴリズム、知覚および運動能力の電磁誘導によるすべての人間の脳への直接的アクセスの可能性について）』、第80巻、７９１～７９９頁、１９９５年
5．ヘレン・ブリニコワ「The Russian Federation and the European Convention of Human Rights（ロシア連邦および欧州人権条約）」、セミナー論文、モスクワ、２０００年
6．イゴール・Ｖ・スミニコフ、ＺＤＦドキュメンタリー「Secret Russia-The Zombies of the Red Tsars（シークレットロシア—赤い涙を流すゾンビたち）」、ドイツ、１９９８年
7．キャロル・スミス「On the need for New Criteria for the Diagnosis of Psychosis in the Light of Mind Invasive Technology（心の侵襲テクノロジーの観点からの精神病診断の新基準の必要性について）」www.btinternet.com / _psycho socialNo13 / JPSS-CS2.html
8．ジョン・Ｊ・マクマートリー「Microwave Bio effect Congruence with Schizophrenia（マイクロ波生体効果の統合失調症との一致）」 www.slavery.org.uk
9．ジョン・Ｊ・マクマートリー「Thought Reading Capacity（思考盗聴能力）」 www.slavery.org .uk
10．ロバート・ベッカー『The Body Electric, Electromagnetism and the Foundations of Life（機械の体、

電磁気および生命の基礎）』、William Morrow & Comp、ニューヨーク、1985年

11. ニック・ベギーチ、ジーノ・マニング共著『悪魔の世界管理システム「ハープ」』、宇佐和通訳、並木伸一郎監修、学習研究社（ムー・スーパー・ミステリー・ブックス）、1997年

睡眠不足または居眠りの誘発も、精神的操作の明白な兆候である。身体のすべての筋肉は、自発的に動かしたり収縮させたりできるものだが、筋肉のけいれんや筋肉痛も定期的に報告されている。すべての感情を模倣または複製することは、心理操作者が好む活動の一つである。[12] 主に睡眠中に、人生のある期間の記憶を消去して、誤った記憶を埋め込むことが可能だ。催眠状態または説明のつかない症状を無意識のうちに実行、誘発できたり、身体の病気または精神病の症状を引き起こしたりすることが可能であれば、悪魔のような操作者は当然、非倫理的で強制的な行動を制限されることなく、被害者に対してこのような症状を日常的かつ永遠に与え続けるに決まっている。ジョセフ・メンゲレ博士またはトマス・デ・トルクマダ博士が誇りとするのは、こうした操作者たちに違いない。そうした知識のない精神科医と知り得た精神科医によって精神病または精神分裂病と診断された被害者は、当然精神病棟に送られ、確実に寿命より前に死亡するだろう。しかし、マインドコントロールの被害者が、診断されたことのある多数の症状や医学的に説明のつく状態を発症して精神病や心身症と診断されたケースは、40歳以上では存在していないことも知られている。当然、被害者の人生は奈落の底に徐々に突き落とされ、遅かれ早かれ生

きる価値がないほどまでに崩壊してしまうこともある。被害者は仕事や収入、家族や友人を失ってしまうことが非常に多く、社会に対して非常に疑い深くなったり、さらにはホームレスにさえなったりし、多くの法的問題や健康問題を抱えることになる。多くの場合、被害者が被る虐待には家や車が破壊されたりするなどを伴うものだが、ここでは物的価値のあるものは一切盗まれてはいない。そして、これらすべての犯人は説明を追及されることもないのだ。人間の尊厳については、被害者の法的、社会的および健康状態などを誰が助けてくれるというのだろうか。

12. アラン・W・シェフリン、エドワード・M・オプトン共著『The Mind Manipulators（心を操作する者）』、Gosset & Dunlap、ニューヨーク、1978年7月

要約すると、もし市民が新技術について全容をすべて知らされ、そして政府がその技術を民間人と軍隊に使用する計画のすべてを知ったとき、政府がその技術を使用すれば、必ず市民の政府に対する怒り、不安、暴動が勃発することになる。この完成度の高い拷問技術が現在広く使用されている状態、つまり、市民への包括的な敵対的監視と強制的な行動変更が行われている限り、国内平和は促進されないであろう。当該技術の適用は、世界人権宣言とＥＣＨＲで述べられている最も基本的な原則のすべてに直接的に反するものである。この技術によって犯された犯罪は、刑法によって起訴されなければならない。当該技術の想定される思考盗聴能力[13]に対して市民が確証を持ちつつあるとすれば、こうした情報は我々の社会にとって非常に多くの爆発的な力を内

包し、その結果大きな変化が非常に急速にもたらされることになる。こうした技術の健康と命を救う能力が人々から隠され続ければ、市民に社会不安が広がることも予想されるかもしれない。

4. 政府による否定、法律および秘密外交

何年もの間、政府は精神を改変させる兵器についてコメントすることを否定または拒否してきた。風向きは今や少し変わりつつあり、シークレットサービスは30年以上も存在するこの技術の存在をもはや否定してはいない。大学やカレッジの学長も然りである。技術の存在と使用に関するすべての証拠は膨大な量にのぼる。昔、国は軍事力抑制と軍縮のための公式事務所を設立した。そこでは、当該技術によって発生した問題が討論されており、国際的な解決策の模索と実現を目指している。間違いなく、国連はその模索において主導的な役割を果たすべきであるが、こうした努力の多くは依然として秘密のベールに包まれたままである。

13. ルドミラ・N・マランチュク『Reading Thoughts-or on what Bases the Modern Psychologist his Knowledge?（思考盗聴—または、現代心理学者の知識の根拠となるものは何か？）』

２００1年7月31日、ロシアは「兵器に関する法律」第6条ポイント1第7項を発表した。[14]この法律により、人間を傷つける電磁、光、熱、音響を放射する兵器や装置の製造と流通の禁止が施行された。公式宣言は次のとおり記された。「ロシア連邦の基本的方向性を維持するために

—市民の生命および健康の保護および公衆安全衛生の保証」。この決定に影響を与えたかもしれない理由が他にあるかどうかを考えることに意味はない。その後まもなく刑法の草案が策定され、兵器に関する法律についての新しい事実が刑法第221条（1～4）とジェノサイド条項第355条および356条において規定された。2002年9月、この草案に関する論説が発表された。その中で、科学者でありこの草案の執筆者でもあるセルゲイ・J・ボロシロフ[15]は、新技術および大量破壊兵器としての認定についての非常に広範な説明を行った。本草案は、処罰として最長20年の懲役を科すものである。ロシア連邦議会下院が批准し、プーチン大統領が署名したが、未だに公開されていない。ブルガリアはロシアと同様の兵器に関する法律を持っていると言われる。アメリカ政府[16]はそれほどの明文法を望んではいなかった。したがって、一部の連邦諸州は、銃器に関する法律内で電子および電磁兵器に関する新たな兵器基準を制定せざるを得なかった。2003年にはミシガン州、2004年にマサチューセッツ州、2005年にメイン州、2009年にはミズーリ州とカンザス州が、終身刑までの懲役を制定した。EUはまた、決議第27条で精神的変化を引き起こす技術を非難した。

モスクワ、保健省によって1996年7月1日に委託された研究論文

http://psyterror.narod.ru

14. ロシア連邦議会下院、兵器法第6条補遺、モスクワ、2001年7月26日

http://www.indiustice.orgiruss.9-05.html, http://www.mindjustice.org/1- 02-6html

15．セルゲイ・J・ボロシロフ「Draft law for the Criminal Code of the Russian Federation & Explanatory Notes（ロシア連邦刑法典の草案および解説）」、モスクワ、２００２年1月9日 http://mindcontrotwociay.net/files/draft law of the federal law-of russian fed

16．デニス・クシニッチ「H.R.2977」、第１０７回米国議会、２００１年10月2日宇宙空間保全法

４－０００５／９９、環境、安全保障および外交政策に関する決議。この決議でEUが関与した部分は、主にガコナ（アラスカ）のＨＡＡＲＰ（高周波活性オーロラ調査プログラム）、トロムソ（ノルウェー）のＥＩＳＣＡＴの巨大な無線設備をはじめ、ノボシビルスク、クラスノラルスク、グリーンランドおよびキプロスにある同様のプラントについてである。それらの施設は、同タイプの影響技術を広域に適用することが可能である。[17]

5．論説および最終結論

1．キャロル・スミス、精神分析医、英国、『Journal of Psycho-social Studies』（心理社会学ジャーナル）、第3巻。

「それは事実上、他者を迫害するための残忍な訓練である」「国家公務員たちは、こうしてすべてが任されているなかで、道徳の自己精査のプロセスから免除されているかのように思うのはもっともなことであるが、その任務は捕食被食関係において非人道的であるに違いない」「さら

に驚くべきことには、政府は残忍な組織によるこうした兵器の使用にさらされている市民を放置しており、こうした問題は民主主義と人権とは真逆なものである」

2．ピーター・フィリップ博士他「US Electromagnetic Weapons and Human Rights（米国の電磁兵器と人権）」、Global Research、２００８年7月7日、カリフォルニア州ソノマ州立大学。「人間の身体と心は聖なる聖域と見なされることが不可欠である。「本人の同意なしに人の体内を侵略することは深刻な人権犯罪である」

3．ディーン・ラディン博士（上級コミュニケーション教授）「ＥＵ決議 A4-0005/99、1999年1月14日、www.math.uni heidelberg.de/lozic/fstephan/europaparlatnent2、プリンストン大学、エジンバラ大学、ネバダ大学」「非電離ＥＭ放射は、個々の細胞から人間の行動に至るまでの生体システムに確実に影響を及ぼす」

4．ニック・ベギーチ博士『Earthpulse Flashpoints（地球パルスの引火点）』の編集者、科学、政治、教育に関する記事の執筆者、ＥＰの専門家証人、テキサス the Lay Institute of Technology（レイ技術研究所）理事

「監視なくしては、政府はそれら兵器に対する絶対的な支配を隠そうとするだろう。この技術は兵器技術としても、人命救助科学としても利用できるため、公の場で議論する必要がある。政府がこうした事実を隠蔽しようとするなら、我々にとっては大問題以外の何ものでもない」

5．エレナ・ブリニコワ、物理学者、セミナー論文「The Russian Federation and the European

Convention of Human Rights（ロシア連邦とヨーロッパ人権条約）」、モスクワ、２０００年。「ここ数年において、無線電子技術を使用した個人を標的とするテロに関する苦情が主に寄せられている。今日、我々は生命を脅かされている犠牲者だ。明日には、あなた方や子供たちが脅かされることになるだろう」

6．チェルニシェフ少佐、ロシア陸軍、ティモシー・L・トーマス中佐、米陸軍戦争大学、「The Mind has no Firewall（心にファイアウォールはない）」、『Parameter』１９９８年春号、84～92頁。「最初にこのような兵器を生み出した国家が、比類のない優越性を得るのは全くの自明のことである」

7．ロシア陸軍ボリス・ラトニコフ大佐「Russians have psychotronic weapon to zombie people「ロシア人は人をゾンビ化するサイコトロニクス兵器を所有している」」、プラウダ、２００７年8月14日。「数百キロ離れている場所からでも人々の頭を混乱させることが可能なジェネレーター。その兵器は人々の行動をコントロールし、精神に深刻なダメージを与え、さらには死に追いやることさえできる。人間への精神的影響の脅威は本当に計り知れないことを、人々は認識しなければならない」

8．私の見解において、この新技術の使用は、哲学的には聖書にある人間の堕落、そして楽園からの追放になぞらえることができる。包含的な思考盗聴および精神に影響を与える能力は、人類を二つの陣営に分断する。これらの兵器を使用する能力を持ち、かつ使用を許可されている「神のような」少数派と、自由や自由意志が奪われていく人々である。個人の自由と自由意志に基づく生命のすべての側面、地球上のすべての国家は最も深刻な危機に瀕しており、無機能化されることになる。今世紀の司法制度の大きな課題は、当該技術の使用の封じ込めと乱用の防止にある。

策定者たちはすべて異なる専門職を有し、指向性エネルギー兵器の使用に反対するヨーロッパのＮＧＯを支持している。

Ⅶ　ＩＣＴインプラントの倫理的側面
人体インプラント

以下の文面は、スウェーデンのグラン・ヘルメレン教授を議長とし、２００５年3月16日にＥＵ委員会に採択および提出された、倫理および新技術に関する欧州グループからの抜粋である。

約30ページの原文は、http://europa.eu.int/conun/european group ethics/index en.html にて読むことが可能である。

序論

情報通信技術（ＩＣＴ）は我々の生活に広く行き渡っている。現在において、この影響力が浸透しているのはパーソナル・コンピューター、携帯電話、ノート型パソコンなど、主に個人的目的のため又は職場で使用される装置である。新規開発の進展により装着（ウェアラブル・コンピューティング）や体内への埋め込みが可能になっていることから、これらの装置はしだいに人体の一部となりつつある。人間の能力を回復させるだけでなく向上させるために、ＩＣＴ装置を人間の皮膚の下に取り付けるという考え方は、それが脅威となったり恩恵をもたらしたりする空想科学小説的な観点を生み出す。

ＩＣＴ装置は人間の発明による製品である。それらが実現する機能は、ほとんどがシリコンなどの非生物学的な物質を用いたアルゴリズムによる計算に基づいている。これにより、生物学的及び精神的な機能の一部のシミュレーションが可能である……多様な技術的応用において適切で時宜を得た影響を及ぼすためには、現時点で倫理的な認識及び分析が必要となる。

科学的および技術的背景

本項では市販品として入手可能な、そして中には数十年間にわたって研究されているものもある、人体インプラントに関する情報を記載する。

「神経刺激」という用語は、機能電気刺激装置など筋肉を直接刺激しない技術に関連する。むしろ、神経刺激技術は電気神経活動を変更するものである。マイクロチップインプラントを用いると、継続的なモニタリングが可能になる。各チップがそれぞれ識別可能な周波数の信号を発信すれば、コンピューターに接続して目的の信号を捉えることで、装置を埋め込んだ個人を追跡することができる。受信機は携帯型であるため、どこからでも対象者の追跡が可能である。

医療装置

バイオセンサ又はＭＥＭＳ（微小電気機械システム）装置は、アクセスできない身体部分の正確なモニタリング用に人体内に埋め込むことのできるセンサーである。複数のバイオセンサがネットワークを形成し、対象者の健康状態を集合的にモニターする……送信される情報は法律によって保護される必要のある極めて重要な医療情報である。そのため、情報技術はこれら生体インプラントの重要な構成要素であり、このようなインプラントはエネルギー源、記憶容量及び計算能力とともに、手ごたえのある研究課題を提供する。

脳コンピューター・インターフェース（ＢＣＩ）又は直接的な脳制御：上記に関連した技術は通信技術である。脳から情報を取得し、その情報を外面化する。内面化する技術も存在し、この場合の目的は、外部から情報を取得し、その情報に個人がアクセスできるようにすることである。

機能強化または商用装置

コンピューター科学者は、今後20年以内に神経インターフェースが設計され、感覚のダイナミックレンジを広げるのみならず、記憶力を強化し、また「サイバー思考」、すなわち他者との目に見えないコミュニケーションを可能にすると予測している。

人工視覚：人工網膜の開発に伴い実施された最近の研究によれば、いつか赤外部の光を見ることができるようになる。

人間の尊厳

したがって、尊厳は特定の文化的背景に常に反しているとみられるとしても、普遍的、基本的及び不可避の考慮事項であるという結論に達することができる。この結論は、尊厳がユネスコなどの世界の文化全体を代表する国際組織によって採択される文書で言及される頻度が、しだいに増加していること（実際、ヒトゲノムに関する世界宣言では尊厳という言葉は15回使用されている）を重視すれば、現在では支持されているとみてよい。この観点から、尊厳は通文化的な概念となることは間違いない。しかし、また、この言葉に言及する際にある程度のあいまいさがみられることに注意すべきである。「尊厳」という言葉は個人の自主性及び権利に対する絶対的な尊重の必要性を伝えるために使用されるが、何らかの価値を課そうとして個人及びその行動を制御しようとする主張を支持するためにも用いられる。

非道具化：個人を単なる手段として使用するのではなく、常にそれ自体を目的とするという倫理的要件。

プライバシー：人のプライバシーの権利を侵害しないという倫理原則。

インフォームド・コンセント：患者が自由意志とインフォームド・コンセントなしに治療や研究にさらされないという倫理原則。

予防原則：この原則は、新技術の完全に予見できない影響、および人体へのＩＣＴインプラントを行う場合に関して、継続的なリスク評価の道徳的義務を伴う。この評価は特に現在及び未来の状況に関係し、その状況では人体に対するＩＣＴインプラントの使用が潜在的なリスクとして、又は人間の尊厳もしくは他の倫理的原則に対する潜在的な脅威としてさえ考えられる。

人体に対するＩＣＴインプラントの長期にわたる健康への影響に関する信頼できる科学的調査は存在しないことは強調されるべきである。

自主性及びＩＣＴインプラントに対する制限

外的な制御及び影響に関して個人の自主性が特に重要となるのは、電子的接続により外的実体との永続的関係を生じさせる場合に、人の行動が電子的接続を管理する実体によって決定され、あるいは影響を受けることを認めない権利との関係においてである。

倫理的背景

　現代社会は個人の人類学的本質に関係する変化に直面している。変化は徐々に進んでいく。ビデオ監視及び生体認証を通じて観察されたあげく、さまざまな電子装置により、例えば皮膚チップやスマートタグを装着させられ、個人の変化は進んでいく。そうして人は次第にネットワーク化された個人へと姿を変えていくのである。こうして我々は絶えず接続させられ、異なる形に作り変えられて、時折信号を送ったり受けたりしながら、行動、習慣、交際を追跡され明らかにされる。これにより個人の自主性の意味及び内容に変更が加えられ、人間の尊厳が影響を受けることは確実であろう。このように人体が変化するほどまでに、私的な特権が仮借ない侵害を受けているのであるが、同時に人間の尊厳に注意が払われてきているだけでなく、人間は憲法秩序の中心にいるというすでに述べた事実が認められてきている。

価値観の対立

　身体的精神的能力を高めるインプラントを得るために経済的資源を利用する個人の自由と、社会全体として望ましい、又は倫理的に受け入れられると考えるものとの間には対立があり得る。もう一つの価値観の対立は、他人にとって危険な人物の自由を監視によって制限することと、他人の安全性を高めることとの間の潜在的な対立に関係する。研究者の自由は、研究対象者の健康を保護する義務と対立する可能性がある。経済競争及び他の経済的価値への関心は、人間の尊厳に対する尊重と対立する可能性がある。一方の無制限の自由は他方の健康及び安全を危険にさらすことがある。他の諸分野でもそうであるように、自分自身の体にＩＣＴインプラントを使用する自由、すなわち自由の原則自体は社会にもたらす可能性のある否定的な影響と衝突する可能性がある。これらの場合には倫理的な助言とともに社会的政治的討論が必要となる可能性がある。そのようなインプラントが技術的に完全なものになれば、あらゆる種類の医療目的並びに合法的な社会的適用のために有用ではあるが、同時に社会保障の提供のために社会がしだいにそのような身体侵入性の技術に頼るようになってきており、このような状況を避けるためには立法措置が必要となる。その結果、ＥＧＥは、どのような条件で、またいずれの状況で、どのような身体機能の強化が許されるべきかについての持続的包括的議論の必要性を強調する。

将来の研究プログラム及び主要な倫理的懸念に関係する重要な知識不足がみられることはこれまでの項目内容から明らかである。以下の内容が挙げられる。

人間の尊厳、一体性および自主性

・当該インプラントは、特に人間の脳に埋め込まれる場合に、人間の自主性にどれほどの脅威となるのか。

・当該インプラントは人体および人間精神またはそのいずれかにどれほどの不可逆的影響を与えるのか。また可逆性はいかにすれば保たれるのか。

・それらが人間の記憶にどのような影響を及ぼすのか。
・ＩＣＴインプラントが人間の体の一部、特に脳の代わりとなったり補完したりする場合、人間は人間として存在できなくなるのか。何と言っても、ＩＣＴインプラントによって「ネットワーク化された人間」が創造され得るのであるから当然の疑問である。このネットワーク化された人間とは、絶えず接続させられ、異なる形に作り変えられて、時折信号を送ったり受けたりしながら、行動、習慣、交際を追跡され明らかにされる人間である。これが人間の尊厳に影響を与えることは確実である。

プライバシー及び監視
・ＩＣＴインプラントはプライバシーのどれほどの脅威となり得るのか。
・ＩＣＴインプラントは個人又は集団に、社会の脅威となり得る特殊な能力をどれほどに与えることができるのか。
・ＩＣＴインプラントがネットワーク環境で情報の発信・受信を行うことによってプライバシーが侵害される可能性はどれほどあるのか。
・我々はそのような装置又はそのような装置を使用する他者による支配に、どれほどまでに従わなければならないのか。

機能強化及び人間の自己認識

・「強化された」人間という考え方の背後に何があるのか。

・人間の完成可能性とはどのような意味か。

・ＩＣＴによる機能強化を基礎として向上した「人種」の創造は、必然的に新しい形の人種差別を意味するのだろうか。ＩＣＴインプラントを産業で用いることが可能になってきていることから、経済的目的のために、さらに高い能力を有する身体及び脳の創造に、ＩＣＴインプラントを使用することを制限するという問題が生じる。それはＩＣＴインプラントを用いることにより、人間の進化において文化的に一気に飛躍しようとする問題であり、これは機械の発明、又は（筆記、印刷、デジタル技術などによる）人間の記憶もしくは他の能力を補完し強化する装置の発明に類似している。人間の能力を強化するようなインプラントの使用はどこまで許されるべきなのか。

・（強化された）身体的精神的能力を人が自由に設計することなど、そのようなインプラントが「人体設計」と呼びうるものの一つであると、どこまで考えられるのか。

社会的側面

・社会的文化的環境はＩＣＴインプラントによってどこまで姿を変えるのか。

・当該技術によってどの程度まで広告による公告のための操作が可能なのか。

・当該技術はどの程度まで軍隊に悪用される可能性があるのか。

特に注意が必要なＩＣＴインプラント

・容易に取り除くことのできないＩＣＴインプラント。精神的機能に影響を与え、その機能を決定し、さらに変化をもたらすＩＣＴインプラント。

・ネットワーク機能により子供または障害者などの監視に利用されるが、いくつかの方法によりあらゆる種類の社会的な監視及び操作のために悪用される可能性のあるＩＣＴインプラント。

・神経系、特に脳に影響を与え、ひいては種としての人間のアイデンティティ並びに個人の主観性及び自主性に影響を及ぼすＩＣＴインプラント。

・軍事的適用。

・通常の感覚経験をバイパスする「侵入性」の技術。

・生物学的にまた文化的に将来世代に影響を及ぼすインプラント。

発展途上国における臨床研究の倫理的側面に関する意見書第17号

発展途上国における臨床研究に関して、ＥＧＥ意見書第17号でなされた推奨事項のほとんどは、ＩＣＴインプラントの臨床試験に関する本意見書と関連している。

このことは、医療装置が２００１年４月４日の欧州議会および委員会の2001/20/EC 指令によって扱われていないことから特に重要である。当該指令は、ヒトに使用する医薬品に関する臨床試験の実施に際して、医薬品の臨床試験の実施基準の具体化に関連した加盟国の法律、条令および管理規定の調整に関する内容であった。

人体のICTインプラントに関する一般的倫理的問題

「市民の権利と新技術：ヨーロッパの課題」(2000年5月23日)や「情報社会における健康管理の倫理的問題」(意見書第13号、1999年7月30日)などの以前の報告・意見において、本グループは、特に情報通信技術に関する以下に挙げるような重要な倫理的価値を確認している。

・人々が他人との境界を維持する権利に鑑み、プライバシーの保護(データの保護)を向上させること、またプライバシー、自主性及び機密性を維持すること。

・自由及び自主性を侵害する傾向、もしくは不透明又は理解できない選択・決定の仕組みに対する人々の依存性を高める傾向を有するシステム(ビデオ監視、行動制御、インターネット取引に基づく個人のプロファイリングなど)導入に反対する権利を人々に与えること。

人間は全くの純粋な存在でも全くの文化的な存在でもない。実際、その本質は自身を変える可能性に左右される。情報技術は人間の延長として、このような擬人化された関心の対象として検討されている。しかし、人体を変質させることは文化的な人間環境にも影響を及ぼす。こうした前提の下では、人間はデジタルベースで機能する自然的・人工的メッセージの複雑なシステムの一部と見なされる。この意味で人体はデータとみることができる。この観点が文化的に大きな影響を及ぼすのは、これによって特に人間の精神や言語などの高水準の事象が妨げられたり、主にデジタル化の視点からそれらの事象が理解されたりするときであり、さらに人体と言語と想像力との間の複雑な関係を単純化し過ぎる還元主義に陥るときだといえる。この推論を未来に外挿するなら、人類の変質をもたらす可能性さえあるだろう。

ＩＣＴ装置は「皮膚の下」のどの程度まで埋め込んでいいのだろうか。ＩＣＴインプラントは人間の尊厳、一体性及び基本的能力をいつ脅かすのだろうか。このような装置がいつ監視などに使用され、このような使用がどのような場合に適法になるのであろうか。能力強化が期待できるＩＣＴインプラントがどのように脅威となるのであろうか。結局、人体におけるＩＣＴインプラントについての問題は次の両極端の間に位置している。一方の端に、自然のままの人体の保護、すなわち健康管理のためのＩＣＴインプラントの医療上の使用があり、もう一方の端に、今日よく知られた人体の排除及び人工物による交換があり、あらゆる可能性がその中間にある。人間の尊厳は肉体化した自己としての人間自身に関わる。したがって、自己の自主性及び尊重という問題は、身体の管理及びＩＣＴインプラントに起因する変化の可能性という問題と切り離すことはできない。

ＥＧＥの意見：

こうした背景に基づいて、科学および新技術の倫理に関する欧州グループは、次のような意見を提出する。

同時に、身体は永久に未完成である。身体は、失われた機能又は未知の機能（手足の切断などの障害、失明、難聴などのこと）を回復できるように操作できる。又は、人間の幸福や社会的競争のために、スポーツ技能の強化又は人工脳器官の場合のように、機能の強化や新機能の付与によって、人類学的に正常な状態を上回る状態をもたらすことができる。我々は回復と機能強化の両技術に取り組まなければならない。それは身体管理という概念を拡大・修正し、ポストヒューマンな身体の「サイボーグ」の到来を告げることのできる、身体に優しい技術の増加に取り組むことである。身体構成をカスタマイズする可能性は確かに高まっており、技術によって身体を制御することを目的とする政策実施の機会も増加している。人体を装置へと徹底的に還元することはそのような傾向を強めるだけでなく、すでに指摘したことだが、人体をしだいに個人の継続的な監視を可能にするツールに変えていくことになる。実際、個人は自分自身の身体を奪われ、それによってその自主性も奪われている。結局、人体は他人の制御下に置かれることになる。自分の身体を奪われて、どう生きていくことができるのか。

ICTインプラントおよび人間の尊厳

人間の尊厳の尊重は、ICTインプラントのさまざまな使用に対して、どこに制限が設けられるかについての議論の基盤にならなければならない。
しかし、これらの場合でも、そのようなインプラントの使用は結果として、人権に反する差別又は乱用につながってはならない。
個人がICTインプラントによってICTネットワークの一部になっているのであれば、ICTインプラントのみならず、当該ネットワーク全体の働きを検討する必要がある。このネットワーク上の権力が分かりやすいことが特に重要である。これは人に敬意を払うという原則、並びに害を避けるという原則に基づいている。

研究の自由

研究の必要性が問題とされることがあるが、新しい知識は個人および社会の発展に不可欠である。しかし、研究の自由は他の重要な価値観及び倫理的原則の尊重により制限されなければならない。それは例えば、人に対する敬意、並びに研究に参加した結果としての身体的、精神的、経済的な害を避ける義務である。

ICTインプラントに関する研究への参加

情報を得た上での同意は、ICTインプラントの影響などに関する研究が健常ボランティア、又は患者に対して実施される際に必要となる。当該情報は生じ得る利益及び現在の健康上のリスクに関してのみならず、長期的なリスク、並びにそのようなインプラントが人々の位置を特定するために、また装置を埋め込んだ人の許可を得ずに、これらの装置に保存した情報にアクセスするために使用できるというリスクにも関係していなければならない。研究プロジェクトへの参加を中止する権利は常に尊重されなければならず、当該権利が実際にどのように尊重されるのかが参加者に明確にされなければならない。情報を得た上での同意は人体におけるICTインプラントの分野にも適用される倫理的原則である。しかし、年齢（小児、高齢者）または精神的健康状態により健康監視の理由のためにICTインプラントの使用が要求されている場合は、特に明細に記される必要がある。このことが欧州評議会の生物医学及び人権に関する条約に基づいてなされるときのみ、ICTインプラントは未成年者及び法的無能力者に埋め込まれるべきである。

健康目的でのICTインプラントの利用の機会は公平に与えられなければならない。これは、そのような利用し易さは経済力又は社会的地位ではなく、健康管理の必要性に基づくべきであることを意味する。

不可逆的ICTインプラント

情報を得た上での同意及びデータ保護（特にプライバシー及びデータの機密性）の要件は、ICTインプラントが不可逆的であり、重度の障害又は患者生命のリスクを伴わずには身体から取り除くことができない場合に、厳格に実現する必要がある。そのようなインプラントは、研究の目的が個々の研究課題に明確な治療上の有益性を与えることでなければ、研究目的には利用すべきではない。

精神的機能および人格的同一性

人格的同一性は、多くの倫理学によれば、道徳的責任をどこで引き受けるのかに関して極めて重要である。ＩＣＴ装置は、精神的機能の操作又は人格的同一性の変革のために用いるべきではない。身体的精神的一体性を尊重する権利など、人間の尊厳を尊重する権利はこのための基礎である。

人体についてのデータがそのようなインプラントを通じて生み出されることから、データ保護の原則はこの分野に適用される必要がある。プライバシー及びそのようなデータの機密性が保証される必要がある。個人には、自身についてどのようなデータが、誰によってどんな目的で処理されるのかを決定する権利がある。特に、誰がどのような目的で、そのようなデータにアクセスすべきかを決定する個人の権利は極めて重要である。人々の意志に対して遠隔操作を行うためにＩＣＴインプラントを利用することは、厳しく禁止されるべきである。

ＥＧＥの次のような利用法は禁止すべきであると主張する。

・ＩＣＴインプラントをサイバー・レイシズムの基礎として用いること。

・ICTインプラントをアイデンティティ、記憶、自己認識及び他者の知覚の変革のために用いること。
・ICTインプラントを、他人を支配するために能力を強化するために使用すること。

監視目的のためのICTインプラント

監視目的のためのICTインプラントは、とりわけ人体の尊厳に脅威を与える。それらは他人に対する権力を増大させるために国家機関、個人及び集団によって使用される。インプラントが人々の位置特定のために使用される（また、その人々についての他の種類の情報を引き出すために）。これは治安を理由として（囚人の早期釈放）又は安全を理由として（無防備な子供の位置特定）正当化される可能性がある。

情報社会の発展

EGEは人体におけるICTインプラントに関連する倫理的問題は情報社会全体の発展と密接に関連していると考える。EGEは世界情報社会サミットの原則宣言（ジュネーブ、2003年）で明示されたような、人間中心の包括的な開発志向の情報社会という構想を強く支持する。

公開討論および情報

どのような適用が受け入れられ法的に承認されるのかについて、広範な社会的政治的討論が必要とされ、とりわけ監視及び機能強化に関しては必要である。予防的方法がEGEによって推奨されている。加盟国及び各国の倫理評議会（又は対応する機関）が、このような範囲での教育のための条件、及び建設的で十分な情報が与えられた討論のための条件を創出する責任を担っている。

科学および新技術の倫理に関する欧州グループ　議長：グラン・ヘルメラン

メンバー：

ニコス・C・アリビザトス、イネス・ド・ボーフォート、ラファエル・カプロ、イヴォン・アングレール、キャサリン・ラブリュス－リイウ、アン・マクラーレン、リンダ・ニールセン、ペレ・プイグドメネク・ロセイ、ステーファノ・ロドータ、ギュンター・ヴィルト、ピーター・ウィタカー

Ⅷ 欧州議会が危険を警告、1999年、電磁界の潜在的な危険と環境への影響決議1815（2011）[1]

1．欧州評議会議員会議は、国連人間環境会議（ストックホルム、1972年）以降の数多くの憲章、協定、宣言、議定書に定められているように、各国が環境及び環境衛生の保持に対して責任を持つことが重要であると繰り返し強調してきた。そして議員会議は、この分野において自らが果たした成果について述べた。それはすなわち、環境と健康に関する勧告1853（2009年）、騒音と光害に関する勧告1947（2010年）、さらに広く言えばヨーロッパ人権条約の環境権に関する追加議定書作成についての勧告1885（2009年）、情報へのアクセス、環境政策決定への市民参加、司法へのアクセス‐オーフス条約の実施に関する勧告1430（1999年）である。

2．送電線や電気機器周囲の超低周波電磁界による健康への潜在的影響は、現在継続中の研究テーマであり、国民的な議論も盛んになっている。世界保健機関によれば、いかなる周波数であっても電磁界の環境影響が非常に頻繁に見られ、しかもその影響はとても急速に拡大しているため、こうしたことへの懸念や憶測が広がっているという。今やさまざまな国の国民がさまざまなレベルの電磁界にさらされており、その電磁界レベルは技術の進歩とともに増加し続けるであろう。

3．携帯電話通信は世界中で実用化されてきている。こうしたワイヤレス技術は大規模な固定アンテナネットワークや基地局に頼り、高周波信号を使用して情報を伝達する。世界各地には140万以上の基地局が存在するが、第3世代技術の導入に伴ってその数は著しく増加している。高速インターネット・アクセス及びサービスを可能にする無線LANなどの無線ネットワークもまた、家庭や職場、数多くの公共の場（空港、学校、住宅地、市街地）において急速に増加してきている。そして基地局やローカル無線ネットワークの数が増加するに従って、人々の高周波への曝露も増加する。

4．特定の周波数帯の電界や電磁界は医療に応用され、実に優れた効果を発揮するが、それ以外の非電離周波数（送電線に使われる極低周波、レーダー・電気通信・携帯電話通信に使われる高周波）は、それがたとえ正式な閾値以下のレベルでの曝露であっても、動植物や昆虫の場合と同じく人体に対しても潜在的に有害で、非熱的な生物学的影響を多かれ少なかれ及ぼすと思われる。

5．あらゆる種類及び周波数の電磁界放射の基準値や閾値について、議員会議は電磁放射線及び放射のいわゆる熱影響と非熱・生物学的影響の双方を扱うALARA（「合理的に達成可能な限り低く」）の原則を適用するよう奨励している。そして科学的評価により十分な確信を持ってリスク判断することのできない場合には、予防原則を適用すべきである。特に若者や子どもなどの弱者を含む人々の曝露が増大している状況だからこそ、早期の警告を無視するようなことがあれば、何もしないことから生じる人的・経済的損失が大幅に拡大する恐れがある。

6．議員会議が遺憾に思っているのは、予防原則を尊重するよう要求があり、さまざまな勧告や宣言が出され、数多くの法律・法令が改善されてきたにもかかわらず、既知のあるいは新たな環境健康リスクへの対応がいまだに欠如しており、そして対応策における組織的遅れが事実上見られることである。また、……

欧州評議会
http://assembly.coe.int/Mainf.asp? link=/Documents/AdoptedT..

効果的な予防策の実施。高いレベルの科学的・臨床的証明がなされるのを待ってから、周知のリスクを防ぐための行動を起こすのであれば、アスベストや加鉛ガソリン、喫煙の場合と同じように、健康や経済に非常に高いコストをもたらすことになるかもしれない。

7．さらに議員会議は、電磁界や電磁波の問題と環境や健康へのその潜在的影響は、医薬品、化学物質、殺虫剤、重金属、遺伝子組み換え生物のライセンス供与などといった、それ以外の現在

の問題に類似していると指摘している。それゆえ、環境とヒトの健康への潜在的な有害影響につ

いて透明かつ公正な評価を行うため、科学的専門知識の独立性と信頼性が極めて重要であると強

調する。

8.上記の検討事項を踏まえ、議員会議は欧州評議会の加盟国に対して以下のことを勧告する。

8.1.一般条項

8.1.1.電磁界の中でも特に携帯電話からの高周波への曝露、とりわけ頭部腫瘍のリスクが最も高いと思われる子どもや若者の曝露を低減するために、あらゆる合理的な措置を講じる。

8.1.2.国際非電離放射線防護委員会が設定した現在の電磁界の曝露基準は、深刻な限界があるため、その科学的根拠を再検討し、電磁放射線及び放射のいわゆる熱影響と非熱・生物学的影響の双方を扱う「合理的に達成可能な限り低く」（ALARA）の原則を適用する。

8.1.3.環境とヒトの健康に対する潜在的に有害かつ長期的な生物学的影響について、特に子どもや10代の若者、出産年齢である若い女性を対象とした、情報キャンペーンや意識向上キャンペーンを実施する。

8.1.4.電磁界に起因する不耐症に苦しむ「電磁波に過敏な」人々に対して特別に配慮し、無線ネットワークの構築されていない電波フリーエリアを作るなどして、彼らを守るための特別措置を講ずる。

8．1．5．コストを削減し、エネルギーを節約し、環境とヒトの健康を守るために、新型のアンテナ、携帯電話、DECT装置に関する研究を強化し、効率性を保ちつつ環境や健康への悪影響を減らす技術に基づいた、電気通信を発展させるための研究を推進する。

8．2．携帯電話、DECT電話、Wi-Fi、無線LAN、コンピューターや赤ちゃん監視装置などの無線機器用のWiMAXを私的に使用することについて

8．2．1．予防原則に従って、あらゆる屋内でのマイクロ波への長期曝露のレベルに予防閾値を設定すること。この閾値は0・6ボルト毎メートル（V／m）以下に設定し、中期的には0・2V／mにまで下げること。

8．2．2．すべての新型機器について、ライセンス供与前に適切なリスク評価手法を実施する。

8．2．3．マイクロ波や電磁界の存在、機器の送信電力や比吸収率（SAR）、機器の使用に関連するすべての健康リスクを明確に示すラベリングを導入する。

8．2．4．常にパルス波を発しているDECTタイプの無線電話や、赤ちゃん監視装置などの家庭用電気器具について、あらゆる電気機器がいつも待機状態であったとしても、潜在的な健康リスクが存在するということへの認識を深めるとともに、家庭では有線の固定電話を使用するか、それが無理であれば、パルス波を常に発することのないタイプの電話を使用することを勧める。

8．3．子供の保護について

8．3．1．さまざまな省庁（教育や環境、健康）内で、教師、親、子どもに対象を絞った情報キャンペーンを展開すること。その目的は、マイクロ波を発する携帯電話などの機器を、幼い頃から無分別に長期間使用することによる特異的なリスクに対して注意を喚起することである。

8．3．2．子供全般について、特に学校や教室内では、有線インターネット接続を使うようにし、小学生が学校の敷地内で携帯電話を使用することを厳しく制限する。

8．4．送電線と中継アンテナ基地局の計画について

8．4．1．高圧送電線などの電気設備は、住宅に危険が及ばないよう距離を置くという、都市計画措置を導入する。

8．4．2．新興住宅の電気系統を安定化させるために、厳しい安全基準を適用する。

8．4．3．ＡＬＡＲＡ原則に従って中継アンテナの閾値を下げ、すべてのアンテナを包括的かつ継続的に監視するシステムを導入する。

8．4．4．ＧＳＭアンテナ、ＵＭＴＳアンテナ、Ｗｉ－Ｆｉアンテナ、ＷｉＭＡＸアンテナの設置場所を決める際に、経営者の利益ばかりに従うのではなく、地方公務員や地域住民、関連する市民団体との協議も行う。

8．5．リスク評価と予防策について

8.5.1.リスク評価をより予防指向にする。

8.5.2.指標となるリスク評価尺度を作成することによりリスク評価の基準及び質を改善し、リスクレベルの表示を義務づけ、複数のリスク仮説を使用しつつ実際の状況との整合性を考慮する。

8.5.3.「早期警告する」科学者の声に耳を傾け、彼らを守る。

8.5.4.予防原則とALARA原則について人権優位の定義を打ち立てる。

8.5.5.とりわけ産業界から助成金を受けることや、健康リスクを評価する公的調査研究の対象製品を増税することによって、独立した研究への公的資金を増加させる。

8.5.6.公的資金を配分するための独立委員会を創設する。

8.5.7.ロビー団体に透明性の義務を課す。

8.5.8.市民社会を含むすべての利害関係者間において、多元的かつ相反する議論を促進すること(オーフス条約)。

1.2011年5月27日に議員会議の代理として常設委員会が採択した文書(文書12608、環境、農業および地方自治体に関する委員会の報告書。フス氏による報告)。

Ⅸ　大量破壊兵器　１９９８年４月７日

攻撃用マイクロ波兵器に関する国際委員会の声明

ペンシルベニア州フィラデルフィア。ハーラン・ジラール　概要

ソ連のアンドレイ・グロムイコ外相は、国連事務総長に１９７５年9月23日付の書状を送った。その中で外相は、総会の議題に新しいタイプの大量破壊兵器とその新しいシステムの開発および製造を禁止する協定草案を盛り込むことを提案した。この決議草案は同年度後半に１１２票対1票、棄権15票で採択された。棄権国の中でとりわけ目を引いたのは米国であった。基本的には、米国は１９４８年以降で新たに大量破壊兵器として特定されたものはなく、その存在の驚異は差し迫ったものではないと主張した。

１９７９年、ソ連は新しい大量破壊兵器を禁止する包括的な合意を求めることでその立場を明確にし、拡張草案協定の付属書には、当該兵器に開発可能と考えられる四つの技術を列挙した。放射線兵器の使用を禁止する条約に関する議論が実質的に始まり、米国は掲載されている他の三つの技術について知らないそぶりを続けた。米国はこのときすでに、掲載された四番目の技術である「生物学上の標的に影響を与えるために電磁放射を使用する手段」を保護するための広範な投資を行っていたのであった。実際、電磁放射の非熱効果を利用する兵器は、米国諜報機関の不満分子がカーター大統領政府を打倒するために使用していた。その試みは、もちろん最終的には

失敗に終わった。1969年以降、電磁放射の生体および健康への影響が特殊アクセスプログラムという暗闇に姿を消したとき、数万人もの被験者に対して殺人犯罪を含む重大な犯罪が犯された。クリントン大統領は1997年3月27日、「機密研究の被験者保護強化」と題する大統領覚書に署名した。この覚書は、1998年3月27日以降、連邦政府のいかなる組織も被験者のインフォームド・コンセントなしに、機密研究を実施または支援してはならないことを明確に述べている。それにもかかわらず、引き続き犯罪が犯されているのである。国務省の代表団は、脆弱で無力な国際刑事裁判所が設立されても、意味のない訴訟が行われるだけだと懸念を表明したが、それは本音を語っているわけではない。国務省は、意味のない訴訟を懸念しているのではなく、非常に深刻な訴訟、つまり文書による綿密な裏付けによって、その要人が人道に対する罪で起訴されることを恐れているのである。政府が恣意的に自国民を処刑し、長時間にわたって法的に認められていない殺害を実施することは、政府がそのような犯罪の中止を命令し、それに加害者が従わない場合とは全く異なる。クリントン大統領は、実施されている抑圧手段に対していかなる統制も行っていない。恐らく一度も行ったことはなかったのかもしれない。国務省が、新設の国際刑事裁判所を、成功裏に弱体化させることに成功するなど許されるべきことではない。

国際刑事裁判所の設立に関する国連準備委員会第6回会期における、攻撃用マイクロ波兵器に関する国際委員会の声明

ソ連のアンドレイ・グロムイコ外相は、１９７５年９月23日付の国連事務総長宛の書状にて、「重要かつ緊急事項」を国連総会第30回会期の議題に取り入れることを提案した。グロムイコ外相は引き続き以下のとおり述べた。

「……近年締結された合意は、特定の地域における軍拡競争を実際にある程度抑制しているという事実にもかかわらず、全地域において兵器の増強を抑止できるかどうかはまだ証明されていない。数え切れないほどの物的および人的資源を消費し、すべての国に弊害をもたらす軍拡競争は、目下継続されているのである。さらには、科学的および技術的成果が新型大量破壊兵器の製造に利用される危険性はますます現実味を帯びてきている。

したがって、ソ連は新型大量破壊兵器とその新システムの開発を禁止するための効果的な措置を国際的に講ずることが重要であると考えている。この問題は、より深刻かつ緊急を要しているが、いまだ国家間の合意には反映されていない。同時に、今日の科学技術は進化し、核兵器よりも一層危険な新型大量破壊兵器を開発・製造することが可能なまでになった。さらに破壊的で手ごわい大量破壊兵器が開発されて、科学技術の成果が軍事目的に使用されることを防ぐためには、当該兵器とその新システムの開発および製造を禁止する、適切な国際協定を策定し締結する必要があるだろう。

この協定は、そのような兵器の出現を効果的に禁止すると同時に、締約国の経済的、科学的、技術的進歩を阻害するものであってはならない。総会が新型大量破壊兵器およびその新システムの開発および製造を禁止する国際協定を締結する構想を支持する決定を採択すれば、軍拡競争の抑制、緊張緩和プロセスのさらなる進展と深化、そして平和と国際安全保障の強化に繋がるのである」。この驚くべき書状には、「新型大量破壊兵器とその新システムの開発および製造の禁止に関する協定草案」が付されていた。12月5日、第一委員会は類似の決議草案を99対1票、棄権15票で採択した。1975年12月11日、国連総会はこの決議草案を112対1票、棄権15票で採択したが、棄権国の中で目立ったのが米国であった。大多数の国は、新型大量破壊兵器には、使用方法、攻撃標的または影響の性質に関する新しい作用原則に基づいて、あらゆる種類の兵器を含めるべきであることを提唱した。米国は棄権しつつも、新しい科学的進歩は、兵器になり得る可能性が発生する都度、個別に対処すべきだと主張した。米国はまた、ソ連が新しい大量破壊兵器の可能性があるとして指摘した多種の開発は、すでに特定されたカテゴリーに分類されており、新型大量破壊兵器としてではなく、個別対応の文脈で対処すべきだと論じた。そして、米国が提唱したもっともらしい議論は軍縮会議において繰り広げられ、今日に至るのである。新型大量破壊兵器の問題は1978年に再び提起された。国連総会の本会議において、この問題に関し二つの個別の決議案を採択した。西側諸国と東欧諸国が、それぞれの利益を反映した決議案を各々共同提出した形である。ソ連は1979年、新型大量破壊兵器の禁止に関する包括的な合意を求めることによってその立場を明確にした。それは特定の種類の兵器を記載したリストを包含しており、将来的にそのリストに追加が発生する可能性および、特定の新しい種類の兵器が出現したときには、それらについて個別の合意を締結する可能性もあるとしている。ソ連はその明確な立場を裏付けるために、大量破壊兵器となる可能性のある兵器の種類を複数列挙した文書を軍縮委員会に提出した。

国際委員会は公共の利益のためにポジションペーパーの全文を添付している。

電磁放射兵器

１９７９年、ソ連が大量破壊兵器に繋がる開発を懸念する四番目の主要技術は、高周波放射であった。ソ連は、特に国際的な科学文献で引用された電磁放射の非熱効果に関する研究について言及した。米国は、非熱効果に基づいた生体プロセス制御兵器の武器庫を建設しつつも、電磁放射は非熱効果を持つことを否定し、また、ソ連が当該兵器に反対する意志を明確に表明したにもかかわらず、軍拡競争に追い込まれたとすることについても一貫して否定した。米国は、その生体プロセス制御兵器によって、全世界の人々を政治的および経済的要求に従わせることが可能だ。これは、国連への公正に査定された分担金の支払いを頑なに拒否してきたことや、そうした事後に同様の査定を再交渉しようとする姿勢にも表れている。また、国連本部が特定の大使や機関および職員に対して、生体プロセス制御兵器を使用していることを電信した記録もある。それは、国家安全保障局と連邦捜査局からなる軍事政権が、国連本部のやり取りするすべての電話、ファックス、無線通信を傍受したことからも明らかである。

50年前に米国とニューヨーク市から栄誉を持って迎えられて創立した国連は、今や米国の囚われの身となっているのだ。

1962年、海軍チームは、モスクワの米国大使館で盗聴装置の発見作業をしているときに、小さな信号を傍受したとされている。チームは、信号は最上階のうちの一つにある大使館事務所に向けられたものだと考えた。米国大使館に対して特定の照射が行われたかどうかはロシアしか知る由もないが、合衆国政府がそのような信号を検知したことは、全世界に多大な影響をもたらした。

CIA（中央情報局）は1965年、LSDの薬物効果の可変性が大きすぎるためにLSDを断念し、人間の行動を制御する他の手段の評価に着手した。1966年までには Project Bizarre（奇妙なプロジェクト）を立ち上げ、その頃までには「モスクワシグナル」と呼ばれていた電磁波の将来の可能性についてより深い検証を行った。1967年には国防高等研究計画局（DARPA）も参加し、サルに対するマイクロ波放射の影響のテストを開始した。DARPAの取り組みはパンドラ計画と呼ばれた。

その存在の唯一の記録は、機密研究の人体実験に囚人を使用したことに関する、1977年上院公聴会記録の数ページのみである。パンドラ計画に関する最終報告書は発行されておらず、この件に関して書かれた書籍も存在しない。1969年リチャード・ニクソンの米国大統領就任とともに、特殊アクセスプロジェクトの闇に葬り去られたのである。

攻撃用マイクロ波兵器に関する国際委員会が行っている活動は、研究で同意なく被験者にされた人々の事例報告から、現在生体プロセス制御兵器として知られる兵器製造へのＣＩＡとＤＡＲＰＡの関与を再現することである。これは、ＣＩＡが被験者の洗脳にある程度成功していることによって困難を極めている。特に、被験者から見て兵器はどこに設置されているのか、どの連邦省庁が被験者を拷問しているのか、そしてそもそも被験者がどのようにして研究対象になったかという点で、被験者の口頭の説明は完全に信頼しうるものではない。最も重要な研究の進展は１９７３年に訪れる。ウォルター・リード陸軍研究所にて、マイクロ波ビームは音波に似せて振幅変調することが可能であり、そして人間の脳によって音として認識されることが発見されたのである。実験は一度も公表されていないが、ジェームス・リンによる題名『Microwave Auditory Effects and Their Applications（マイクロ波聴覚効果とその応用）』という１９７８年の出版物の中で言及されている。実験は現在、人工テレパシーと呼ばれるものを生み出した。しかし被験者は、すべての感覚モダリティにおいて幻覚やさまざまな人工感情に襲われる可能性があり、その中の最たるものは紛れもなくパニックである。ソ連の平和イニシアチブが軍縮委員会（１９７９年８月１日）に提出された頃までには、ジョン・Ｆ・ケネディ大統領の暗殺をもたらしたものと同じフォースが再び動き出していた。今回は生体プロセス制御兵器を利用して、もう一人の現職大統領の暗殺をかろうじて回避することができ、その目標を達成したのである。カーター大統領がこうした運命を何とか回避できた理由は、我々でさえも彼のプログラムされた暗殺者マーク・デイビッド・チャップマンの存在について知っているという事実に裏付けされる。チャップマンは、ロナルド・ウィルソン・レーガンの選挙当選が確実となった僅か数週間後、二次標的であるジョン・レノンにその矛先を向けるよう仕向けられたのだ。ソ連が別の大量破壊兵器に進展することを恐れた電磁放射技術は、政治的統制の狡猾な道具へと開発されていたのである。それは1980年以来、恐らく1996年を除くほとんどの大統領選挙で何度も使用されている。1984年のグリーナムコモンの女性たちをはじめ、大人数のグループに試験が何度か実施された。その女性たちは、イギリスにある米空軍基地における巡航ミサイルの存在に抗議する複数の女性グループが緩やかに結成した団体であった。女性グループには、その他の試験も実施されている。

そうした経過において、秘密警察によるクーデターは英語圏では知られていないわけではないことは特筆すべきである。たとえば、オーストラリア総督は1975年11月、議会にウィットラム政権を退陣させた。これは実際に陰謀と証明されたわけではなかったが、CIAが大いに望んでいた動きとして広く認識されていた。さらに再び1976年、イギリスの諜報機関MI-5およびMI-6のメンバー（または関連する人物）が、ハロルド・ウィルソン英国首相を強制的に辞任させる役割を果たした。その後、CIAがカーター大統領政府を打倒するため、第二次世界大戦中にヨーロッパでOSS（戦略情報局）に所属していたウィリアム・ケーシーと、1976年にCIA長官に就任したと記憶されるべき、ジョージ・ハーバート・ウォーカー・ブッシュと手を組んだという前例が作られた。しかし、ケーシーとブッシュが犯した犯罪については、二つの特異な点が依然として存在する。首相とは異なり、アメリカの大統領は国家元首でもある。その結果、クーデターは憲法自体を攻撃し、米国を内戦状態に陥る脅威に貶めた。その脅威は、現在も未だに続いているのである。第二に、これまでに政府の首長を解任するために生体プロセス制御兵器が使用されたことは一度もなかった。しかし、電磁放射技術は大量破壊兵器として大きな可能性を秘めている。生体プロセス制御兵器は、単に導波管に接続された高周波無線送信機である。この技術は、多くの電気屋ですぐに入手できるものだ。高度の機密情報に分類されるのは、送信機に供給される波形である。しかしながら、大量破壊兵器として米国政府が入手してきたノウハウの大半は、実際には不必要なものである。実際、大量破壊兵器を製作するのに不可欠なものは、自律神経系に影響を与える信号のみなのである。そのような兵器は中性子爆弾に例えられるが、中性子爆弾の微量な残留放射能さえも伴わない。私よりも博識な人物たちが、生体プロセス制御兵器は人類の終焉、そして種の終わりをもたらすだろうと述べた。実際、これは控えめな表現である。人間の心臓の鼓動を停止させる信号は、恐らくその範囲内にいる他の哺乳類すべての心拍も停止させるからである。さらに、窒息させる大量殺人能力を持つものも存在する。しかしながら、これらすべては国際刑事裁判所の設立とどのような関係があるのだろうか。そうした時代から現在まで、つまり１９６６年から１９９８年までの期間において、ＣＩＡ（および米国政府のその他省庁）は生体プロセス抑制兵器の研究、開発、試験、および評価に関連する大量の殺害に従事してきた。無線およびマイクロ周波数の電磁放射は、堅固そうに見える壁や屋根（そして床）を自由に透過する。他のすべての殺害手段と同様に、電磁放射も透過の証拠を残さない。電磁放射で何万人ものアメリカ人を恣意的に処刑することで、政府高官や殺害を実施した幹部は開放感を得ていたことが証明されている。

１９８９年、議会はジョージ・Ｈ・Ｗ・ブッシュ大統領に、１９９０年代の10年間を「脳の10年」として宣言するよう要請し、大統領はそれに応じた。このように脳を研究する権限を与えられたＣＩＡ（および米国政府の他の省庁）は、さらに強力な恣意的処刑を多数実施し、次には神経科学研究という高貴な目的を掲げて、法的に認められていない殺害を正当化し、しかも長期間にわたって実施したのである。世界の独裁者たちは、拷問と殺人を「協力的な」被験者に対する医学的および科学的実験として分類するなら、人道に反する犯罪も人間の知識を進化させるものとして正当化できる、と述べている。１９９３年1月のクリントン政権の発足に先立ち、知らされていない、または同意のない被験者を対象とした機密研究の実施に対して、厳格な監視が行われることに我々は期待を抱いた。しかしながら、実際はそのとおりにはならなかった。政府研究が機密かどうかにかかわらず、政府研究の被験者を保護する連邦法は存在しない。合衆国のいかなる州も、政府研究の被験者を保護する法律を有していないのである。

進行中である国際刑事裁判所は、正義に対する我々の唯一の希望なのだ。米国の最高幹部が、信頼できる実行力ある法廷において裁かれない限り、米国の反人道的な犯罪は続き、世界の他の国々が危険にさらされることになろう。生体プロセス制御兵器、およびそれらが米国の敵（国内および外国の両方）に対してどのように使用される（使用されている）かについての情報は、ティモシー・L・トーマス著「The Mind Has No Firewall（心にファイアウォールはない）」、『Parameter』１９９８年春号を参照すること。『Parameter』は、米陸軍戦争大学、カーライル兵舎、ペンシルベニア州１７０１３-５０５０の出版物である。詳細と引用については、読者は攻撃用マイクロ波兵器に関する国際委員会に連絡することが可能である。我々の住所と電話番号は、添付の主要報告書に記載されていることにご留意願いたい。

X　攻撃用マイクロ波兵器に関する国際委員会
ペンシルベニア州フィラデルフィア

背景情報

ＩＣＯＭＷ（攻撃用マイクロ波兵器に関する国際委員会）は、１９９０年フィラデルフィアで設立され、非電離電磁放射線の生理学的影響に関する機密研究についての認識を一般大衆に広め、機密の医学的および科学的実験において、知らされていない（およびさらに同意のない）被験者を利用する、公共政策についての議論を促進することを目的としている。人体実験を機密化できるという事実は、被験者の非人道的な扱いを可能にし、政府が獲得し得る医学的または科学的利益をはるかに超えた、生命を脅かす研究プロトコルが繰り返し作られることを現実のものにしているのだ。他方で、被験者への機密実験では、対象者が利益や結果が得られることは一切なく、ましてや人類に恩恵をもたらすことなどあり得ない。

ＩＣＯＭＷは、現在３名の評議員会と６名の国際諮問委員会から構成されている。民間からの寄付とボランティアの奉仕で運営されている。法人組織ではなく、寄付は税控除の対象ではない。

ＩＣＯＭＷは、世界中で急速に増加している機密研究の同意のない被験者に安らぎを提供することを目的としている。実際、１９９４年以降被験者数は急速に増加しており、我々の限られた資金で達成できることは多くない。ただし、ＩＣＯＭＷは国際刑事裁判所を求める連合の現役メンバーであり、非人道的な犯罪の防止に注力している組織との正式な提携を行っている。

また、米国の「拷問およびその他の残虐な、非人道的または品位を傷つける扱いまたは処罰に対する条約」の遵守について報告を行うワシントンに拠点を置く連合にも参加している。知らされていない、または同意のない被験者に対して政府から資金提供を受けた医学的および科学的実験を行うことは、それ自体が処罰にあたり、拷問禁止条約によって禁止されているとの見解を我々は持っている。米国は現在、国連拷問禁止委員会に第１回拷問反遵守報告書を提出するまでに、２年以上の後れをとっている。

ＩＣＯＭＷは、中枢神経系と相互作用する電磁兵器に関する情報を取得して発信するという当初の目的を追求して、近年ニューヨークのＮＧＯ軍縮委員会に加盟申請を行った。

ＩＣＯＭＷは国際的なイベントは開催しないが、国内のイベントや地域のイベントの開催を随時検討している。出版もまた、進展が緊急に必要とされている分野である。

我々は、以下の国々において、機密研究で同意なく被験者となったと見られる人との連絡を継続して行っている。アメリカ、カナダ、イギリス、オーストラリア、ドイツ、フィンランド、スウェーデン、インド、パキスタン、アフガニスタン。

XI　ロシア語文書　１９７９年７月10日
社会主義共和国（パート）
新型大量破壊兵器とその新規システムの禁止問題に関する交渉

現在の科学的および技術的革命と、人類の全般的な進歩を加速させる科学の役割の前例にないほどの増加という文脈の中、新兵器の開発、そして特に危険な新型破壊兵器とそのシステムの開発に、科学的および技術的成果が利用される危険性が、客観的に見ても非常に高くなってきている。兵器開発によるプロセスは、周知の如く、一度開発が開始されると、止めることは非常に困難である。

したがって、ＭＩ‐６（英秘密情報部）の不可逆的な事態の展開を待たずして、新型大量破壊兵器が開発される可能性を未然に防ぐことが極めて重要である。この目的のために、ソ連は１９７５年、「新型大量破壊兵器と新規システムの開発および製造の禁止に関する合意」草案を国連総会に提出した。総会は、当該問題に関する国際協定草案の作成を軍縮委員会に要請した。

交渉の対象

ソ連はこの協定草案の議論が進展したことを考慮して、新型大量破壊兵器と新規システムの開発および製造の禁止に関する合意草案の増補版を1977年8月（CCD／511／Ray）に軍縮委員会に提出した。ソ連はこの文書の中で、他のすべての問題の前に解決しなければならない問題、つまり禁止事項の対象と範囲の問題に焦点を当てたのであった。

ソ連の協定草案の増補版は、新型大量破壊兵器と新規システムについての定義が、多くの国家間ですでに広く合意されている、1948年方式にできるだけ近いものになることを想定している。

ソ連は、禁止事項の範囲の問題に対して、一般的に容認可能な解決策をより講じやすくするため、禁止の対象となる新型大量破壊兵器の一般定義および、当該兵器の特定の種類とシステムの一覧の両方を協定に盛り込むことが有用であると考えた。

このアプローチは、大量破壊兵器の種類とシステムの概要一覧を含む、協定草案の増補版の付属書に反映されており、以下を包含する。

1．放射性物質を媒介として作用する放射線学的手段。

2. 生物学的標的に影響を与えるために荷電粒子または中性粒子を使用し、放射線障害を与える技術的手段。
3. 生物学的標的に影響を与えるために音響放射を使用するインフラソニック手段。
4. 生物学的標的に影響を与えるために電磁放射を使用する手段。

軍縮委員会の加盟国の見解を調整するため、ソビエト側は協定草案の増補版を作成することで、特定の新型大量破壊兵器とシステムを、個別の合意に基づいて禁止する可能性が生じた場合の対応を可能にした。したがって、禁止の範囲と対象に関するソ連の提案には次を含む。

(a) 禁止対象の具体的な兵器のリストを付属した、新型大量破壊兵器と新規システムの開発および製造の禁止に関する包括的な合意の締結。
(b) 禁止の新型大量破壊兵器のリストを将来的に補足する可能性。
(c) 特定の新型大量破壊兵器に対して個別の合意を締結する可能性。

特定の新型大量破壊兵器の開発の可能性に関する科学的および技術的根拠

潜在的な新型大量破壊兵器とシステムの概要一覧は、身体的影響、有害性または致死性を伴う結果を対象としており、それらに関しては人体ですでに徹底的に調査が行われている。科学と技術の対応分野の方向性の全般的レベルが高いため、近い将来には身体的影響が実際の兵器の実用的応用に活かされる可能性がある。

放射線兵器

放射線兵器が開発される危険性は、原則として、放射性物質が崩壊して生成される放射線を使用して、傷害または害を引き起こす可能性の中に存在する。放射性物質がヒトに与える影響は十分に研究されており、当該物質の放射性崩壊から生じる電離放射線の影響下で、生体構造が破壊する課程を指す。放射性兵器が開発された場合の影響は、核爆発で形成されてその地域に放射能汚染を引き起こす放射性物質の影響と類似したものとなると考える根拠は十分にある。放射性兵器が新たに開発される危険性は、世界の多くの国における原子力産業および技術の急速な発展によって高まっている。これによって放射線物質の広範囲な普及に必要な客観的条件が生まれ、当該物質が放射線兵器の開発に使用される潜在的な危険性が増加する。

核兵器の台頭の可能性を防止する必要性の問題について、国際的に幅広い合意が形成されている。放射性兵器の開発、製造備蓄および使用を禁止する条約の主要構成に関するソ連と米国の合同交渉は、現在成功裏に終了しており、当該問題に関して合意された提案は検討されるべく軍縮委員会に提出された。

2．生物学的標的に影響を与えるために荷電粒子または中性粒子を使用し、放射線障害を与える技術的手段。

荷電粒子または中性粒子を使用して放射線障害を与える技術的手段の開発に関する危険性は、原則として、生物学的標的に影響を与えるために、荷電粒子または中性粒子束（電子、陽子、中性原子など）を使用する可能性の中にある。そして、同様の目的に使用できるこのような粒子源を将来的に開発可能にするための科学的および技術的基盤が今現在存在することも、同様の危険性をはらんでいる。それと同様の目的に使用できる粒子が被害を引き起こす過程は、核爆発からの放射線が被害を引き起こす過程と多くの点で類似していることが、かなりの確実性をもって定説とされている。現在では、非常に強力な荷電粒子束または中性粒子束を加速器などで生成できるようになった。加速器は、高エネルギー物理学および原子核の研究や、農業や医学をはじめとする科学技術分野での研究に幅広く使用されている。すでに数か国は、エネルギーによって加速された粒子が数億の電子ボルトや中間子施設タイプの循環型加速を実現する陽子加速器、大電流連続電子加速器またはパルス電子加速器を稼働もしくは設置している。

各国は、荷電粒子を加速する根本的に新しい方法の開発に集中的に取り組んでおり、超伝導材料の開発が成功すれば、加速器システムのサイズと重量、ならびに運用に消費されるエネルギー源を削減することが現実的に可能となる。論理上、重量と寸法が兵器に利用可能な域に達することができれば、強力な加速器デバイスの開発へと道が開かれることになる。こうしたことが実際に起きている可能性については、米国議会での公聴会の公開報告書や、米国メディアで承認されているその他資料（5〜7頁）から見られるように、加速された荷電粒子または中性粒子束を使用して兵器を開発する目的で、米国で実施されているプログラム研究から直接的な確証が得られる。（・・・）

以下は、デニス・J・クシニッチ下院議員（民主党、オハイオ州）が提出した法案の約25%にあたる抜粋である。それによれば、目に見えない大量破壊兵器によって他国の国内問題に干渉するなど、米国が使用している、まだ議論されていない遠隔制御による洗脳技術についての概要を知ることができる。

XII　2001年宇宙空間保全法第107回議会H・R・2977、2001年10月2日

クシニッチ氏は以下の法案を提唱した。これは、軍事委員会および国際関係委員会をはじめ、科学委員会にも付託された。

法案

米国による宇宙への兵器設置を永久に禁止することにより、全人類の利益のために協力的で平和的な宇宙の利用を維持すること、および宇宙ベースの兵器を禁止する世界条約を採択、および施行するための措置を講じるよう大統領に要求することを目的とする。

本法案は以下を規定する。

（1）「宇宙」という用語は、地表から60㎞を超える高度から上方に拡張している全空間、および当該空間内のすべての天体を意味する。

（2）（A）「兵器」および「兵器システム」という用語は、以下のいずれかの能力を備える機器を意味する。

（i）以下の手段による（宇宙空間、大気中、地球上のすべてにおける）物体の損傷または破壊。

（Ⅰ）一つ以上の発射体を発射して、その物体と衝突させる。

（Ⅱ）その物体の至近距離で一つ以上の爆弾を爆発させる。

（Ⅲ）分子または原子エネルギー、亜原子粒子ビーム、電磁放射、プラズマなどのエネルギー源を誘導する、（・・・）

推奨事項：

1．委員会は、ＵＮＩＤＩＲ（国連軍縮研究所、ジュネーブ２００２年）が大量破壊兵器として認定した、マインドコントロールを伴う非自発的人体実験について何らかの進捗を得るには、１９７５年から今日までの調査を延長しなければならない。

2．知り得ている被験者は、新規委員会に参加すべきである。

3．「精神疾患の診断・統計マニュアル（ＤＳＭ）」、およびＷＨＯの精神疾患のICD-10は、北欧文化（アメリカ文化ではない）に適合するよう修正する必要がある。これは、通常人間が精神疾患として診断されること、および、新型非殺傷兵器技術（ＭＫ）による症状に、精神医学上のラベリングを行うことを取り去ることを意味する。

4．Nordiske helsedirektermste の年次の「Circulus annulus」は、DSM. ICD-10の精神疾患のテーマで、非殺傷兵器のマインドコントロールを対象とした誤ったラベリングについて取り上げるべきである。

5．すべての医学学校は、非殺傷兵器によるマインドコントロールの鑑別診断、つまりコントラ精神障害の重要性について再認識を促されるべきである。医学部精神科での教育講義、および年次の大学院でのノルウェー医師会（Den Norske Legeforening）セミナーでは、これまで一切実施されたことのない鑑別診断を医師たちに教える必要がある。

6．患者や囚人への残忍で非人道的な電気ショック、放射線、電気的および化学的ロボトミーは、法律で禁じられるべきであることを勧告する。医療および歯科医療従事者は、マイクロチップを埋め込むことによって、兵器産業を支援してはならないという情報を提供されるべきである。

7．民間人および軍隊に対して非殺傷兵器の実験を実施することを禁止する法律を策定する。

8．欧州議会は１９９９年1月、人間の行動に影響を及ぼす技術を世界的に禁止することを提唱した。当該委員会は、この決議案に同意することを推奨するべきである。

9．委員会または政府は、ノルウェーの軍事医療施設に対し、アメリカとノルウェーの資金にて兵士および民間人を対象に行われた実験を明らかにするよう要請するべきである。また、WHOのノルウェーでの人体実験プロジェクトの報告書を要請するべきである。

10．ノルウェーでは、人権と市民のプライバシーを侵害する合意のない人体実験に関する、公の議論の必要性が非常に高まっていることを喚起するため、委員会は当該報告書がマスメディアの注目を集めるように取り計らうべきである。

XIII マインドコントロールおよび電磁兵器—被験者の組織、および「マインドコントロール」、電子的な監視と拷問に関する詳細な情報資料

マイクロチップは「スマートダスト」とも呼ばれ、光から振動まですべてを検出できる小型でワイヤレスの微小な電気機械センサー（MEMS）である。各々は、計算回路、センサー、双方向無線通信技術、および電源で構成されている。モードは、データのカスケードを収集し、計算を実行し、モード間の双方向無線を使用して通信する。商業用途と軍事用途は異なり、すでに社会に大きな影響を与えている。現在、一部の国では、過疎化プログラム「smartmettershardercom」の一部として、すべてのワイヤレスデバイスにスマートメーターが義務付けられており、我々は現在世界的な健康危機に瀕している。中国はすでにバーコードの代替となるチップを10億

個注文している。多くのクレジットカードをはじめ、運転免許証、パスポートにはすでにチップが内蔵されている。ＩＢＭの追跡ユニットは、すでに博物館、バス停、空港など至る所に設置されている。スキャナーを持っている人は誰でも、すれ違いざまにリーダーを使って相手の財布から情報を取得することが可能だ。もう隠せるものは何もないのである。我々はすでに、犯罪者の心が、人々すべてを完全に支配していることに、ストレスを感じる西洋の世界に住んでいるのである。これは自分たちの子供たちに住んでほしい世界なのだろうか。もちろんそうではない。コンピューターや衛星で操縦されたマイクロチップを埋め込まれた人々はサイボーグであり、自分の考えや感情や言動を持つ自由な人間はもはや存在しない。一般市民を、最先端技術を持つ生物学的ロボットのように扱うエリートたちの態度を変えるには、市民がまだ知る由もない何か大きなことが起こらなければならない。

世界の人口の大多数が今日の権力によって無知のまま支配下に置かれているのだとすれば、壊滅的な状況を変えるために何ができるかを考えるのは皆止めたほうがよい。ほぼすべての人々は「眠ったまま」であり、なぜこの人生においてこの惑星、この国、この人種、この性別に生まれついたのかを知らずにいる。変化はあなた自身、そして今、我々すべてから始まるのだ。

私は第一次イラク戦争の映画をかつて観たことがあり、その中では、脳に直接命令を与えるのにマイクロチップでさえ必要でないことを証明していた。兵士たちは長く生きるために食料と水を持って掩体壕の中に座っていた。米軍機が掩体壕の上空を飛行しており、アラビア語を話す通訳が電磁ビームを介して降伏するよう命令した。マインドコントロールは功を奏した。兵士たち全員が掩体壕から手を上げて出てきたのだ。そして、彼らを出迎える者は誰もいなかった。米軍機は行ってしまったあとだったのだ。さらに、後にはイラク人大佐が降伏するために手を上げて出てきた。が、降伏する相手はどこにもいなかったのだ。着陸しなかったヘリコプターが1機飛び去って行ったのみであった。これは、人工テレパシーと呼ばれるボイス・トゥ・スカルテクノロジーを使用して、人々の行動を完全に制御するための戦争実験だったのである。英国の精神分析家キャロル・スミスは、政府は平時においても残忍な組織によるこうした兵器の開発に市民をさらしており、懸念すべきはその状況がまさに民主主義と人権に反していることだ、と述べている。ディーン・ラディン教授は、プリンストン大学、ネバダ大学、エジンバラ大学の最先端通信学専門であり、非電離放射線は、個々の細胞から人間の行動に至るまでの生体システムに、明らかに影響を与えると語っている。

XIV　50年にわたって秘匿されてきた不処罰の政府犯罪—要人の否定と被験者と内部告発者に対する嘲笑

「大統領府はアメリカの自由を破壊する陰謀を煽るために利用されてきた。そして私は任期を終える前にその陰謀を市民に公表しなければならない」コロンビア大学にて、ジョン・F・ケネディ、暗殺の10日前。

以下はその例である。

（最初の機器は朝鮮戦争に端を発する）（ウォータリード陸軍研究所のジョセフ・シャープ博士は１９７４年にボイス・トゥ・スカルマイクロ波を実行した）（ＮＡＳＡの論文では、パルスマイクロ波信号を介してボイス・トゥ・スカルが我々の頭蓋骨へ「ゲートウェイ（侵入）」することを確証した）（湾岸戦争で米軍が大量降伏を促すために使用した超音波変換音声）（１９８０年代初頭以来、米国空軍は日常的に電子マインドコントロールを公然と実行してきた）（ＭＫウルトラ計画、オーリコウ訴訟、ボナッチ訴訟では、そのようなプログラムの動機と手段が多数存在していることを明確に示している）そして、ＭＫウルトラ計画の加害者は一人もその残虐行為に対して刑事告発されなかった）（１９４４年〜１９６０年代の人体放射線実験では、残忍な非自発的実験が市民に対して秘密裏に行われており、犠牲者は「狂気の沙汰」であると主張する政府によって、口封じされていたことがわかっているが、現在はクリントン大統領が認めている。これらの残虐行為に関する聴聞会の証言は、マインドコントロールとの関連性を示している）

クレジット表記：本ウェブサイトはエレノア・ホワイトが管理しており、「私の」サイトではない。

本サイトの情報は、多くの共同被検者の精力的な努力、または被験者に対する超低周波（ＥＬＦ）または極超低周波（ＵＬＦ）のエネルギー放射、または（Ⅳ）その他の未確認または未開発の手段［（ⅱ）ヒト（またはヒトの生物学的生命、身体的健康、精神的健康、または肉体的および経済的健康）］に関して記載するものである。

（Ⅰ）（ⅰ）項またはサブパラグラフ（B）に記載されている手段のいずれかを使用する。

（Ⅱ）情報戦争、感情管理、または個人もしくは人口のマインドコントロールを目的とし、個人または標的とされた市民に対する放射線、電磁気、サイコトロニクス、音波、レーザーまたはその他のエネルギーを使用した陸、海、または宇宙ベースのシステムを介する、または、

（Ⅲ）人の近くに化学物質または生物兵器を放出する。

（B）そのような用語には、

（Ⅰ）電子兵器、サイコトロニクス兵器、または情報兵器などのエキゾチック武器システムが含まれる。

（Ⅱ）ケム・トレイル。

（Ⅲ）高度超低周波兵器システム。

（Ⅳ）プラズマ、電磁、音波または超音波兵器。

（Ⅴ）レーザー兵器システム。

（Ⅴ）戦略、戦域、戦術、または宇宙兵器。

（Ⅵ）化学、生物、環境、気候またはテクトニック兵器。

C.「エキゾチック武器システム」という用語は、地球や宇宙における対象市民や地域を損傷・破壊するこ

とを目的として、電離層や上層大気や気候、天候やテクトニックシステムなどの宇宙や自然のエコシステムを損傷させるために設計された兵器を含む。

XV　米国空軍による心理戦の新兵器の導入

3／9ページ

以下の米軍論文「Information Operations : A New War Fighting Capability（情報作戦：新しい戦闘能力）」からの抜粋は、1996年8月に米国空軍に提出された調査文書である。国防総省学校のウィリアム・B・オズボーン中佐とその同僚であるスコット・A・ベセル少佐、ノーレン・R・チュー少佐、フィリップ・M・ノストランド少佐、ユー・リン・G・ホワイトヘッド少佐によって編纂された。彼らの説明にあるように、この論文は、空軍の首席補佐官からの指令に準拠するように設計された研究であり、将来的に米国が空と宇宙の優位性を維持するために必要な概念、機能、および技術を調査する。この論文は、米国空軍国防総省学校が発行した広範な文書からの短い抜粋である。

この論文の一部は、本抜粋が具体的に言及する、脳とコンピューターのインターフェースの情報技術を主に扱っている。一般的に、技術とは情報源とコンピューターの相互作用を指し、支配者は自分の脳をそれらに接続することで、レポートに記載されている「ユーザーの要求に基づくメンタルの視覚化」を達成する。この無制限の可能性により、支配者たちは地球上のあらゆる地点で起こっていることすべてを知り、関わり合うことができ、そして他国の大半に対して大きな優位性を持つようになる。報告書の中で支配者たちは、「……ミニ衛星はあらゆるスペクトルにおいて全世界を網羅する」と述べているが、これは最先端のスーパーコンピューターが現代の通信技術と連携して達成できる絶対的なパワーを浮き彫りにするものである。

また、支配者がどのようにして自分自身を他人の脳に接続させ、他人が見ているもの、行っていること、考えていること、感じていることや、これからしようとしていることを簡単にのぞき見ることができるのかについても、明らかにしている。報告書が正しく描写しているとおり、それはまるで「究極のバーチャル旅行」である。

米国空軍国防総省学校

情報作戦：新型戦闘能力、１９９６年8月

インプラント用マイクロスコピック（微視的）チップ

埋め込まれたマイクロスコピック・ブレイン・チップは、二つの機能を実施する。まず、個人をヒューマンコンピューター（ＨＣ）システムにつなぎ、ユーザーと情報源間のシームレスなインターフェースを作成する。基本的に、チップは処理された情報をＨＣからユーザーに中継する。二つ目に、チップはユーザーの要求に基づいてコンピューター生成のメンタル視覚化を作成する。

人間とコンピューターシステムの統合は、最終的な技術分野において極めて重要な先導的役割を果たす。人間のシステムとバイオテクノロジーは、人間とコンピューター間のシームレスな情報の流れを生み出す可能性を提供する。人間の認知プロセスを搾取することによって、情報を必要とされるものを正確に提示するように作り変えることが可能だ。本セクションは二つのパートから成る。一つ目は、脳に出入りする情報を把握することである。二つ目は、ビジュアルイメージング技術を使用してデータを表示する方法である。ユーザーはこのような技術を習得することで、脳に直接インプットする情報を選択できるようになる。権限を与えられた個人が状況の更新と分析を必要とする場合、ユーザーは埋め込まれたチップを介してヒューマンコンピューター（ＨＣ）衛星に接続される。この能力によって、医学の進歩のための優れた商業的な応用が可能となるであろう。これらの進歩は、神経系、聴覚系、視覚系を損傷した患者の回復を助け、また個人が究極のバーチャルリアリティの旅行に行くことを実現させてくれる……コンピューターは、人間の情報処理のほぼ全分野で重要な役割を果たすことが可能だ。そうした潜在的な可能性は、人間の意思決定を支援する情報を整理する機能の中に見出すことができる。コンピューターは、人間の脳細胞が想起できるよりも多くのオプションを創り出すことが可能だ。実際、コンピューターは情報の保存と呼び出しに最適な媒体となった。ヒューマンコンピューターシステムは、インテグレーション・コンステレーション、または全ソースから情報を受信できる「スマート」衛星コンステレーションである。ヒューマンコンピューターシステム内では、常駐インテリジェントソフトウェアが意思決定支援ツールを実行し、データを関連付けて有用な情報に纏め上げる。インフォメーションギャップを埋めるためのデータを探求するため、不整合やインフォメーションギャップ、タスクコレクターを特定する。ミニ衛星によって補完された恒久衛星の多様なコンステレーションは、すべてのスペクトルにおいて全世界を網羅する。コレクションの開発は、小型衛星と恒久コンステレーションの間の全リンクがシームレスになり、小型衛星の開発が要件に見合うようになる２０１５年頃まで成長し続けるはずである……全世界がすべての回線でアクセス可能となり、顧客が利用できる伝送サイズまたはタイプにまったく制限が掛かっていない場合に、通信容量はピークに達する……

コンピューティング・パワーは容量において増加し続け、新期間では18か月ごとに倍増する。まず、将来の作戦で必要となるのは、通知を受けた瞬時にエアロスペース能力を稼働できる準備が整っている、非常に柔軟かつ機動性のある部隊である。チップによって、部隊は軍事作戦を伝達、視覚化、および実行することが可能となる。「物理的な」プラットフォームまたは空間を管理および稼働する必要があるということは、機動性が妨げられ、リアルタイムな遅延が発生する。米国の航空宇宙軍は、非常に短期間のうちに、世界中のどこでも機動作戦や特殊作戦を展開する準備ができていなければならない。ただし、これらの作戦の一部は米国本土から直接展開される場合がある。サイバー状況はあらゆるレベルの戦争に適用できる。戦略的および作戦レベルにおいては、ユーザーがグローバルな活動を監視し、状況の進展を分析し、戦闘空間を監視および制御し、戦闘被害を評価して再編成することが可能となる。戦術的には、敵や友軍の情報をタイムリーに伝えることで、戦闘空間の状況を認識できるようになる。すべてのレベルにおいて、意思決定者と分析者はサイバー状況から戦闘空間の作戦を調整、対応、および実行することができる。報告書の執筆者たちは、これは自分自身の見解であり、公式な政府政策との関係性はないと慎重に述べている。ただし、複数の米国公文書および報告書では、当該技術が軍事および民間、国内および国際の両方における最も広範なプロジェクトに適用されていることが確認されている。部隊のすべての米軍支部は、米国保健省などの民間機関とともに、ニューラルネットワーク協会として知られる技術開発に関する組織化された協会に関与している。

１９９１年の米軍支部の会議では、支部が３５０カ所の医療センターや大学などでブレイン・コンピューター・テクノロジーの１０００以上のプロジェクトを代行し承認したことが明らかにされた。同会議において、米国空軍がその世界的展開力を通じて世界平和を供与するという宣言もなされた。本省は軍事衛星を管理しているため、こうした高度な無線システムを使用することが可能なのである。これは最も重要かつ目に見えない静かな兵器であり、それを使用すれば、宇宙衛星を介して世界中の国の人々や、生体および電子システムを制御し影響を及ぼすことができる。報告書で言及されているように、本議題はサイバー（つまり制御の科学）と同義である。本主題は、公式と呼べるかどうかにかかわらず、実際に米国の最も重要な政策であり、その開発は少なくとも現在まで30年間継続されている。研究論文である「DATORHJARNOR」（スウェーデン語）および「THE BRAIN OPERATION in THE BRAIN WALL（脳の壁の中のブレイン作戦）」は、この現実およびニューラルネットワークとそのプロジェクトについての詳細な実態を示している。

XVI　ロバート・ネスランド『WHEN THE STATE RAPES（国がレイプするとき）』、２０１３年

陰謀論に関連する用語は、実際には50年にわたって実施されているテクノ・ポリティカルプロジェクトのことを指す。最初のスーパーコンピューターの開発によって、心、脳および行動を制御するシステムが確立された。これはサイバネティクスという新しい科学の一部であり、１９４８年にアメリカ人のノーバート・ウィーナー教授が、それと同じタイトルの本を出版したときに公開された。

研究者によるマインドコントロール・プロジェクトは、ほとんどの場合機密とされ、行動や認知操作に気付かれないように注意深く選択した手段によって人々をコントロールする。すでに半世紀以上前から、思考、記憶、視覚や聴覚などの感覚機能を妨害することが可能であった。サイ

バネティクスは、接触したものを測定および分析できるだけでなく、これら感覚機能のプロセスを変更することができる最初の科学でもあった。

しかし、軍隊がそれを引き継ぎ、秘密裏に開発したのだった。科学者たちはイノベーターとなって価値を作り上げ、そしてそれに協力する研究者を選定した。当初から、その問題についての議論は繰り広げられていた。科学雑誌『Science』の1956年11月号の「人間の行動の制御に関する問題」という見出しの下で、カール・R・ロジャーズ教授が14ページにわたって次のように述べている。

If there is no freedom inside here, there is none elsewhere.

「我々は増大する知識を利用して、これまでに夢にも見なかった方法、つまり親になる機会を奪うという方法で人々を奴隷化することを選択できる」

そして、その政治的利用の可能性にも言及した。

「これは、ユートピストが支持するすべての独裁政権のなかで最も奥深く、なりたての独裁者はこのユートピアにおいて政治的実践に関する手引書を見つけるかもしれない……」。しかし、民主主義諸国において乱用される可能性について言及した。これは多くの人を怖がらせた。米国では、危険について真っ先に警鐘を鳴らす人々が本を出版し、論文を執筆し、講演を行った。遠隔操作技術による人間の搾取という脅威が明らかにされた。アメリカのヨースト・メアロー精神医学教授は、著書『The Rape of the Mind（精神強姦）』（１９５６年）を出版し、次のように述べている。「現代の政治経験の悲劇的な事実は、応用心理学の手法が国全体を洗脳し、市民をある種の心を持たないロボットに変貌させることが可能であり、それが彼らにとって通常の生き方となる可能性を現実として突きつけるのだ」。

１９６８年、精神分析医で社会哲学者であるエーリヒ・フロム博士は、著書『A Revolution of Hope（希望の革命）』を出版し、次のように記している。「それは共産主義かファシズムの古い幽霊ではない。そこでは人間自身が機械の一部になった、完全に機械化された社会なのである」。『ニューヨークタイムズ』紙が社説〔Control CIA Not Behavior（人々の行動ではなくCIAを制御せよ）（１９７7年5月8日）〕を掲載し、その意見を表明するまでに9年もかかった。したがって、ＣＩＡから次々と現れる恐ろしい話のリストに、不快な医学実験を追加するべきである。かつてＣＩＡが人間の行動を制御する手段を必死に探し求めていたことは公知の事実である……。しかし、マインドコントロールを駆使した行動技術は引き続き行われていたのだ。またすべての欧州諸国においても、人々はインプラントを埋め込まれ、そして搾取された。スウェーデンのエルメレン教授を議長とするEUの倫理委員会は抗議し、2005年の欧州委員会に宛てた宣誓書の中に次のように記した。アイデンティティ、記憶、自己認識、および他者認識を変革するために使用するインプラントは禁止されるべきである。しかし、スウェーデン軍事研究（FOI）はその活動報告の中で、その目的は人々の生涯にわたって認知機能を誘導することである、と宣言している。FOIは、ヒトと技術の相互作用に重点を置くシステムを開発する。目標は、人間の潜在的認知能力、つまり情報を認識、理解、および分類する能力を「最大のシステム効果」のために利用できるシステムを設計することだ。この新しい種類のインプラントされた悪夢は、マスメディアが公表しなければ永遠に続くであろう。この開発は、人々に知らせることなく実施されている限りにおいてのみ、継続が可能である。とりわけジャーナリスト、社会活動家、良識ある政治家などは、飼牛のように自分の脳に電子の紐を付けられたまま生活したくないであろうし、ましてやその他すべての市民も同様である。この21世紀の地球上において、人間として人権を掲げ、自由に生きたいのであれば、我々全員が責任をもってこのことを公表しなければならない。

http://www.youtube.com/watch?v=ei3zla5hS9o

XVII　米国連邦政府が実施した非自発的人体実験

２００５年5月23日月曜日、午前11時26分、ＯＫＩＭＣウェブサイトより

現在、米国連邦政府が行動制御の研究のために、非倫理的かつ非自発的な人体実験を実施している確率は非常に高い。この研究は、電磁界とビームエネルギーの生体効果を利用して中枢神経系に直接影響を与え、人間の行動に影響を及ぼすことを目的としている。

ケムトレイル

Ｉ．過去において、米国連邦政府は、米国の国家安全保障にとって重要と考えられている技術の開発のために、非倫理的で非自発的な人体実験を行っていた。

Ａ．これは冷戦の最中に実施された。

１．「第二次世界大戦の終わりから１９７０年代にかけて、原子力委員会、国防総省、軍、ＣＩＡおよび他の機関は、囚人、麻薬中毒者、精神病患者、大学生、兵士、さらにはバーの常連客さえも利用し、放射線、ＬＳＤ、神経ガスから激しい電気ショック、そして長期にわたる「感覚の

剥奪」まで、あらゆるものの影響を政府主導の広範な実験においてテストした。一部の人間モルモットは、自分の身に何が起きているのか知っていたが、他の多くは実験台にされていることさえ知らなかった」

『The Cold War Experiments（冷戦実験）』、ブディアンスキー、グッド、ゲスト共著、U.S News and World Report、１９９４年1月24日

2.「過去50年間、何十万人もの軍人が、国防総省（ＤＯＤ）による人体実験やその他の意図的な曝露の対象とされてきたが、軍人たちには知らされずに、または同意なしに行われたこともあった。……

米国会計検査院（ＧＡＯ）は１９９４年9月28日に報告書を発行し、その中で、国防総省および他の国家安全保障局は、１９４０年から１９７４年の間に、ヒトを対象として有害物質の試験および実験を実施し、数十万人の被験者の研究を行ったと述べた。ＧＡＯは、試験と実験は秘密裏に行われたと述べた」

軍事調査は退役軍人の健康を害するものか。半世紀にわたる教訓「退役軍人問題委員会のために作成された職員報告書」、第１０３回議会、第2会期、アメリカ合衆国上院、１９９４年12月8日

3．「1944年から1974年の間に、連邦政府はヒトへの放射線の影響をテストする実験を承認し、資金提供を行った。

……たとえば、施設に収容された子供や成人の囚人が実験に使用され、一部のがん患者は医学的利益のない放射線の全身照射を受けた後に死亡し、410人のウラン鉱山労働者はラドンの害により肺がんで死亡した。回避できたはずの死であった。

……医学的利益の見込みがない場合でさえ、研究者が患者の同意なしに実験を行うことは一般的であった。

……恐らく最も重要なことは、委員会は、被験者に実験を隠蔽することは当たり前のことだと捉えていたことだった」

「The Verdict:No Harm, No Foul（判決：被害なしはお咎めなし）」、ダニエル・ゴードン、Bulletin of the Atomic Scientists（原子科学者会報）、第51巻、№1、1996年1月／2月

4．「1993年に、政府活動委員会は冷戦中の放射実験についての調査を開始した。こうした実験は冷戦の不幸な遺産の一つであり、我々の政府は同意していない市民に対して、放射線を使用する実験を後援していたのである。市民は実験が自分に対して行われていることさえ知らなかった。彼らの同意なく行われたのだ」と語った。

ジョン・グレン米国上院議員、提出された法案および共同決議に関する声明（上院、1997

年1月22日）
1997年被験者保護法を導入する声明

5．「2年ほど前に、上院保健小委員会はCIAによる人体実験活動についての身の毛もよだつ証言を聞いた。CIA副長官は、30以上の大学と機関が「アメリカ先住民、外国人など、すべての社会的レベル（高低）を対象とした秘密の薬物実験を含む広範囲な実験プログラムに関与していることを明らかにした。これらの［実施された実験］の一部では、［社会的］状況において知らされていない被験者に対してLSDを投与し、……CIAは、知らされていない、もしくは同意のないアメリカ市民に薬物を投与したのである。大学の施設や職員に通知することなく利用した」と語った。

MKウルトラ計画、CIAの行動修正プログラム、エドワード・ケネディ上院議員の証言、下院情報特別委員会での合同公聴会、上院、1977年第95回議会

B．米国連邦政府は、冷戦後も非倫理的で非自発的人体実験を実施し続けた。

1．1994年の米上院の公聴会で、ロックフェラー米上院議員は、1991年の湾岸戦争中の米軍兵士に対する治験薬の試験に関する声明を次のとおり発表した。

「湾岸戦争中、数十万人の兵士に治験的なワクチンと薬物が投与された……国防総省は……潜在的な危害についての警告をすべて無視し、大胆な行動に踏み切った。……事実上、一切の警告も安全処置もなしにこれらの薬物を投与したのだ……」

ジョン・D・ロックフェラー4世上院議員、退役軍人問題委員会、米国上院公聴会、1994年5月6日

1994年後半に、退役軍人問題の上院退役軍人問題委員会の職員は、米国の連邦研究における米兵の使用に関する調査についての報告を発表した。この報告書は職員の大多数の意見を反映しており、そして次のように結論付けた。「DOD（国防総省）は、目標は治療であったため、湾岸戦争における治験薬の使用は研究ではなかったという間違った主張をしている。DODは、湾岸戦争で治験薬を効果的でない方法で使用した。……DODは、今日まで続くさまざまな軍事的曝露の危険性について、繰り返し不正確に伝えていることを実証している」

軍事調査は退役軍人の健康を害するものか。半世紀にわたる教訓「退役軍人問題委員会のために作成された職員報告書」、第103回議会、第2会期、米国上院、1994年12月8日

2．疾病管理予防センター（CDC）は、1990年から1991年にかけて、両親が子供たちの参加について、インフォームド・コンセントをしていない1200人の子供を対象に、治験的な麻疹ワクチンの研究をカリフォルニア州ロサンゼルスで実施した。この研究は、以下の点にお

いて治験的であった。
・米国での使用が許可されていない麻疹ウイルスのエドモンストン・ザグレブ（E‐Z）株の投与も行われた。
・ワクチンは実験的な高用量で投与された。
・ワクチンは1歳未満の子供に投与されたが、麻疹ワクチンは米国では15カ月未満の子供には推奨されていない。
子供たちが両親へのインフォームド・コンセントなしに当該研究に使用されたというニュースが、１９９６年に表面化した。小児科医向けの雑誌である『Infectious Diseases in Children（子供の感染症）』が報告した。
……研究に参加した子供たちの両親に同意書が渡されたが、エドモンストン・ザグレブ（E‐Z）麻疹ワクチンがＦＤＡの審査中であり、米国での使用が許可されていないことは明記されていなかった。この研究は、セネガル、ギニアビサウ、ハイチにおける過剰死亡が報告されたため、子供の初回参加から18か月後の１９９１年に中止となった。
［（本報告書の作成者からのメモ）ウォルター・オレンシュタイン博士は、ＣＤＣ全国予防接種プログラムのディレクターである。論文では、オレンシュタイン博士の言葉を以下のとおり引用している］
「……我々は、ワクチンは治験的なものであって、米国で認可されていないことを両親に知らせ

なかったという重大な間違いを犯した……また、研究への参加時にその目的を保護者に正確に説明していなかった」

「麻疹ワクチンの研究は連邦研究プロジェクトに対する見識を損なう」、Infectious Diseases in Children、１９９６年10月

ハイチのワシントン事務所と国民ワクチン情報センターは共同プレスリリースを行った。その中で、国民ワクチン情報センターの共同創設者でセンター長でもある、バーバラ・ロー・フィッシャーは次のように述べている。

「ロサンゼルス都心部の両親は、通常よりも何倍も強い麻疹ワクチンを自分の赤ちゃんに投与することの意味を知らされていなかった。彼らは、麻疹ワクチンはアメリカでは、生後15カ月未満の赤ちゃんには推奨されていないことを知らされていなかったのだ。……彼らの人権が侵害されたのである……」

（ハイチワシントン事務所・国民ワクチン情報センターによる１９９６年7月16日付共同プレスリリース）

Ⅱ．米国議会のメンバーは、米国連邦法および米国連邦政府の現在のセーフガードは、人体実験の被験者を十分に保護しておらず、また非自発的な人体実験を禁止していないことを公然と述べた。

こうした問題を修正するための法律が提出されたが、まだ批准されていないために同問題は存在し続けている。

1997年にジョン・グレン上院議員は、1997年の被験者保護法という法律を提出した(S・193、米国上院、第105回議会、第1会期)。

S・193を提出するにあたり、グレン上院議員は米国上院の会場にて次のような発言を行った。

「政府活動委員会は1993年、冷戦中の放射実験に関する調査を開始しました。こうした実験は冷戦の不幸な遺産の一つであり、我々の政府は同意していない市民に対して、放射線を使用する実験を後援していたのです。

……当該調査の過程で、私は質問を投げかけました。そのような虐待の再発を防ぐために、どのような保護措置が制定されているのか。インフォームド・コンセントのない人々への実験を禁止する法律はどれか。

私が調べたところでは、インフォームド・コンセントを取得することを要件付ける法律は存在していません。さらに重要なのは、この基本的な権利(私はインフォームド・コンセントを基本的な権利と見なします)が侵害される事例が発生し続けているため、そのような法律が必要であると考えます。

……依然として、被験者に対して試験を行う前に説明に基づく同意(インフォームド、コンセントという二つの単語）を取得することを要件付ける法律は制定されていません。

……長年にわたって進化した非常に精巧な保護システムは存在しています。しかし残念ながら、このシステムにはいくつかの穴があり、当該法律が制定されればそうした穴を埋められるものと考えます。大統領、大変遺憾でありますが、特にヒトを対象とする不適切で倫理的に疑わしい研究が引き続き行われているのです。

被験者に関しては情報が正式に収集されていないため、問題の程度を把握することは困難です。近年、私の本拠地の新聞・The Cleveland Plain-Dealer 紙は、当該問題について多くの調査を実施し、論文の連載で報告を行いました。

……The Plain-Dealer 紙は、人々が研究に使用されているという事実に気づいていないか、研究の潜在的な副作用について全部の情報が提供されていなかったという、不快な事例を多数発見しました。しかも、実際に非常におぞましい事例であります。当該連載では、被験者を保護する現在のシステムの妥当性について、非常に深刻な問題提起がなされています。

……The Plain-Dealer 紙は、連邦政府がインフォームド・コンセントの得られていない研究を後援し続けていることを示唆する多くの証拠を発見しました。そして、こうした事実に私も大変心を痛めました。

……現在の法律と行政命令の下では、機密情報を含む研究について、インフォームド・コンセントならびにＩＲＢ（倫理委員会）による機密実験精査を免除することが可能です」。

ジョン・グレン米国上院議員、1997年被験者保護法提出時の陳述「提出された法案および共同決議に関するステートメント」米国上院 - 1997年1月22日

グレン上院議員は提案した法案の本文で、米国の被験者に対する保護の具体的な欠陥について以下のとおり言及した。

「(a) 調査結果：議会は以下の調査結果を発表した。

(5) 1995年、放射能人体実験大統領諮問委員会は、被験者を保護するための現在のシステムに、複数の重大な欠陥があることを発見した。特に、現在使用されている同意書の一部に道徳的に重大な欠陥があることを明らかにした。

(7) 連邦政府機関の一部は被験者を伴う研究を後援しているが、当該機関は、連邦規則集45 CFR 46で規定されているコモン・ルールを採用していない。

(8) 連邦政府からの資金提供を受けていない、または医薬品に関する食品医薬品局の承認を申請していない、または被験者を伴う研究を後援している個人／機関は、連邦規則集45 CFR 46の要件を遵守する必要はない。

(10) (1) から (9) までの項にもかかわらず、米国の法律の規定では、インフォームド・コンセントの取得、および被験者を伴う研究の独立審査を実施することを、明示的に要件付けていない。※ (1) ~ (4)、(6)、(9) は省略

1997年被験者保護法（上院提出）、S・193、第105回会議、第1会期

１９９７年被験者保護法は批准されていない。

B．２０００年6月8日、ダイアナ・ディジェット米国下院議員は、２０００年被験者保護法（H・R・４６０５、第１０６回議会、第2会期）を下院に提出した。

当該法律は、グレン上院議員が米国上院に提出した、１９９７年被験者保護法と非常に類似したものである。

特に、わずかな変更に加え、２０００年被験者保護法の本文には、２０００年被験者保護法から引用された上記の調査結果「(5)、(7)、(8)、および(10)」を記載している。ディジェット下院議員の２０００年被験者保護法は批准されていない。

C．ディジェット下院議員は、最も直近では、２００３年11月21日に、２００３年研究参加者保護法（H・R・３５９４、第１０８回議会、第1会期）を下院に提出した。

特に、提案された法律の本文からは、「２００３年研究参加者保護法は、コモン・ルールに規定されている場合を除き、治験責任者または知識を有するその他の人物が被験者となる個人のインフォームド・コンセントを得ずして人体実験に使用してはならないことを要件付けた」。２００３年12月4日、２００３年研究参加者保護法は、米国下院エネルギー・商業委員会の健康に関する小委員会に検討のために付託された。

近年提出された2003年研究参加者保護法は、人体実験に使用される前に、本人からのインフォームド・コンセントの取得を要件付けており、それは非自発的な人体実験が米国において、依然として問題となっていることを示唆している。

Ⅲ．冷戦中、米国連邦政府は行動制御に関する研究を実施した。

米国は、ソ連と中国がこの分野で達成したとされる進歩に対して同等性を維持し、対抗策を策定するためには、この分野で技術力を獲得することが、国家安全保障にとって重要であると判断した。知らされていない被験者を使用せずに行動制御研究を実質的に進歩させることは不可能であると考えられていた。調査を実施している機関は、知らされていない被験者の使用なしには進歩できないこと、ならびに米国の国家安全保障のためには、技術力を追求することが重要であることを理由とし、知らされていない被験者を使用することに関して、倫理的および法的違反を正当化した。

A．「1951年6月1日、米国、カナダ、イギリスの軍と諜報機関の最高幹部は、共産主義国が「個人の心への介入」に成功したという報告に危機感を覚え、著名な心理学者数人をモントリオールのザ・リッツ・カールトンホテルでの秘密の会合に召喚した。ソ連は、ハンガリーの著名な反共産主義者であるヨージェフ・ミンチェンティ枢機卿に、諜報活動を自白させた。また、ソ連は政敵を洗脳し、全国民の考えを支配する能力さえも獲得しているように思われた。

研究者たちは、共産主義国の成功は、不可思議な躍進の成果であるに違いないとの確証を得ていた。米国政府の科学者たちは、北朝鮮でアメリカ人捕虜が洗脳されているという報告に煽られ、翌年9月までには、行動修正に関する緊急かつ極秘の研究プログラムを提案した。マインドコントロールの遅れを取り戻すための米国の広大な取り組みの一環として、薬物、催眠術、電気ショック、ロボトミーのすべてが研究対象となった」

『The Cold War Experiments（冷戦実験）』、ブディアンスキー、グッド、ゲスト共著、U.S News and World Report、1994年1月24日

B.「MKウルトラ計画は、化学的および生物学的物質の研究開発を含む主要なCIAプログラムであった。それは「人間の行動を制御するための秘密作戦に使用できる化学的、生物学的、および放射性物質の研究開発に関連」していた。
［CIA監査総監から長官に宛てた覚書、1963年7月26日］
……MKウルトラ計画は1953年4月13日、ADDP［計画本部長］ヘルムズによって提案された方針とともに、DCI［CIA長官］によって承認された。
……プログラムの10年間にわたり、MKウルトラ計画の憲章に基づく調査実施のために、多くの「人間の行動を制御するための追加的手段」が適切と指定された。こうした手段には、「放射

線、電気ショック、そして心理学、精神医学、社会学、人類学、筆跡学、ハラスメント物質、準軍事的装置および物質などのさまざまな分野」が含まれる。

……ＬＳＤは、ＭＫウルトラ計画でテストされた物質の一つであった。ＬＳＤ試験の最終フェーズでは、麻薬局の秘密捜査官がＣＩＡに代わり、通常の生活環境の設定において知らされていない非自発的被験者に秘密投与を行っていた。

このような試験の理論的根拠は、「承認された科学的手順の下で物質の試験を行っても、作戦中に発生しうる反応や、帰属の完全なパターンを解明することはできない」とされた。

［ＭＫウルトラ計画に関する監査総監報告書、21頁、１９６３年］

……１９４０年代後半と１９５０年代初頭は、ソ連、中華人民共和国、およびその他の共産圏諸国の活動が呈する脅威に対する懸念が顕著な時代であった。米国は、これらの大国が化学および生物兵器を使用するかもしれないという大きな懸念を抱いていた。

敵対勢力が尋問、洗脳、さらに連合国軍に対する嫌がらせ、無力化、または殺害を目的とした攻撃に、化学および生物兵器を使用したと考えられていた。化学および生物兵器を調査する「防衛」プログラムは、諜報機関がそのような兵器の作用メカニズムと、そうした影響を打破する方法を把握できるようにするため、多大な圧力にさらされることとなった。

……計画本部長のリチャード・ヘルムズは、議論が交わされる中、ＣＩＡ監査総監に以下の書状を書いた。

「個人の私的および法的特権を侵害しようとするすべてのプログラムに対する貴殿の不安と嫌悪感に共感させていただく一方で、ＣＩＡがこの活動の中心的な役割を保持し、敵の人間行動を操作する能力を常に把握し、かつ攻撃能力を維持することが必要であると考えます」

［計画本部長がＣＩＡ長官に宛てた覚書、2～3頁、１９６３年12月17日］

……１９６３年12月17日、ヘルムズ計画本部長は、監査総監および監査理事（Executive Director-Comptroller）とともに、秘密実験に反対していたＤＤＣＩに宛てた覚書を記した。ヘルムズは、問題の二つの側面を以下のように指摘した。

（1）「10年以上の間、秘密情報機関は、人間の行動に影響を及ぼす能力を維持する任務を担ってきました」

（2）そして、「この任務をさらに追求するために試験を実施することは、作戦上において現実的であるべきですが、可能な限り制御可能としなければなりません」ヘルムズによると、「被験者は知らされていない対象でなければならない。なぜなら、これが技術力を維持する唯一の現実的な方法であるからである。人間の行動に影響を与えることを意図した物質を作戦目的で使用するときは、標的は確実にそれを知り得ていないからだ。被験者が知り得ている場合、プログラムは単に「形式的」なものとなり、「間違った達成感とレディネス」しか得られないであろう」

［監査総監により作成された記録の覚書、１９６３年5月15日］

……ヘルムズ氏は、秘密実験が停止となったために、実際の試験実施が不足し、ＣＩＡの薬物を使用する「積極的な作戦能力」は低下していると指摘した。最先端技術の知識が増大するにつれ、我々はこの分野でソビエトの進歩と比肩することができなくなってきている」

［ＤＤＰヘルムズからＤＣＩに宛てた覚書、１〜２頁、１９６４年６月９日］ＭＫウルトラ計画、ＣＩＡの行動修正プログラム、付属書Ａ、XVII

インテリジェンスコミュニティによる化学および生物兵器の試験と使用、情報特別委員会での合同公聴会、米国上院、第95回議会、１９７７年

Ｃ．医師、かつ元ＣＩＡエージェントのシドニー・ゴットリーブによると、ＭＫウルトラ計画は、個人の行動を秘密手段によって変更できるかどうか、そしてどのように変更できるかを調査するために創設された。

ゴットリーブ博士は、ＣＩＡはソ連と中国共産党の両方が、米国が把握していない人間行動を変える手法を使用している可能性があると考えていたと述べた。

同博士は、「我々の諜報機関がこの分野で何が可能であるかを高い優先順位で確立することは、義務的かつ緊急であると思われる」と証言した。多くの被験者は知らされず、保護されることもなかったが、ゴットリーブ博士は「振り返ってみると残酷であるかもしれないが、国家の存亡が掛かっている問題においては、そのような手順やリスクは合理的であると思われる」と述べ、そうした措置を擁護した……。軍事調査は退役軍人の健康を害するものか。半世紀から学んだ教訓、

第103回議会、第2会期、アメリカ合衆国上院、1994年12月8日

Ⅳ. 米国連邦政府は、再び行動制御の研究を実施している。この現在の研究では、電磁界とビームエネルギーの生体影響を利用して中枢神経系に直接影響を与え、人間の行動に影響を及ぼすことを目標とする。

A. 電磁界とビームエネルギーの生体影響が人間の行動に影響を及ぼすことへの適用は、米国連邦政府に所属する研究者によって、将来的な研究となり得る可能性がある領域として認定されている。

1. 「MKウルトラ計画は、化学および生物兵器の研究開発を含む主要なCIAプログラムであった。……プログラムの10年間にわたり、MKウルトラ計画の憲章に基づく調査実施のために、多くの「人間の行動を制御するための追加的手段」が適切と指定された。こうした手段には、「放射線、電気ショック、心理学、精神医学、社会学、人類学、筆跡学、ハラスメント物質、準軍事的装置および物質などのさまざまな分野」が含まれる。

［MKウルトラ計画に関する監査総括報告書、4頁、1963年」

MKウルトラ計画、CIA行動修正プログラム、付属書A、XVII

「インテリジェンスコミュニティによる化学および生物兵器の試験と使用」、情報特別委員会で

の合同公聴会、米国上院、第95回議会、1977年
2.「電気ショック療法の経験、RFR実験、そして電気仲介器官としての脳の理解が高まる中、印加された電磁界は、目的行動を阻害したり、行動を誘導または尋問したりすることに利用できるという重大な実現可能性を示している。
……最初に注目すべきは、熱負荷と磁界効果による人間のパフォーマンスの低下であるが、その後の研究では、紛争ぼっ発前に敵対行動から防御し、インテリジェンスデータを収集する革命的な能力としての可能性内において、外部印加磁場を使用した精神機能の誘導、および尋問可能性に取り組むべきである」
2000年までの航空システムのバイオテクノロジー研究要件に関する最終報告書、第1巻および2巻、サウスウエスト研究所、テキサス州サンアントニオ、188および189頁
B.非機密のニュースメディアは、人間の行動に影響を及ぼすための電磁界およびビームエネルギーの応用に関する研究について報告した。
1.「多数の新規契約も発生し、そしてビームエネルギーの「生体効果」に関する政府研究に後押しされた科学者たちは、人間の行動に影響を及ぼすことが可能な波長の電磁・音波スペクトルを研究している。……1980年から1983年にかけて、エルドン・バードという男が海兵隊非殺傷電磁兵器プロジェクトを実行した。その研究の大半は、メリーランド州ベセスダにある軍

放射性生物研究所で実施された。バードは、「我々は脳の電気的活動とそれに影響を与える方法を研究してきた」と述べている。医療工学および生体効果の専門家であるバードは、オボレンスキによるボルテックス兵器に関する論文を含む小規模な研究プロジェクトに資金を提供した。動物、さらには自分自身に対しても実験を行い、脳波が外部から照射される波動と同期するかどうか実験したのである（同期することは発見したが、効果の期間は短かった）。また、非常に低い周波数の電磁放射（電磁波スペクトルの無線周波数よりはるかに低い波動）を使用することにより、脳に行動を規制する化学物質を放出させることができることを発見した。「こうした周波数を照射することで、動物を昏睡状態にすることが可能だ」とバードは述べている。

ダグラス・パステルナーク「Wonder Weapons：The Pentagon' s quest for nonlethal arms is amazing. But is it smart？（ワンダーウェポン：ペンタゴンによる非殺傷兵器に関する探求は驚くべきものだ。しかし、それは賢明であるか？）」、『U.S. News and World Report』、１９９７年7月7日

2.「これらのページで説明されている、提案された多くの兵器の開発は、ＮＡＴＯ、米国、そして恐らく他の国でも実施されてきた。特定通常兵器使用禁止制限条約（別名を非人道兵器禁止条約という）。検討中の非殺傷兵器の多くは、その効果を達成するために、超音波または電磁エネルギー（レーザー、マイクロ波または無線周波数放射、または脳波の周波数でパルス化した可

視光を含む）を利用する。これらの兵器は、一時的または恒久的な失明、心理作用の妨害、行動と感情反応の改変、けいれん、激痛、めまい、吐き気と下痢、またはその他さまざまな内臓機能の破壊を引き起こすと言われている」

「非殺傷兵器は平和条約に違反する可能性がある」、バーバラ・ハッチ・ローゼンバーグ、Bulletin of Atomic Scientists（原子力科学者会報）、44頁、１９９４年9月～10月

3.「ロシア政府は、１９７０年代に開発されたマインドコントロール技術を完成させつつある。この技術は、敵軍の士気を低下させ、無力化する一方で、味方の戦闘能力を高めるために使用できる。米国およびロシアの情報筋によると、音響心理矯正として知られている、民間人や兵士の精神を制御して行動を改変する能力は、まもなく米国の軍事、医療、政府当局者と共有されることになるかもしれない。……その間、米陸軍兵器研究開発技術センターは、音響ビーム技術に関する1年間の研究を実施しており、ロシア人が報告した効果の一部を模倣している可能性がある」

バーバラ・オパール「U.S.Explores Russian Mind-Control Technology（米国によるロシアのマインドコントロール技術の解明）」、『Defence News』、１９９３年1月11日～17日

4.ペンタゴンの高等研究計画局で高度センサー担当副局長を務めるリチャード・S・チェザーロは、2年前の死去直前のインタビューで次のように語った。「我々の実験において、いくつか

の注目すべきことを達成しました。そして、マイクロ波を使って脳に入り込むことができることは、私にとって疑いの余地はありませんでした。……この難題を突破すれば、これまでに作られたどの爆弾よりも優れたものを手に入れることができます。その時こそ、ヒトの精神を制御することがようやく現実のものとなるのです……」

『Looking at the Moscow Signal, the Zapping of an Embassy 35 years later, The Mystery Lingers（モスクワシグナルを紐解く：大使館の電磁波攻撃から35年後もくすぶるミステリー）』、バートン・レパート、ＡＰ通信、１９８８年5月22日

V．過去の行動制御研究と同様に、電磁界とビームエネルギーの生体効果を使用して、人間の行動に影響を及ぼす能力を獲得することは、米国の国家安全保障にとって非常に重要だと考えられていることが示唆されている。

A．上記の「d」で述べているように、米国連邦政府は現在、そのような分野において研究を行っている。

B．元米国国防総省の当局者は、電磁界およびビームエネルギーの生体効果に基づく行動制御技術には、潜在的に画期的かつ軍事的重要性があると公表した。

ペンタゴンの高等研究計画局で高度センサー担当副局長を務めるリチャード・S・チェザーロは、2年前の死去直前のインタビューで以下のとおり語った。「我々の実験において、いくつかの注目すべきことを達成しました。そして、マイクロ波を使って脳に入り込むことができることは、私にとって疑いの余地はありませんでした。……この難題を突破すれば、これまでに作られたどの爆弾よりも優れたものを手に入れることができます。その時こそ、ヒトの精神を制御することがようやく現実のものとなるのです……」

『Looking at the Moscow Signal, the Zapping of an Embassy : 35 years later, The Mystery Lingers（モスクワシグナルを紐解く：大使館の電磁波攻撃から35年後もくすぶるミステリー）』、バートン・レパート、AP通信、1988年5月22日

C. 電磁界およびビームエネルギーの生体効果を人間行動への影響に適用するにあたり、外国勢力と競争することによって研究努力がなされていることについて、近年米国のマスコミは警戒感を持って伝えている。

1.「ロシア政府は、1970年代に開発されたマインドコントロール技術を完成させつつある。この技術は、敵軍の士気を低下させ、無力化する一方で、味方の戦闘能力を高めるために使用できる。米国およびロシアの情報筋によると、音響心理矯正として知られている、民間人や兵士の精神を制御して行動を改変する能力は、まもなく米国の軍事、医療、政府当局者と共有されるこ

とになるかもしれない。

政府資金援助を受けたモスクワ医学アカデミーの心理矯正学部によって開拓された音響心理矯正には、他の知的機能を混乱させることなく、静的またはホワイトノイズ帯域を介して特定の命令をヒトの潜在意識に送信することも含まれる。さらに、数十年に及ぶ研究と、心理矯正プロセスにおける膨大な数百万ルーブルもの投資が、意欲的な被験者と非協力的な被験者の行動を改変する能力を生み出したと専門家は付け加えている。

……米国の情報筋によると、少なくとも一人の米国先任上院議員、政府諜報機関当局者、および米陸軍作戦計画軍事開発局が、ロシアの技術力の調査に関心を示している。

……その間、米陸軍兵器研究開発技術センターは、音響ビーム技術に関する1年間の研究を実施しており、その中でロシア人が報告した効果の一部を模倣している可能性がある」

バーバラ・オパール「U.S. Explores Russian Mind-Control Technology（米国によるロシアのマインドコントロール技術の解明）」、『Defence News』、1993年1月11日～17日

2．米国の1998年の論文「The Mind has no Firewall（心にファイアウォールはない！）」（『Parameters』、陸軍戦争大学季刊）は、ロシアの陸軍将校からの以下の引用で始まる。

「最初にこのような兵器を生み出した国家が、比類のない優越性を得るのは全くの自明のことである」

—チェルニシェフ少佐、ロシア陸軍［「Can Rulers Make 'Zombies' and Control the World?

（統治者は「ゾンビ」を作って世界を支配できるか？）」、チェルニシェフ少佐、『Orienteer』、58〜62頁、1997年2月」

そして論文は以下に続く。

「……最近のロシアの軍事文献は、人類は心と体を標的とする「サイコトロニクス（精神工学）戦争の勃発の危機に瀕している」と断言し、問題に対して多少異なる見解を示した。同文献では、VHFジェネレーター、「ノイズレス・カセット」、その他の技術の使用により、人間とその意志決定プロセスの精神物理的状態を制御しようとするロシアや他国の試みを考察している。サブリミナルメッセージの導入や、身体の心理的およびデータ処理能力を改変することを目的とした機器に基づいた全く新しい兵器は、人間を無能力化するために使用することが可能である。当該兵器は、心理のコントロールや改変、あるいは人体の様々な感覚やデータ処理系統の攻撃を目指している。……「サイコテロリズム」という言葉は、ロシアの作家N・アニシモフ（モスクワ・アンチサイコトロニクスセンター）による造語である。アニシモフによると、サイコトロニクス兵器とは、人間の脳に保存されている情報の一部を消し去る作用のある兵器を指す。情報はコンピューターに送られると、そこで人間のコントロールに必要とされるレベルまで再加工され、修正された情報が脳に再度挿入される」。こうした兵器は、幻覚、病気、人間の細胞の突然変異、「ゾンビ化」、さらには死を誘発するために精神に対して使用される。

当該兵器には、VHFジェネレーター、X線、超音波、無線波などが挙げられる。ロシア陸軍チェルニシェフ少佐は『Orienteer』にて、地球全体で「心理」兵器の開発が進んでいると主張した。

……この種の研究は引き続き実施されているとの米国の研究者による確証が残されている。『The Warrior's Edge（戦士の優勢）』の共著者ジャネット・モリス博士は、１９９１年、モスクワ心理矯正研究所を訪問したとされている。そこにおいて、博士はロシアのモスクワメディカルアカデミーの心理矯正学部が開発した技術、すなわち、研究者が人間の心に影響を及ぼすために心を電子的に分析する技術の実演を見学した

「The Mind Has No Firewall（心にファイアウォールはない）」、ティモシー・L・トーマス、『Parameter』（米陸軍戦争大学季刊）１９９８年春号、84～92頁

3．「しかし、ある特定のデータプロセッサーは、米国の考察では注目度がかなり低かった。それは心と呼ばれるデータプロセッサーのセキュリティーであり、残念ながら不正なプロセスや電磁的プロセスから、データを保護するための内蔵されたファイアウォールはない。その結果、戦場の兵士の心は潜在的に最も搾取されやすく保護されていない状態となっている。ＩＷ［情報戦争］我々の軍隊が保有する能力。

……中国とロシアは、ハードウェアテクノロジー、データ処理装置、コンピューターネットワーク、および「システム・オブ・システムズ」の開発を研究することに加えて、マインドを含めるべく、情報兵器の複数の非伝統型ターゲットに多大な重点を置いてきた。

……本記事では、中国の心理戦と知識の概念（情報化時代が中国の戦略的文化に与えた影響を含む）と「新概念」の兵器（非殺傷兵器の種類）について考察する。また、ロシアの情報心理作戦、反射的制御、または「インテレクチュアルな情報戦争」戦略、および人間行動制御メカニズムの開発も考察の対象とする。

……ロシアの情報戦争のモデラーたちは、情報兵器の適用と実用性を予測しようと試みる。そして、人間の精神の情報モデルを研究し、次に人々、社会集団、およびその他の要素間の相互作用をシミュレートしようとするのである。彼らにとっては、道徳的心理的安定性を確保する方法を形成することは重要である。彼らは、抵抗する意志を抑圧し、操作および思考改変によって精神を「ゾンビ化」し、人間の行動を再プログラムして人々の士気を低下させ、心理的に堕落させる情報兵器の影響に反撃したいと考えているのだ。……ロシア軍は多くの珍しい題材について研究しており、そのほとんどすべての焦点は情報または電波がどのように心に影響するかに関連するものである。

……言い換えれば、ロシア人は心の仕組みとそれを管理する方法を徹底的に調査しているのだ」

ティモシー・L・トーマス「Human Network Attacks（人的ネットワークの攻撃）」、『Military Review』１９９９年9月～10月号

注）『Military Review』は、米陸軍指揮幕僚大学の公式出版物である。

4.「スタンフォード大学の心理学者フィリップ・ジンバルドは、より恐ろしい行動修正手法に言及している。

ソビエトの科学者たちは、脳に無線低周波を照射する装置を完成しつつある。これらの空中波は長距離を伝播し、その伝搬路にいる動物や人間の行動を変えられることが知られている。脳の機能を改変させる潜在的に恐ろしい利用が可能になる」

スタンリー・N・ウェルボーン「Thought Control（思考制御）」、『U.S.News & World Report』、89頁、1983年12月26日

5.「1983年5月20日、米国の新聞は、カリフォルニアの退役軍人病院およびロマリンダ（カリフォルニア州）からのAP通信記事を掲載し、ソビエトが人間の脳に無線電波を照射するためのリダと呼ばれる機器を開発したと発表した。

……リダは動物の行動を変えられると報告されている。

……ソ連を何度も訪れたアディ博士によれば、ソ連は少なくとも1960年からこの機器を人間に使用してきた。この機器は、技術的には「遠隔パルス治療装置」と呼ばれる。それは非常に低い周波数で脳の電磁活動を刺激する40メガヘルツ電波を生成する。

アディ博士は、次のように語ったとされる。

「一部の人々は、ソビエト軍が高度なバージョンのマシンを秘密裏に使用し、ソ連から発信する信号を介して、米国人の行動に変化を起こそうとしているのではないかと論理付けている」。数

年前のモスクワの米国大使館に対する長期のマイクロ波攻撃については言及していない。……米国では脳波の操作に関する研究はほとんど行われておらず、ソ連は約25年も先行している。新技術は成熟すると、医学において非常に重要となる。また、コミュニケーション、インテリジェンスおよび心理作戦に大きな影響を与え、そして意図的な生理学的障害を引き起こす可能性がある。KGBがこのプログラムに関心があることは周知の事実である。米国や他の政府が、自らソ連が秘密裏に照射する、脳波制御ビームの標的にされているか否かを判断しようとしているかは不明である。恐らくソ連以外では、対抗策に関する研究を検討しているようには見受けられない」

ステファン・T・ポッソニー「Psy-War: Soviet Device Experiment（心理戦争：ソビエトの装置実験）」、『Defense & Foreign Affairs Daily』、1～2頁、1983年6月7日

6．「（ソビエトの）敵に影響を及ぼすことを目的とする精神変革技術は非常に高度である。使用する手段には、視覚、音、嗅覚、温度に影響を及ぼす心理兵器、電磁エネルギーまたは感覚遮断を利用した人間行動操作が含まれる。

……また、行動制御を研究しているソビエトの研究者は、ヒトに対する電磁放射の影響を調査し、そしてモスクワの米国大使館にそれらの技術を適用したのである。

……研究者たちは、特定の低周波（ELF）放出には精神活性特性があることを示唆している。こうした周波発信によって、標的集団にうつ病または癇癪を誘発させることが可能である。大規模なELF行動修正の適用は、恐ろしい影響を及ぼす可能性を持つ」

ジョン・B・アレキサンダー米軍大佐、博士「The New Mental Battlefield（新しい心理戦争）」、『Military Review』、１９８０年12月

注）『Military Review』は、米陸軍指揮幕僚大学の公式出版物である。

7．「新規に機密分類された米国国防情報局の報告書では、ソビエトのマイクロ波に関する広範な研究は人間行動を錯乱させ、神経障害、さらには心臓発作を引き起こす方法を生み出すかもしれないと記している。さらに報告書は、ソ連と東ヨーロッパで実施された実験の分析に基づき、「ソビエトの科学者たちは、攻撃用兵器に適用できる可能性のある低レベルのマイクロ波放射の生物学的影響について完全に把握している」としている。調査によると、当該調査研究は多くの地上兵員への応用が開発される可能性を示唆している。

……研究の写しは、情報公開法に基づく要請に応じてAP通信が同局に提供した。

国防総省機関は調査の一部を公開することを拒否し、国家安全保障上の理由で機密とすべきであると述べた。報告書は、この分野におけるソビエトの研究は、軍人や外交官の行動パターンを混乱させたり妨害したりするシステムへと発展する大きな可能性を秘めていると結論付けた。また、尋問の手段としても同様に利用可能である」……報告書には、ソビエトは、マイクロ波聴覚とともに、マイクロ波や電磁スペクトルの他の周波数への曝露に起因する身体の化学反応や、脳機能のさまざまな変化も研究していると記されている」

「Mind-Altering Microwaves : Soviets Studying Invisible Ray（精神を改変するマイクロ波：不

可視光線を研究するソビエト）」、『Los Angeles Herald Examiner』、セクションA、１９７６年11月22日

Ⅵ．過去と同様、現在においても、インフォームド・コンセントがある被験者を使用して、知らされていないまたは非協力的なターゲットに行動制御を得るための研究を行うことは困難である。これとともに、米国連邦政府が非倫理的で非自発的な人体実験を行ってきた過去の歴史、および米国の連邦法や政策において被験者に対する十分な保護が欠如していることも併せて鑑みるべきである。それゆえに、行動制御研究において、知らされていない、および非自発的な被験者を使用することを正当化するために、国家安全保障上の必要性が再び取り上げられているという確率が極めて高くある。

Ⅶ．さらなる要因によって、米国では非殺傷兵器および行動制御の研究を支援し、非倫理的かつ非自発的な被験者を対象とした研究が現在行われている可能性が裏付けられる。

A．The World Organization Against Torture（虐待に反対する世界組織）は、１９９８年の報告書「米国における拷問」において、これらの非倫理的な人体実験が米国によって実施されているという、米国の活動家グループが行った主張は十分に信頼できるものであり、公正な調査なし

に却下されるべきではないと記している。

「マイクロ波やレーザー装置を含む高度な技術の軍事兵器の新しい形式の機密研究や、試験を伴う非自発的な人体実験についても、同様の懸念が提起されている。

こうした問題に取り組んでいるグループは、機密研究の合意のない実験を禁止するより強力なガイドラインを策定しつつ、この種の人体実験が実際に行われている可能性を暗示的に示唆している、１９９７年3月27日付のホワイトハウス政府間覚書に言及している。……政府が後援する秘密人体実験に関連する不正が継続していることへの主張は、より徹底的で公平な調査なしに却下されるべきではない」

「Torture in the United States（アメリカ合衆国における拷問）」、World Organization Against Torture（拷問に反対する世界組織）、１９９８年

B．多くの専門家は、そのような非自発的な人体実験が現在米国で行われている可能性があると確信していると述べている。

1．電磁兵器技術の非自発的な人体実験に対する主張を調査するために、ＣＡＨＲＡ（人権侵害に反対する市民）の代表であるシェリル・ウェリッシュの取り組みを支持するジョン・Ｃ・シアア教授からの書状：

「1998年5月11日

ご担当者殿

シェリル・ウェリッシュ氏および他の人々による、電磁技術の同意のない人体実験に関する公聴会開催の決定を求める努力に賛同します。人体に対するビームエネルギーの影響は、最高レベルの理解と説明責任を伴います。電磁兵器について、米陸軍戦争大学のスティーブン・メッツ教授は、「我々は今、電磁兵器について公開議論を行うことが必要です」（シンガポールのStraights Times紙、1997年7月18日）と述べています。シェリル・ウェリッシュ女史は、今月後半にカリフォルニア州立大学サクラメント校から学士号を授与されます。ウェリッシュ女史は、独立調査を行っている間、広範な参考文献と専門家証人の有用なリストを作成しました。そして、同意のない実験の犠牲者に関するデータも収集しました。ウェリッシュ女史はこの問題について非営利の研究組織を結成し、この問題を提起するためにCNNおよびthe Learning Channel（ザ・ラーニング・チャンネル）に出演しました。シェリル・ウェリッシュ女史への連絡は、915 Zaragoza Street, Davis, California 95616までお願いいたします。

ウェリッシュ女史が収集した資料は、この問題をより徹底的に調査するための確固たる基盤を提供するものです。兵器開発の機密性を考慮して、人権と公衆衛生が危険にさらされないようにするために、この種の実験には十分な精査を行うことが不可欠です。政府関係者、および政府契約下で働く個人は、最高水準の説明責任を負わなければなりません。同意のない電磁試験に関する公的調査は、未だ実施されるに至っていません。

[署名]

ジョン・C・シア、カリフォルニア州立大学サクラメント校教授

6000 J. Street Sacramento, CA.95819"」

2．1980年から1983年にわたって海兵隊非殺傷電磁兵器開発プロジェクトの元ディレクターであったエルドン・A・バード博士からの手紙が、CAHRA（人権侵害に反対する市民）の代表であるシェリル・ウェリッシュ氏に提出された。

「2002年1月8日

ご担当者殿

本推薦状は、ある技術およびある人物の両方を紹介し支援するために作成したものです。その人物とは、法学生で研究者であるシェリル・ウェリッシュ女史であります。罪のない犠牲者に痛みと苦痛を引き起こしている、人間に対する虐待が何千件も報告されている背景の調査に従事されています。この技術は、悪意を持って適用された場合には、虐待を引き起こす可能性があります。

……ウェリッシュ女史が調査している技術は、人間がマインドコントロール技術をテストするための大規模な世界規模での実験において、被験者として使用される可能性に道を開くものです。

そのような主張に対する確固たる証拠はありませんが、政府の「汚れた手」（第三帝国、たとえば、私たち自身の政府を含む他の政府が行った、有名かつ記録されている複数の人体実験）が過去に市民の許可なく試験を行ったことからすると、女史の主張はもっともであります。私は関連技術の評価の有資格者であり、1980年代初頭の米海兵隊非殺傷電磁波兵器開発プロジェクトを担当したことがあります。同プロジェクトでは、磁場で動物の行動を変化させ、人間の脳波を遠隔操作することが可能であることが証明されました。それ以来、技術は磁場による遺伝子工学でさえ可能となり、実証されるまでに進歩しました。人間をマインドコントロールする技術が存在することに疑問の余地はありません……

エルドン・A・バード」

C．1997年6月18日に放送されたCNNドキュメンタリー・テレビプログラム「American Edge」は、非営利団体CAHRA（人権侵害に反対する市民）ネットワークが500人を超える被害者と連絡をとっており、また他のグループは数千人が標的にされていると述べていることを報道しました。

XVIII シオン賢者の議定書

世界のユダヤ人政府による世界征服
http://www.radioislam.org/protocols/indexen.htm

（英語）シオン賢者の議定書からの引用
英語議定書のＰＤＦファイル

序文（ビクター・Ｅ・マースデン訳）

この有名な議定書の翻訳者はロシア革命の犠牲者であった。彼は長年ロシアに住み、ロシア人女性と結婚していた。彼のロシアでの活動としては、長らく『モーニング・ポスト』誌のロシア通信員を務めていた。革命が勃発したときにその職に就いていたのであるが、彼によるロシアでの出来事の鮮明な描写は読者の記憶にずっと残り続けるであろう。当然、彼はソビエトの怒りを買い、狙い撃ちされた。クロミー船長がユダヤ人に殺されたその日、マースデンは逮捕されてペテル・パウル監獄に投監され、刑の執行に自分の名を呼ばれるのを日々待つ身となった。だが、彼は脱走し、著しく肉体を損傷したことで、イギリスに戻る許可を得た。しかし彼は、治療と妻と友人の献身的な看護のおかげで回復を遂げた。仕事ができるようになると直ちに手をつけたことの一つが、議定書の翻訳だった。

マースデン氏はこの仕事には抜群にうってつけの人だった。ロシアとロシアの生活とロシア語に造詣が深い一方で、簡潔で要領を得た英文スタイルは達人の域にあり、何人かがこの仕事に名乗りをあげたとしても、彼に優る適任者はいなかった。彼の訳文で優れて読み易い作品に接した結果、原作はどことなく形が整わない印象があるが、マースデン氏の文学的なタッチによって24個のプロトコルの間を流れる脈絡をはっきりと読み取ることができる。この労作はマースデン氏自身の血をあがなって実現したというのが真実である。英訳しようという使命感にかられて無理を重ねたことで体調を崩した彼は、もはや大英博物館の中で1時間と続けて仕事をしていられないと、この序文の筆者に語った。マースデン氏と『モーニング・ポスト』誌との関係は、英国に帰国してからはゆるやかなものになったが、彼はプリンス・オブ・ウェールズ殿下の帝国旅行の同誌随行特派員を快諾するほど体調は良かった。明らかに良い健康状態で殿下との旅行から帰国した彼は、上陸して数日を経ずして突然発病し、非常に短い間病床に就いた後に亡くなった。この労作が彼の栄誉を飾る記念碑とならんことを！　この作品を通じて、彼は英語圏の世界に計り知れない貢献を果たしたのであった。本書が『シオン賢者の会議の議定書』の英訳書のなかで第一級に位置づけられることは、疑う余地もない。

緒言

議定書自体については、緒言という形で述べる必要はほとんどない。議定書が具現化された本は、1905年にロシアのシルゲイ・ニルスによって発行された。この写しは大英博物館にあり、その受付日は1906年8月10日と記載されている。ロシアに存在することが知られていたすべての写しは、ケレンスキー政権下で破棄された。ケレンスキーの後継者の下では、ソビエトの土地で写しを所有することは犯罪であり、所有者はその場で射殺されたのだ。その事実こそ、それ自体が議定書の真正性の十分な証拠である。

もちろん、ユダヤ人の雑誌は議定書を偽作だと述べており、ニルス教授が自身の作品の中にそれらを具現化し、自分の目的のために同作品をでっち上げたという理解に徹しているのである。ヘンリー・フォード氏は1921年2月17日、『The New York WORLD』で公開されたインタビューで、ニルスの主張を次のような簡潔かつ説得力のある形で表現している。「議定書について私が述べたい唯一のこととは、議定書は現在起こっている出来事にぴったりと当てはまっていることだ。議定書の出現から16年経つが、議定書はこれまでずっと世界情勢に当てはまってきた。現在でも、時世にぴったりである」

まさにそのとおりである！「議定書」という語句は、文書の前面に貼られた大要、文書の草稿、議事録を重視するものである。ここにおける場合、「議定書」とは、シオンの賢者たちの会議の議事録を意味している。この議定書は、シオンの支配者たちの最も近い側近に伝えられた演説の内容を記したものである。議定書は、改定されたユダヤ国家の行動計画が時代を超えて発展し、長老たち自身が更新し編集していたことを明らかにしている。長老たちの秘密が漏洩する度に、その計画の一部と要約は何世紀にもわたって適宜発行されてきた。ユダヤ人が、議定書が偽作であると主張していること自体が、その真正性を承認していることになる。なぜなら、彼らは議定書に記されている脅威に対する事実に、決して回答しようとしていないからであり、実際のところ、予言と実現された事実があまりに一致しており、その顕著さから無視したり隠ぺいしたりできないほどである。これは、ユダヤ人は十分に認識しているがゆえに忌避しているのである。議定書は、近代シオニズムの父、故テオドール・ヘルツルが任期の時代に、1897年にバーゼルで開催された最初のシオニスト会議で、発行または再発行されたと推定されている。ヘルツルの「日記」の1巻が近年出版されており、それは1922年7月14日付『ジューイッシュ・クロニクル』紙に掲載された文章の一部の翻訳版である。ヘルツルは、1895年のイギリス初訪問について、キリスト教徒として育てられたユダヤ人かつイギリス軍将校であり、心は常にユダヤ民族主義者というゴールドシュミット大佐との対話について語った。ゴールドシュミットは、イギリス貴族から徴収し、ユダヤ人の支配からイギリス人を保護する権力を崩壊させる最善の方法は、土地に過剰な税を課すことである、とヘルツルに提案した。

ヘルツルはこれを素晴らしい考えだと思い、そしてそれは現在、議定書Ⅵに具現化されていることが明らかとなっている。「ヘルツルの日記」からの上記抜粋は、ユダヤ人世界征服陰謀の存在と、議定書の信憑性に関係する非常に重要な証拠であるが、博識な読者は、自分の持つ最近の歴史の知識と経験から、それら各々の文章の真正性を確証することができる。そして、こうした生の論説に照らし合わせて、このような非人道的な文書のマースデン氏の翻訳を研究することを、読者すべてに勧めたい。そして、ここにはもう一つの非常に重要な状況が存在する。シオニスト運動のリーダーとして、現在ヘルツルの後継者であるワイズマン博士は、１９２０年10月6日、チーフラビ（ユダヤ教指導者）が、ヘルツのための送別会で議定書の中の格言を一つ引用した。チーフラビは、プリンス・オブ・ウェールズ殿下の帝国旅行に向けて出発する直前だった。そして、以下がワイズマン博士の引用したメッセージの「格言」である。「神がユダヤ人の命に施した恩恵ある加護とは、世界中にユダヤ人を離散させたことである」（『JEWISH GUARDIAN』誌、１９２０年10月8日付）これを、議定書Ⅺの一部である最後の条項と比較してみよう。

「神は、我々選ばれし民に離散という贈り物を与えた。それは、すべての人には我々の弱みであるように映るかもしれないが、そこから我々の強さが生まれ、そして現在、世界中の支配への入り口に我々を導いてくれているのだ」

　こうした文章同士の顕著な一致は、以下の数項目について証明している。賢者が存在することを証明している。ワイズマン博士が賢者全員について知っていることを証明している。パレスチナでの「ナショナル・ホーム（民族的郷土）」への欲求はカモフラージュであり、ユダヤ人の本当の目的のほんの一部にすぎないことを証明している。世界のユダヤ人がパレスチナや他の国に定住するつもりはなく、全員で「来年エルサレムで」会えることを願う毎年の祈りは、彼らの特徴的な見せかけの一部にすぎないことを証明している。また、ユダヤ人は今や世界の脅威であり、またアーリア人種は、ヨーロッパ圏外に永住しなければならないだろうことも実証している。

長老たちとは誰か？

これはまだ明らかにされていない秘密である。

彼らを隠匿するのが手なのだ。

彼らは「代表者委員会」（イギリスのユダヤ人議会）やパリにある「世界イスラエル同盟」ではない。しかし、Allgemeiner Electricitaets Gesellschaft（ＡＥＧ、アルゲマイネ・エレクトリツィテート・ゲゼルシャフト）社の故ワルター・ラーテナウは、そうした題材に少々触れており、そして、自分は長老の名前を冠しており、恐らく自分自身が首席指導者たちの一人であろうことに疑いを抱いていなかった。彼は１９１２年12月24日、『WIENER FREIE PRESSE』にて次のように述べている。

「一人ひとりがお互い全員を知っている３００人の男たちが、ヨーロッパ大陸の運命を統治し、そして彼らはその取り巻きから後継者を選出する」。１８４８年ユダヤ人革命勃発前の１８４４年、本名はイスラエルといい、「見捨てられた」、またはバプテスマを受けたユダヤ人であるベンジャミン・ディズレーリは、小説『カニングスビー』を出版した。その中には、次の不吉な文章が記されている。

「世界は、その舞台裏にいない人々が想像するのとははるかに異なる人物によって支配されている」

そして、さらにはこれらの人物がすべてユダヤ人であるとまで語ったのである。プロビデンスによってこうした秘密の議定書の存在が明るみに出た今、全人類は、すべての政府の「舞台裏」で操っている、ディズレーリが特定し隠蔽した人物をはっきりと目にすることができるかもしれない。こうして明るみに出たことが意味することとは、すべての白人は、帝国全土において生き延びたことを誇るユダヤ人と国家に対する根本的な態度を検証し、修正するという重大な責任を伴うとすることである。

注意Ⅰ）「Agentur」および「The Political」

当該翻訳には、「AGENTUR（代理店）」と「political（政治）」という二つの珍しい単語が名詞として使用されている。AGENTURは原文から引用した単語であると思われ、長老たちが利用したエージェントや代理店の組織（部族のメンバーまたは、長老たちが使用する非ユダヤ人的手段）を意味する。「the Political」とは、マースデン氏によると、厳密には「政治組織」ではなく、政治の仕組み全体を意味する。

注意Ⅱ）ユダヤ教の象徴としての蛇。

議定書Ⅲは、ユダヤ教の象徴としての蛇についての言及から始まる。ニルスは、議定書1905年版へのエピローグの中で、この象徴について次の興味深い説明を記している。

秘密のユダヤ人シオニズムの記録によると、すでに紀元前929年、ソロモンと他のユダヤ賢者は、シオンによる全宇宙の平和的な征服を理論立てた計画を編み出していた。歴史が発展するにつれ、この計画は綿密に検討され、その後この問題を引き継いだ者たちによって完成された。これらの識者たちは平和的な手段によって、そして象徴としての蛇の狡猾さをもってして、シオンのために世界を征服することを決断した。蛇の頭はユダヤ政府の計画に着手した人々を象徴し、その体はユダヤ人を象徴している。そうした政府はユダヤ人国家自体からでさえも、常に隠匿されてきたのである。この蛇は、遭遇した国々の神髄にまで入り込み、国家の非ユダヤ人権力すべてを弱体化させ、貪り食うのであった。蛇は、策定された計画に厳密に従いつつ、いまだ終えなければならない任務を抱えているとする予言がなされている。蛇の頭がシオンに戻って初めて、走る予定の進路が閉じられるのだが、蛇は同じ方法でヨーロッパ全土を駆け巡ってその周りを取り囲み、とぐろを巻いて束縛することで全世界を覆いつくし、やっとその任務を終えることになるという。これは、あらゆる努力をし尽くし、経済的征服によって他国を抑圧することを達成することを意味する。蛇の頭は、ヨーロッパのすべての主権国家の権力が弱まってから初めてシオンに戻ることができるのだ。それはつまり、経済危機と卸売の壊滅が至る所でその影響を及ぼし、主にフランス人、イタリア人などを装ったユダヤ人女性の力添えによって、精神的士気の低下と道徳の腐敗がもたらされる時である。

こうしたユダヤ人女性たちは、最も確実に、国家元首としての指導者たちの生活に放蕩を広く浸透させてくれる。象徴としての蛇の進路を以下の地図に示した。ヨーロッパでの第1段階は紀元前429年ギリシャ、ペリクレスの時代、蛇はまず同国の権力に食い入り始めた。第2段階は、アウグストゥス時代のローマで、紀元前69年頃である。シャルル5世の時代のマドリッドが第3段階であり、西暦1552年。第4段階は1790年頃のパリ、ルイ16世の時代。第5段階は1814年以降のロンドン（ナポレオンの没落後）。第6段階は普仏戦争後の1871年、ベルリン。第7段階は、サンクトペテルブルク、1881年の日付の下に蛇の頭が描かれている。［この蛇は現在、アメリカ大陸を横断しているところを描かれており、アメリカ合衆国では部分的に「外交問題評議会（CFR）」および「三極委員会」であると特定されている］。蛇が横断したすべての国は、その憲法の基礎を揺さぶられ、ドイツも蛇の明白な力によってその支配から逃れることはできなかった。経済状況では、イングランドとドイツは危機こそ免れたが、それも蛇がロシアを征服するまでであった。その当時（1905年）、蛇の尽力はすべてロシアに注がれていたからである。

蛇の今後の進路はこの地図には示されていないが、矢印によると、次なる行き先はモスクワ、キエフ、オデッサの方向が指し示されている。後者の都市が過激なユダヤ民族の数世紀をどの程度形成しているかは、今では我々が周知するところである。コンスタンチノープルは、蛇がエルサレムに到達する前の、進路の最後段階として表示されている（この地図は、「ヤング・ターク（青年トルコ人）」が出現する［すなわち、ユダヤ教徒‐トルコ革命］何年も前に描かれたものである)。

注意Ⅲ）異邦人または非ユダヤ人を意味する「Goyim（ゴイム）」という語句は議定書全体で使用され、マースデン氏もそのまま引用している。

XIX 文献

1. シャロン・ワインバーガー「Mind games（マインドゲーム）」、『ワシントン・ポスト』、２００７年1月14日
2. 「It's abuse, not science fiction（それは虐待であり、サイエンスフィクションではない）」、www.aisjca-naft.org、（編）２００５年
3. アーメン・ビクトリアン博士『Mind controllers（マインドコントローラー）』、１９９９年
4. A・コンスタンティン『Psychic Dictatorship in the USA（米国の超能力による独裁）』、１９９５年
5. ジム・キース『Mass Control : Engineering Human Consciousness（マスコントロール：人間の意識を操作する）』、２００３年
6. デビッド・モアハウス『Psychic Warrior（超能力戦士）』、１９９６年
7. ジーノ・マニング、ニック・ベギーチ博士共著『Angels don't play this HAARP:Advances in Tesla Technology（悪魔の世界管理システム「ハープ」）（テスラテクノロジーの進化）』、宇佐和通訳、並木伸一郎監修、学習研究社（ムー・スーパー・ミステリー・ブックス）、１９９７年
8. ジャック・ヴァルス『Forbidden science（禁断の科学）』、１９９５年
9. ラッセル・タン＆ハロルド・プソフ『Mind - Reach : Scientist look at psychic ability（マインド・

リーチ：科学者による超能力への見解）』、１９７７年

10．ラウニ・リーナ・ルーカネン・キルデ『Mita missa milloin』『Parapsykologia』、１９８３年

11．ラウニ・リーナ・ルーカネン・キルデ「Microchips implants, mind control and cybernetics（マイクロチップインプラント、マインドコントロールおよびサイバネティクス）」『Spekula』第3号１９９9年、Oulu Uleaborg（オウル／ウレオボリ）医学生、医師会。世界の医学雑誌における初の論文

12．ラウニ・リーナ・ルーカネン・キルデ「Do principals of eternity bold.」OOBES/NDES。主題についての世界で最初の医学雑誌論文。『DUODECIM（デュオデシム）』第14号、１９８３年

13．ラウニ・リーナ・ルーカネン・キルデ「Microwave mind control：Modern torture and control mechanisms eliminating human rights and privacy.（マイクロ波マインドコントロール：人権とプライバシーを排除する現代の拷問と支配のメカニズム）」『Newsletter of Bioelectromagnetics（生体電磁気学ニュースレター）』、ＳＩＧ、米国メンサ、２０００年12月

14．ラウニ・リーナ・ルーカネン・キルデ「Neuroelectromagnetic Telecommunication & Cybernetics（脳電磁場電気通信＆サイバネティクス）」、International Congress on Military Medicine（軍事医学に関する国際会議）、ヘルシンキ、フィンランド、２０００年6月

15．ラウニ・リーナ・ルーカネン・キルデ「Neuroelectrornagnetic Telecommunication（電磁場テレコミュニケーション）」、Arctic internSymposium on Mechanics of Memory and Memory Disorders（記憶の仕組みと記憶障害の力学に関する国際シンポジウム）、サーリセルカ、フィンランド、２００１年3月

16．ラウニ・リーナ・ルーカネン・キルデ「Biotelemetry and Behavioral studies in Specific Population Groups（特定の集団グループにおけるバイオテレメトリーおよび行動研究）」、WONCA（世界家庭医療

学会）ヨーロッパ地区、タンペレ、フィンランド、２００１年６月
17．トニー・レス『They're watching you!The age of surveillance.（あなたは見られている！　監視の時代）』、１９９８年
18．マイケル・C・ルポート『Crossing the Rubicon（ルビコン川を渡って）』、２００４年
19．レナード・C・ホロヴィッツ『Emerging Viruses.Aids and Ebola — Nature, Accident or Intentional?（新興ウイルス。エイズとエボラ—自然、事故、あるいは意図的？）』、１９９９年
20．ブライス・テイラー『Thanks For The Memories ... The Truth Has Set Me Free!（記憶に感謝する。真実は私を自由にした！）』、１９９９年
21．バート・ラップ『Shadowing and Surveillance. A complete guidebook（シャドウイングと監視　完全ガイドブック）』、１９８６年。ジョー・マクモニーグル『Mind Trek. Exploring consciousness, Time and Space through Remote Viewing（マインドトレック—遠隔透視による意識、時間、空間の探索）』、１９９３年
22．キッド・ペドラー『Mind over Matter:A Scientists view of the Paranormal.（マインドオーバーマター：超常現象の科学者的見解）』、１９８２年
23．ブライアン・フリーマントル『The Octopus（ユーロマフィア）』、１９９５年
24．ヘルムート・ラメ、マリオン・ラメ共著『Verdekte Operationen.Verwicbengen in UFOEntfurungen, Mind Control（マインドコントロール）, bio chips（バイオチップ）, undergrundbasen, exotische waffen』、１９９７年
25．ロン・マクレー『Mind Wars:The true story of Government research into the military potential of psychic Weapons（心理戦：超能力兵器の軍事的可能性に関する政府研究の実話）』、１９８４年

26．デビッド・アイク『Robottarnas uppror: berattelsen om der andelige uppvaknande（ロボットの反乱）』、１９９６年
27．ラウニ・リーナ・ルーカネン・キルデ『Hvem er jeg.（私は誰？）』、１９９４年（ＥＴ）
28．メリタ・デニング、オズボーン・フィリップス『The astral projection kit.（アストラル・プロジェクション・キット）』、『Illustrert Vetenskap（図解科学）』、１９７９年
29．『Nexus Magazine（ネクサス誌）』
30．米国特許番号：６０１１９９１、Ａ・マドリッソニアン、２０００年４月１日
衛星を介した神経系の操作、脳の電気接続―思考盗聴、マインドコントロールテスト、人工知能、およびクローニング
米国特許番号：５１２３８９９、Ｊ・ゴール、１９９２年６月23日。米国特許番号：５２８９４３８、Ｊ・ゴール、１９９４年２月22日
意識、怒り、悲しみ、眠気などの変化。衛星を介して脳を一定のリズムで刺激する。（A endre bevisstheten, sint, lei, sinnig etc. Via satellite Mir hjernen stimulert tip en viss rytme）米国特許番号：６５８７７２９オーラフリンら、２００３年７月１日。無線周波数の聴覚効果を使用したオーディブル・コミュニケーション・スピーチ装置（skape stemmeri hodet ditt 用）
31．ラウニ・リーナ・ルーカネン・キルデ『Det finnes ingen dod』、１９８４年
32．『Sendebud fra stjernene』。１９９１年、ラウニ・リーナ・ルーカネン・キルデ
33．『Universets barn』１９９５年、ラウニ・リーナ・ルーカネン・キルデ
www.info.iaacea.org/international-groups.html
ラウニ・リーナ・ルーカネン・キルデ、ＭＤ

訳者プロフィール

石橋 輝勝（いしばし てるかつ）

1953年生
千葉県出身
千葉県在住
専修大学法学部法律学科卒
NPOテクノロジー犯罪被害ネットワーク理事
元八街市議会議員
『太古の諸先祖の遺産に基づく文化国家創設のために』1996年自費出版
『武器としての電波の悪用を糾弾する！』1997年自費出版
『Four Essays Leading to the Age of All Mankind』2020年 MyISBN-デザインエッグ社

黒い陰に輝く光

2021年3月12日　初版第1刷発行

著　者　ラウニ・リーナ・ルーカネン・キルデ
訳　者　石橋 輝勝
発行者　瓜谷 綱延
発行所　株式会社文芸社
〒160-0022　東京都新宿区新宿1－10－1
電話　03-5369-3060（代表）
03-5369-2299（販売）

印刷所　株式会社フクイン

ISBN978-4-286-21638-6